VOL. 27

Dados Internacionais de Catalogação na Publicação (CIP)
(Câmara Brasileira do Livro, SP, Brasil)

B169r Bandler, Richard.
Resignificando: programação neurolingüística e a transformação do significado / Richard Bandler, John Grinder [tradução: Maria Sílvia Mourão Netto]. – São Paulo: Summus, 1986. (Novas buscas em psicoterapia; v. 27)

Bibliografia.
ISBN 978-85-323-0233-5

1. Atitude – Mudança 2. Linguagem – Psicologia 3. Psicoterapia 4. Significado (Psicologia) I. Grinder, John. II. Título. III. Título: Programação neurolingüística e a transformação do significado. IV. Série.

19. CDD-616.8914
-302
-302.24
-401.9
-616.89142
86-0154   NLM-WM 420

Índices para catálogo sistemático:

1. Atitude : Mudança : Psicologia social   302
2. Comportamento : Modificação : Psicoterapia : Medicina
616.89142
3. Linguagem : Psicologia   401.9
4. Modificação do comportamento : Psicoterapia : Medicina
616.89142
5. Neurolingüística : Programação : Psicoterapia : Medicina
616.8914
6. Psicoterapia : Medicina   616.8914
7. Significado :· Comunicação   302.24

Compre em lugar de fotocopiar.
Cada real que você dá por um livro recompensa seus autores
e os convida a produzir mais sobre o tema;
incentiva seus editores a encomendar, traduzir e publicar
outras obras sobre o assunto;
e paga aos livreiros por estocar e levar até você livros
para a sua informação e o seu entretenimento.
Cada real que você dá pela fotocópia não autorizada de um livro
financia o crime
e ajuda a matar a produção intelectual de seu país.

Resignificando

Programação neurolingüística e a transformação do significado

RICHARD BANDLER
JOHN GRINDER

summus
editorial

Do original em língua inglesa
REFRAMING
Neuro-Linguistic Programming and the Transformation of Meaning
Real People Press
Copyright © 1982 by Richard Bandler e John Grinder
Direitos desta tradução adquiridos por Summus Editorial

Tradução: **Maria Silvia Mourão Netto**
Capa: **Roberta Masciarelli**
Direção da coleção: **Paulo Eliezer Ferri de Barros**

Summus Editorial
Departamento editorial
Rua Itapicuru, 613, 7º andar
05006-000 – São Paulo – SP
Fone: (11) 3872-3322
http://www.summus.com.br
e-mail: summus@summus.com.br

Atendimento ao consumidor
Summus Editorial
Fone: (11) 3865-9890

Vendas por atacado
Fone: (11) 3873-8638
e-mail: vendas@summus.com.br

Impresso no Brasil

Novas Buscas em Psicoterapia

Esta coleção tem como intuito colocar ao alcance do público interessado as novas formas de psicoterapia que vêm se desenvolvendo mais recentemente em outros continentes.

Tais desenvolvimentos têm suas origens, por um lado, na grande fertilidade que caracteriza o trabalho no campo da psicoterapia nas últimas décadas e, por outro, na ampliação das solicitações a que está sujeito o psicólogo, por parte dos clientes que o procuram.

É cada vez maior o número de pessoas interessadas em ampliar suas possibilidades de experiência, em desenvolver novos sentidos para suas vidas, em aumentar suas capacidades de contato consigo mesmas, com os outros e com os acontecimentos.

Estas novas solicitações, ao lado das frustrações impostas pelas limitações do trabalho clínico tradicional, inspiram a busca de novas formas de atuar junto ao cliente.

Embora seja dedicada às novas gerações de psicólogos e psiquiatras em formação, e represente enriquecimento e atualização para os profissionais filiados a outras orientações em psicoterapia, esta coleção vem suprir o interesse crescente do público em geral pelas contribuições que este ramo da Psicologia tem a oferecer à vida do homem atual.

Índice

Nota do Editor Norte-Americano 8

Introdução 9

I — Resignificação de Conteúdo: Modificação do Significado ou Contexto 13
II — Negociações entre Partes 55
III — A Criação de Uma Nova Parte 68
IV — Resignificação Avançada em Seis Passos 119
V — Resignificando Sistemas: Casais, Famílias, Organizações 160
VI — Resignificando Estados Dissociados: Alcoolismo, Abuso de Drogas etc. 197

Índice Analítico 225

Bibliografia 227

Nota do Editor Norte-americano

É comum, quando as pessoas são apresentadas à técnica da Programação Neurolingüística, e começam a aprendê-la, serem cautelosas e ficarem preocupadas com os possíveis usos e maus usos desta técnica. Reconhecemos plenamente o grande poder das informações apresentadas neste livro e de todo coração recomendamos que elas sejam exercidas cautelosamente à medida que o leitor estuda e aplica estas técnicas com um praticante da PNL, isto como uma proteção para si mesmo e para as pessoas à sua volta. É por esta razão que, também, concitamos o leitor a comparecer apenas a seminários, *workshops* e programas de treinamento que tenham sido oficialmente concebidos e atestados por Richard Bandler e John Grinder. Na maioria das vezes, tais eventos ocorrerão sob os auspícios de Grinder, DeLozier & Associates ou Richard Bandler and Associates.

Escrever a ambos os endereços é a única maneira de garantir o pleno endosso de Richard Bandler e de John Grinder à qualidade dos serviços e/ou treinamento apresentados como sendo PNE.

Richard Bandler
2912 Daubenbiss Ave # 20
Soquel, CA 95073
U.S.A.

Grinder, DeLozier & Associates
1077 Smith Grade
Bonny Doon, CA 95060
U.S.A.

Introdução

Uma estória chinesa muito antiga do taoísmo fala de um camponês que habitava numa aldeia muito pobre do interior. Era considerado bem de vida porque possuía um cavalo que usava para arar a terra e como meio de transporte. Um dia seu cavalo fugiu. Todos os vizinhos exclamaram que isso era terrível; o camponês disse simplesmente: "Talvez."

Alguns dias depois, o cavalo voltou e com ele trouxe mais dois cavalos selvagens. Todos os vizinhos alegraram-se com sua boa sorte, mas o camponês disse simplesmente: "Talvez."

No dia seguinte, o filho do camponês tentou montar num dos cavalos selvagens; este o lançou por terra e o rapaz quebrou a perna. Os vizinhos todos condoeram-se com seu azar, mas novamente o camponês disse: "Talvez."

Na semana seguinte, os oficiais da convocação militar vieram até à aldeia para recrutar jovens para o exército. Rejeitaram o filho do camponês porque estava com a perna quebrada. Quando os vizinhos comentaram como tinha sorte, o camponês respondeu: "Talvez"...

O significado de todo acontecimento depende do "molde" (*frame*) pelo qual o vemos. Quando mudamos de molde, mudamos o significado. Ter dois cavalos selvagens é uma coisa boa até que se considere o fato no contexto da perna quebrada do filho. Esta perna quebrada parece uma coisa ruim no contexto da pacífica vida do lugarejo, mas, no contexto de recrutamento e de guerra, subitamente torna-se um acontecimento positivo.

A isto chama-se "resignificar" (*reframe*): modificar o molde pelo qual uma pessoa percebe os acontecimentos, a fim de alterar o significado. Quando o significado se modifica, as respostas e comportamentos da pessoa também se modificam.

A resignificação não é algo novo. Muitas fábulas e estórias de fadas incluem comportamentos ou acontecimentos que mudam seu significado quando muda o seu enquadre (*frame*). O patinho feio parece feio, mas acaba se evidenciando como cisne, mais bonito do que os patos aos quais vinha se comparando. O estranho nariz vermelho de Reindeer Rudolf torna-se útil para guiar o trenó de Papai Noel numa noite de nevoeiro.

A resignificação aparece também em praticamente todas as piadas. O que parece ser uma coisa de repente muda e se torna uma outra coisa.

1) O que é todo verde e tem rodas?

2) O que é que Alexandre, o Grande, e Cinzento, o Urso, têm em comum?

(Respostas no final da introdução.)

A resignificação é ainda o elemento-chave para o processo criativo; trata-se da habilidade de situar o evento comum num molde útil ou capaz de proporcionar prazer. Um amigo do físico Donald Glaser apontou para um copo de cerveja e disse rindo: "Por que você não usa *isso* para captar suas partículas atômicas?". Glaser olhou para as bolhas que se formavam na cerveja, foi para seu laboratório e inventou a "câmara de bolhas", semelhante à câmara de nuvens de Wilson, para detecção de trajetos de partículas em experimentos de física com alta energia. Arthur Koestler, em seu *The Act of Creation* (*O Ato da Criação*), chama a este processo de "bissociação": a habilidade de associar simultaneamente um evento a dois contextos muitos separados e diferentes.

Na teoria da comunicação geral, existe um axioma básico de que um sinal só tem significado em termos do molde ou contexto no qual aparece. O som de um sapato rangendo numa calçada cheia de pedestres tem pouco significado; já o mesmo som do lado de fora de sua janela, quando você está sozinho em casa e deitado, significa uma coisa inteiramente diferente. Uma luz num campanário de igreja é simplesmente isso. Mas, para Paul Revere, significava que os ingleses estavam chegando, e ainda, de que modo se aproximavam: "uma, se por terra; duas, se por mar". A luz só tem significado em termos de instruções prévias que estabeleceram um contexto, um molde; molde interno que determina o significado.

A resignificação aparece em grande escala no contexto terapêutico. Quando um terapeuta tenta fazer um cliente "pensar de outro modo sobre as coisas", "ver novos pontos de vista" ou "levar outros fatores em consideração", está envidando esforços para resignificar eventos a fim de fazer com que o cliente responda aos mesmos diferentemente.

Conceitualizações explícitas da resignificação têm sido utilizadas por vários terapeutas que concordam que "problemas de comportamento" só fazem sentido quando são considerados no contexto dentro do qual ocorrem. Entre tais terapeutas contam-se diversos com orientação para tratamento familiar ou sistêmico, destacando-se Paul Watzlawick e o grupo do Instituto de Pesquisas Mentais de Palo Alto, Jay Haley e Salvador Minuchin e grupo, na Clínica de Orientação Infantil de Filadélfia. Tais terapeutas geralmente se valem do que no capítulo I está descrito como "resignificação de conteúdo". Elaboraram intervenções de resignificação específicas tais como "prescrição de sintomas", e "injunções paradóxicas" que resignificam efetivamente o comportamento a fim de modificá-lo. Aplicam também técnicas de intervenção direta para mudar o contexto real físico externo, dentro do qual ocorre o comportamento.

Virginia Satir emprega muita resignificação em seu trabalho, desde redefinições simples até resignificações mais elaboradas através do psicodrama, em suas "festas de partes", e "reconstruções familiares".

Carl Whitaker resignifica praticamente tudo o que diz para as famílias com as quais trabalha. Os sintomas passam por resignificação, tornando-se realizações ou habilidades, a "sanidade" torna-se loucura, a "loucura" torna-se sanidade.

Um método de resignificação mais elaborado e "de uso geral", denominado "seis passos", foi desenvolvido por Bandler e Grinder, e já apareceu publicado no *Sapos em Príncipes*. Este livro pressupõe que você já tenha tomado conhecimento do modelo básico de seis passos de resignificação: uma grande parte deste volume só lhe fará sentido se você já contar com alguma informação prévia e com alguma forma de experiência daquele tipo de resignificação. Você tem oportunidade de encontrar uma excelente descrição e discussão da resignificação em seis passos (além de outros padrões da PNL em nível básico) no terceiro capítulo de *Sapos em Príncipes*.

O que este livro traz de novo é uma descrição explícita da estrutura básica da resignificação, e a apresentação de diversos modelos adicionais de resignificação. Este livro apresenta técnicas específicas passo a passo para pôr tais modelos em prática, além de maneiras de determinar qual modelo é mais apropriado para uma determinada situação problemática.

Este é um livro de resignificação "avançada". Os três primeiros capítulos apresentam vários modelos alternativos distintos de resignificação, úteis em determinados contextos, e para tipos específicos de problemas. A seguir, estão capítulos sobre a construção da flexibilidade quando se usa a resignificação de seis passos (capítulo IV), resignificação com casais, famílias, e outros grandes sistemas, como comércios, por exemplo (capítulo V), resignificação com alcoólatras e outros exemplos de estados dissociados (capítulo VI).

A resignificação é um instrumento muito poderoso de comunicação. Este livro retira-a de um nível de arte aleatória, elevando-a à categoria de conjunto de intervenções predizíveis e sistemáticas para se atingir a modificação de comportamentos.

Este livro foi editado a partir de transcrições de vários *workshops* diferentes e inúmeros seminários de treinamento, apresentados por Bandler e Grinder, e tomam aqui a forma de um único *workshop* de três dias. Não se faz distinção entre Richard e John falando e os nomes da maioria dos participantes foram modificados.

Enquanto estiver lendo este livro, lembre-se de que Bandler e Grinder estão geralmente *fazendo* aquilo de que estão falando. O leitor astuto poderá descobrir muito mais no texto do que aquilo sobre o que se comenta abertamente.

Connirae Andreas
Steve Andreas

Respostas das piadas:

1) "Grama... eu menti quanto às rodas!"
2) A palavra do meio é igual.

I
Resignificação de Conteúdo: Modificação do Significado ou Contexto

Todos já aprenderam o modelo de resignificação em seis passos. Segundo este, vocês estabelecem comunicação com uma parte, determinam sua intenção positiva e depois criam três comportamentos alternativos para satisfazer a mesma intenção. Trata-se de um excelente método para uso geral que funcionará para uma enorme quantidade de coisas. Conta com espelhamento de futuro e com verificação ecológica em sua própria formação, de modo que dificilmente dará errado se o procedimento for seguido de modo congruente e com experiências sensoriais.

No entanto, esse é apenas *um* modelo de resignificação. Existem vários outros modelos que em geral não ficamos ensinando nos *workshops*, devido basicamente à falta de tempo. Um deles, denominado "resignificação de conteúdo", é o modo mais comum de a resignificação ser empregada na terapia. Seu nome é resignificação de conteúdo porque, diferentemente da resignificação em seis passos, para esse é preciso conhecer o conteúdo específico a fim de realizar a resignificação. Existem dois tipos de resignificação de conteúdo e darei a seguir um exemplo de cada tipo. Um de meus exemplos favoritos é este: certo dia, num *workshop*, Leslie Cameron-Bandler estava trabalhando com uma mulher que tinha um comportamento compulsivo — era fanática por limpeza. Era do tipo de pessoa que tirava o pó até das lâmpadas! O resto da família conseguia funcionar muito bem frente a tudo que a mãe fazia, exceto no que dizia respeito a suas tentativas de cuidar do tapete. Ela gastava um tempo enorme tentando não deixar as pessoas andarem em cima dele porque deixavam marcas de pés, não de lama nem de sujeira, apenas marcas nos pêlos do tapete.

Quando era adolescente, tive parentes que compraram um tapete e depois puseram uma passadeira de plástico por cima, e as pessoas não podiam pisar fora da passadeira de plástico. Foram os tais que

13

compraram um piano e depois o trancaram de modo que ninguém pudesse tocar, porque não queriam ter que limpar as teclas. Aqueles teriam vivido muito bem numa fotografia. Poderiam ter ficado dentro da casa, tirado a fotografia, morrido e depois pendurado a foto no lugar onde a casa teria ficado. Assim seria muito mais fácil.

Quando esta mulher em particular olhava para o chão e via o tapete marcado com uma pegada, sua resposta era uma intensa reação cinestésica, negativa, nas vísceras. Corria para pegar o aspirador de pó e limpar imediatamente o tapete. Era uma dona-de--casa profissional. Na realidade, limpava o tapete com aspirador, de três a sete vezes por dia. Gastava uma quantidade tremenda de tempo tentando fazer as pessoas entrarem pela porta de trás e, caso não o fizessem, resmungava contra elas; ou então, obrigava a tirarem os sapatos e andarem de leve. Já experimentaram andar sem pôr peso algum nos pés? A única pessoa que já vi fazer isso foi aquele sujeito no começo do antigo programa de TV *Kung Fu*, depois que desenrolavam o papel de arroz e o cara pisava em toda aquela extensão sem deixar pegadas. Quando alguém puder fazer isso, poderá casar com essa mulher e viver na casa dela.

A família, a propósito, não tinha nenhum delinqüente juvenil nem viciados em drogas ostensivos. Havia três filhos, todos eles torcendo por Leslie. A família aparentemente passava bem, quando não estava em casa. Se saíam para jantar, não havia problemas. Se saíam de férias, não havia problemas. Mas, em casa, todos se referiam à mãe como uma chata, porque ela ficava ralhando por tudo. Suas reclamações centralizavam-se principalmente na questão do tapete.

O que Leslie fez com essa mulher foi o seguinte: ela disse: "Quero que você feche seus olhos e veja seu tapete, e veja que não há uma única marca de pés nele, nenhuma. Está limpo e fofinho — nenhuma marca em lugar nenhum." A mulher fechou os olhos e estava no sétimo céu, sorrindo absorta. Depois Leslie disse: "*E observe que isto significa que você está completamente sozinha, e que as pessoas que lhe são queridas e que você ama não estão em parte alguma por perto.*" A expressão da mulher mudou radicalmente, ela se sentia terrivelmente mal! Depois Leslie disse: "Agora ponha umas marcas de pés e inteire-se de que as pessoas que lhe são mais importantes no mundo estão por perto." E, naturalmente, ela se sentiu bem de novo.

Se quiserem, podem chamar a esta intervenção de "comércio de sentimentos". Podem considerá-la uma espécie de estratégia modificada. Podem denominá-la ancoragem. Podem dar-lhe mil nomes, mas sua forma útil de pensar a respeito dela é como resignificação. Neste tipo particular de resignificação, o estímulo no mundo não muda de fato, muda seu *significado*. Podem usar este tipo de resignificação toda vez que decidirem que o estímulo para um comportamento problemático não precisa realmente ser modificado, que não existe nada inerentemente errado com ele.

A outra escolha, evidentemente, teria sido a de atacar o resto da família e fazer com que todos entrassem na linha e não deixassem pegadas. A mãe desta mulher tentou; não deu muito certo.

Se as pessoas têm uma experiência sensorial da qual não gostam muito, o de que não gostam é de sua *resposta* à mesma. Uma forma de modificar a resposta é entender que a resposta em si não está baseada no que está se passando na experiência sensorial. Se você modificar o que a experiência *significa* para elas, as respostas serão outras.

O que sabemos a respeito da mulher que mantinha tudo limpo é que se dedicava a uma forma de estratégia que lhe permitia decidir quando tinha chegado a hora de sentir-se mal. Ela não se sente mal em férias, nem num restaurante. Minha opinião é que quando ela entra na casa de alguma *outra* pessoa e ela está desarrumada, ela não se sente mal porque sua resposta tem a ver com sua propriedade. Seu lar é *seu* território; ela só se sente mal dentro de cetros limites. Talvez ela não considere a garagem ou o quintal como seu território. Algumas pessoas mantêm sua casa imaculada, mas não consideram o quarto dos filhos como parte da casa, de modo que não se sentem mal quando fica sujo.

Todas estas são, evidentemente, pessoas que usam estratégias de motivação negativa. Quando entram na cozinha e vêem pratos sujos por todo canto fazem "Arg!!". A fim de fazer com que os sentimentos ruins desapareçam, têm que lavar todos os pratos. Aí podem recostar-se e dizer: "Ahhh!". Quando entram num quarto limpo de hotel não ficam dizendo o mesmo "Ahhh!" porque não é propriedade *sua*. Assim, existe uma espécie de estratégia de decisão em funcionamento.

Uma forma de ajudar esta família seria a de alterar a estratégia desta mulher. Tal estratégia tem algumas características que são desagradáveis para ela. Mas para solucionar o problema imediato e atingir um resultado terapêutico positivo muito limitado, basta apenas conseguir fazê-la sentir algo de positivo a respeito de uma só coisa: o tapete. Não se trata de uma mudança penetrante, mas é algo que se tem possibilidade de fazer. Este aspecto é *especialmente* verdadeiro para os que estão engajados no mundo dos negócios, porque a resignificação de conteúdo é a essência das vendas.

Algumas pessoas chamam a isto de "redefinição" ou "re-rotulação". Seja lá qual for o nome que se escolher, o que vocês estão fazendo

15

é vincular uma nova resposta a alguma experiência sensorial. Deixa-se que o conteúdo continue o mesmo e em torno dele se coloca um outro molde de significado, a mesma *espécie* de significado que a pessoa já fez. A mãe fanática por limpeza faz um julgamento: quando ela passa por essa experiência sensorial, isto significa para ela algo suficientemente importante para fazê-la sentir-se mal. Se se puder definir as pegadas como algo importante o bastante para fazê-la sentir-se bem, então sua resposta se modificará.

Para se obter uma mudança, é muito essencial que se tenha disponibilidade de análogos não-verbais de apoio, durante o processo da resignificação. É necessário fazê-lo com uma expressão facial séria e com tom sério de voz.

Virginia Satir é uma pessoa a ser estudada, se quiserem aprender a fazer resignificação de conteúdo. Ela é mestre no assunto. Uma das principais manobras de Virginia para ancorar as novas respostas na família é o uso de resignificação de conteúdo. Vou dar-lhes um exemplo de uma resignificação que presenciei. Quase estraguei tudo porque comecei a rir quando ela o fez. Como isso não era muito apropriado a uma situação de terapia familiar, comecei a tossir. Tossir sempre dá uma boa cobertura; quando se ri, pode-se passar imediatamente para a tosse, sem que ninguém perceba.

Virginia estava trabalhando com uma família. O pai era banqueiro, profissionalmente pomposo. Devia ter diploma de alguma coisa a respeito. Não era um mau sujeito, tinha boas intenções. Cuidava bem de sua família, e tinha um grau suficiente de preocupação para ir à terapia. Mas, no fundo, era pomposo. A esposa, uma conciliadora extrema, segundo a terminologia de Virginia. Para aqueles que não conhecem tais termos, uma pessoa conciliadora é aquela que concorda com tudo e que por tudo pede desculpas. Quando você diz: "Mas que *lindo dia!*", a conciliadora responde: "Sim, desculpe."

A filha era uma combinação interessante de seus pais. Achava que o pai era o bandido e que a mãe era a mocinha, de modo que estava sempre do lado desta. No entanto, *agia* como o pai.

A queixa repetida do pai, na sessão, era que a mãe não tinha feito um trabalho muito bom de educação da filha porque esta era muito teimosa. Num determinado momento em que ele fazia essa reclamação, Virginia interrompeu o que estava acontecendo. Virou-se para olhar para o pai e disse: "Você é um homem que venceu na vida. É verdade?"

— Sim.

— Tudo o que você tem lhe foi dado? Seu pai era o dono do banco e disse simplesmente: "Toma, agora o presidente do banco é você?"

— Não, não. Fui eu quem trabalhou para chegar lá.

— Então você tem uma certa tenacidade, não é mesmo?

— Sim.

— Bem, existe uma parte de você que lhe permitiu ser capaz de chegar onde você está, ser um bom banqueiro. E, às vezes, você tem que recusar às pessoas umas coisas que você gostaria de ser capaz de lhes dar, porque sabe que, se lhes desse, aconteceria alguma forma de complicação depois.

— Sim.

— Bem, existe uma parte de você que tem sido suficientemente teimosa para realmente poder protegê-lo de uma forma muito relevante.

— Bem, sim. Mas, você sabe como é, não se pode simplesmente deixar que esse tipo de coisa escape ao seu controle.

— Agora, quero que você se vire e olhe para sua filha e perceba sem sombra de dúvida que você ensinou a ela como ser teimosa e como defender-se, e que isto é uma coisa inestimável. O presente que você lhe deu é algo que não pode ser comprado e que talvez possa salvar-lhe a vida. Imagine o valor dessa parte quando sua filha sair com um sujeito cujas intenções são más.

Não sei se vocês estão começando a detectar um padrão nisto. *Todas as experiências no mundo e todo comportamento são apropriados dentro de determinado contexto, segundo determinado referencial.*

Existem dois tipos de resignificação de conteúdo. Dei-lhes um exemplo de cada. Podem ver a diferença entre ambos? Conseguem ouvir uma diferença essencial entre os dois exemplos que acabei de lhes dar?

Homem: Num, há mudança de contexto; noutro, de significado.

Sim, exatamente. No último exemplo, Virginia mudou o contexto. Ser teimoso é julgado algo mau no contexto da família. Torna-se bom no contexto da atividade bancária e no contexto de um homem tentando se aproveitar da filha num encontro.

Bill: Então você realmente modifica o contexto que o pai usa para avaliar o comportamento da filha.

Certo. Seu comportamento de ser teimosa em relação a ele não será mais visto como um desafio contra ele. Será visto como uma conquista pessoal: ele ensinou-a proteger-se contra homens de más intenções.

17

Bill: Então você troca de contexto na imaginação e obtém uma resposta diferente "lá", e depois traz a resposta de volta para o contexto presente. Você o fez responder ao que não estava acontecendo.

Bom, ela já está respondendo "ao que não está acontecendo". Você o faz responder a algo *diferente* que não está ocorrendo. A maior parte do comportamento que surpreende vocês, nos clientes, é uma demonstração de que a maioria de seu contexto é interno e que vocês ainda não têm acesso ao mesmo. Quando o marido diz à esposa: "Eu te amo" e ela diz: "Seu filho de uma puta", este é um sinal muito bom de que ela está operando a partir de um contexto interno peculiar. Se vocês investigarem a respeito, poderão descobrir que a última vez que um homem disse isso a ela foi imediatamente antes de lhe dar as costas, sair pela porta afora e nunca mais aparecer. Uma grande parte de sua habilidade para estabelecer e manter uma relação com seus clientes consiste em sua habilidade para levar em consideração que o que parece e soa e é vivido como realmente estranho e inadequado a seus olhos, é simplesmente uma afirmação de seu fracasso para levar em conta o contexto a partir do qual aquele determinado comportamento está sendo gerado.

Ao invés de impor um novo contexto, vocês podem utilizar os recursos do próprio cliente para encontrar um novo contexto. O cliente diz: "Quero parar de fazer X." Vocês perguntam: "Existe algum lugar em sua vida onde X é útil e apropriado?". Se o cliente responder que sim mas que também há outros lugares onde X é um verdadeiro desastre, então vocês saberão em que situações cabe X. Vocês apenas contextualizam aquele comportamento e substituem um novo padrão de comportamento nos contextos em que X era um desastre.

Se o cliente diz: "Não, não é apropriado em lugar nenhum", vocês podem ajudá-lo a encontrar contextos apropriados, fornecendo-lhe instruções específicas de sistema representacional: "Veja-se desempenhando aquele comportamento e ouça-o... Agora, onde você o vê acontecer?"

— Aconteceu numa igreja. Fiquei em pé e gritei: "Maldita hora!" e então vieram e me carregaram para fora.

— Certo. Você sabe que ficar em pé no meio de um grupo de pessoas na igreja e gritar: "Maldita hora!" não funcionou para você e você não quer que isso aconteça de novo. Vamos encontrar um lugar onde seria útil a esse comportamento acontecer. Você pode se ver e se ouvir fazendo-o numa igreja. Agora, quero que você mude o fundo — os bancos, o altar, o interior da igreja — transformando-o em alguma outra coisa. Quero que continue substituindo aquele fundo por outros fundos para o mesmo comportamento até encontrar um em que ficar em pé e gritar: "Maldita hora!" receba a concordância de todas as suas partes quanto a ser esta uma resposta apropriada; e, pela expressão das pessoas em torno de você, perceberá que elas também a consideram apropriada. Assim que encontrar um contexto desses, volte-se para dentro e pergunte àquela parte que o faz ficar em pé e gritar: "Maldita hora!" se teria disponibilidade para ser seu recurso básico *apenas* naquele contexto.

Claro que se está usando uma indicação visual. É preciso amoldar a busca de um novo contexto segundo os processos internos concretos da pessoa em termos de sistemas representacionais. Para outras pessoas, poderia ser mais apropriado uma busca auditiva ou cinestésica.

Uma outra forma de tratar mais formal e mais geralmente este assunto seria fazer o seguinte: identificar um comportamento que vocês desejam mudar. Quero que todos vocês escolham um comportamento de que não gostam. Vocês não têm que falar em voz alta; só escolham...

Agora, em vez de entrarem em contato com aquela parte que gera diretamente esse comportamento, simplesmente voltem-se para dentro e perguntem se *alguma* parte qualquer de vocês consegue identificar *qualquer* situação na qual *queiram* ser capazes de gerar exatamente aquele comportamento...

Agora, voltem-se para dentro e perguntem à tal parte que os faz emitirem esse comportamento se lhe seria possível ser a parte mais importante de vocês naquela situação, gerando o tal comportamento de forma singular e congruente *apenas* naquele contexto...

Estas são variações sobre o tema da resignificação de conteúdo. Todos os modelos de resignificação que usamos estão baseados em alguma espécie de resignificação de conteúdo. No exemplo da teimosia, deixamos que o significado do comportamento permanecesse o mesmo e o incluímos num novo *contexto*.

Bom, o que foi que alteramos no primeiro exemplo que lhes dei da mulher com as pegadas?... Deixamos o contexto igual e modificamos o *significado* do comportamento no mesmo contexto. Tudo ficou constante, exceto o que o comportamento *implicava*.

A título de mais um exemplo, digamos que alguém tivesse uma parte ávida em si e achasse ruim ter isso. Uma forma de alterá-la seria fazer a pessoa conceber um contexto ou situação em que ser ávido seria uma coisa importante — talvez depois de uma guerra atômica, ou sentir avidez por aprender coisas novas. Sempre se pode produzir alguma alteração num contexto que venha a alterar o significado do comportamento.

Uma outra escolha é descobrir qual comportamento gerado é denominado de "ser ávido" e dar a essa conduta um novo nome com um novo significado. "Avidez" tem conotações negativas mas, se o comportamento receber um outro rótulo com conotações positivas, como "ser capaz de satisfazer as necessidades próprias", pode-se modificar o significado do comportamento.

Uma "festa de partes" de Virginia Satir nada mais é do que fazer isso repetidamente, de muitos modos diferentes. Se uma parte de vocês é desonesta e maliciosa, torna-se depois de uma redenominação "sua capacidade de serem criativamente construtivos", ou alguma outra coisa. Não faz diferença os nomes que vocês inventam, desde que tenham conotações positivas. Vocês estarão dizendo: "Olhem, todas as suas partes são valiosas e fazem coisas positivas em seu nome. Se vocês organizarem suas partes de tal modo que entrem num funcionamento cooperativo, e que fique mais evidente aquilo que estão tentando fazer por vocês, então funcionarão melhor."

No caso da filha teimosa, a "teimosia" na experiência do pai passa de algo que atrapalha seus interesses a algo que o faz sentir-se bem quando a vê ocorrendo, porque sabe que este comportamento é algo que será necessário à filha para que sobreviva no mundo. Isto modifica a resposta interna dele.

No outro exemplo, quando a mãe olhou para as pegadas no tapete, considerou-as como um comentário a seu respeito, qualificando-a de má dona-de-casa, implicando que não acabara de fazer as coisas que seriam sua obrigação fazer. Se vocês trocarem o significado das pegadas para: "Você está próxima das pessoas que ama", então sua experiência muda. *Essa mudança de experiência é realmente a única peça essencial do modelo de resignificação.* É exatamente isso a resignificação.

Homem: Quando você muda o significado, não estaria instalando uma complexa equivalência?

Sim. Na realidade, você não está instalando uma equivalência complexa, você está alterando simplesmente uma que já existe. Na realidade, você está fazendo uma troca. Ela já tem uma equivalência complexa. Ela está dizendo: "Pegadas no tapete significam má dona-de-casa, portanto, me fazem sentir mal." Você está dizendo: "Bom, já que você é tão boa em equivalências complexas, experimente esta. É bem mais simpática: pegadas no tapete significam que as pessoas amadas por você estão próximas, portanto, sinta-se bem."

A fim de que a resignificação funcione, às vezes é melhor começar com o caso inverso. Leslie poderia ter olhado para esta mulher e dito: "Ah, não, não. Veja, você está completamente errada. Quando você vê pegadas, isso só significa que as pessoas que lhe são importantes estão por perto." Isto não teria tido impacto; não teria modificado a experiência interna da mulher, nem sua resposta. Portanto, o curso da seqüência de apresentação da resignificação e sua expressividade são *muito* importantes.

"Você vê o tapete lá e está *imaculado!* Você o limpou *com perfeição.* Está fofinho. Você consegue enxergar as fibras brancas." Isto é espelhamento: ela está respondendo à mesma equivalência complexa. Depois você dirige com uma indicação: "Então, de repente, você percebe que isso significa estar *completamente sozinha.*" Isto ela nunca considerou antes. Se forem pensar a respeito, não é uma coisa necessariamente verdadeira. Pode ser que a família inteira esteja na sala ao lado. No entanto, *soa* tão significativo no contexto que você pode usá-lo para influir no comportamento. Depois, volta atrás: "Agora ponha ali umas poucas pegadas e perceba que aqueles a quem ama estão por perto."

Que espécie de resignificação é mais apropriada, se alguém diz a vocês: "Não consigo anotar nada, sou muito burro!?". As duas funcionarão, mas qual é mais imediata? Quando vocês ouvirem uma equivalência complexa como a deste exemplo, estarão ouvindo algo sobre significado. Se eu digo que não gosto de algo, especialmente quanto a outros, isto se relaciona de modo típico com significado. Se eu digo: "Bom, Byron nunca se interessou mesmo pelo grupo; está sentado lá no canto do fundo", estou comentando sobre o *significado* de um comportamento.

Se você comenta: "Fico aborrecido quando X acontece", que tipo de resignificação será mais apropriada? ... A resignificação de significado será mais apropriada. Que tipos de comentários nos indicam que a remodelagem de contexto é a mais indicada?

Mulher: Não estou feliz quando estou sentada nesta sala.

Que tipo de resignificação será mais imediato para essa afirmação: a de contexto ou a de significado? Essencialmente, ela está dizendo: "Não gosto do que isto significa", portanto, é a de significado novamente.

O que acontece se eu digo algo do tipo: "Sou por demais tirânico"... Isso informa algo quanto a contexto. Tirânico demais *em que situação?*... ou com relação *a quem?*

Então, qual a diferença entre as duas formas? Ambas são uma espécie de generalização. Podem me dizer a diferença entre estes dois tipos de generalização? Se puderem identificar a forma, isso lhes dirá que espécie de remodelagem é de uso mais *imediato.*

Comportamento algum é, em si e para si, útil ou não. Todo comportamento pode ser útil em algum lugar; identificar *onde* é a

21

resignificação de conteúdo. E comportamento algum significa, em si e por si, alguma coisa, de modo que vocês *podem* fazer com que signifique alguma coisa; isso é a resignificação de significado. Fazê-lo é simplesmente uma questão de habilidade para descrever *como* é esse o caso, algo que é simplesmente função de sua criatividade e expressividade.

Agora, vamos brincar um pouco com isso tudo. Apresentem-me algumas queixas, eu irei resignificá-las.

Mulher: Não tem mais café à noite. Não gosto disso.

Você tem dormido bem?

Homem: Há muitas sessões marcadas de uma vez. Decido estar num *workshop* e depois quero estar em outro. Não posso trocar e ir a outra sessão de tarde, porque já está muito adiantada.

Sim, eu entendo. Realmente compreendo-o. E uma das boas coisas de se organizar o *workshop* desse jeito é que oferece uma oportunidade extra para a prática dos processos de tomada de decisão.

Mulher: Não entendi a resignificação aí.

Bom, coloquei o comentário num molde dentro do qual tem uma outra função além da que ele conscientemente identifica; fornece-lhe prática de tomar decisões.

Homem: Minha esposa leva a vida toda para tomar decisões. Tem que olhar todos os vestidos da loja e compará-los todos antes de escolher um.

Ela é muito cuidadosa a respeito de decisões, então. Não é mesmo um elogio fantástico ter ela escolhido você, dentre todos os homens do mundo!

Homem: Não quero dizer à minha esposa o que quero sexualmente, porque isso iria forçá-la a limitar-se.

Mas você *está* querendo limitar a habilidade dela em satisfazê-lo quando ela quer fazer isso, não lhe dizendo de que gosta?

Mulher: Meus filhos gritam e fazem correria demais.

Quando estão brincando na rua ou jogando em momentos esportivos, isso deve dar-lhe uma grande satisfação, presenciando como seus filhos são desinibidos e também deve dar-lhe alegria saber que você e seu marido preservaram a natural exuberância das crianças.

Agora eu lhes apresento algumas queixas e vocês as resignificam. "Sinto-me horrível porque meu patrão sempre me critica."

Homem: Ele deve realmente notar o trabalho que você faz e gosta de você o suficiente para querer ajudar você a aperfeiçoar seu trabalho.

Certo. Bom. "Sou muito despreocupado."

Mulher: Bem, estive me lembrando de muitos amigos meus que estão tendo ataques do coração porque reagem com muita intensidade, quando alguém lhes pede que façam algo que não querem fazer.

Exercício

Quero que todos vocês pratiquem resignificação de significado e de conteúdo por vinte minutos. Reúnam-se de três em três. Um será um cliente, outro um programador, e o terceiro um observador. Invertam os papéis periodicamente.

A tarefa do cliente é produzir uma queixa. Poderão fazer *role-playing* de algum cliente de vocês, formulando uma queixa realmente contundente, daquelas que é normal vocês receberem em sua prática profissional. Podem fingir que estão fazendo o *role-playing* de algum cliente e sair com alguma queixa que seja relevante para uma parte de sua própria evolução pessoal. Quero que formulem suas queixas de uma determinada forma que facilite ao parceiro o trabalho. A forma da queixa dirá à outra pessoa que espécie de resignificação é mais apropriada.

1) Apresentem a queixa como uma equivalência complexa que vincule a resposta a uma classe de eventos: "Sinto X quando Y acontece", ou então,

2) Apresentem a queixa como uma generalização comparativa a respeito de si mesmos ou de alguma outra pessoa, com o contexto suprimido: "Sou Z demais", "Ele é muito Q."

A tarefa do programador é encontrar uma forma de resignificar o problema e então apresentar a resignificação de tal forma que produza um impacto. Este é um seminário de treinamento, de modo que não se forcem a responder de imediato. Vou dar-lhes uma estratégia para gerar resignificações. Primeiro, identifiquem a forma da queixa apresentada pelo cliente, para poderem saber que tipo de resignificação empregar. Com uma equivalência complexa vocês usarão uma resignificação de *significado* e com generalizações comparativas, uma resignificação de *contexto*. O próximo passo é criar uma representação interna da queixa que vocês receberam da outra pessoa: façam uma imagem visual dela, sintam-na cinestesicamente, descrevam-na auditivamente.

Para uma resignificação de contexto, perguntem a si mesmos: "Em quais contextos esse comportamento em particular, do qual se queixa a pessoa, é dotado de valor?". Pensem em contextos diferentes até encontrarem um que mude a avaliação do comportamento.

23

Para uma resignificação de significado, perguntem-se: "Num molde maior ou menor, este comportamento teria um valor positivo?". "Que outros aspectos desta mesma situação, não aparentes a esta pessoa, poderiam prover um referencial diferente de significados?" Ou simplesmente: "O que mais esse comportamento poderia significar?" ou "De que outros modos eu poderia descrever esta mesma situação?"

Depois de haver encontrado um novo enquadramento para o comportamento, detenham-se por um ou dois minutos pensando em formas alternativas de apresentar a resignificação, e depois escolham aquela que vocês considerarão capaz de produzir a resposta máxima. Neste momento, espelhamento e fornecimento de diretrizes indicativas (*pacing* e *leading*) serão extremamente importantes. Se tiverem dificuldade, conversem rapidamente com o observador em particular.

Depois de terem pensado numa resignificação, peçam ao cliente que repita a queixa e apresentem então a resignificação. Observem cuidadosamente as alterações não-verbais no cliente, enquanto ele considera o que vocês disseram.

Tanto o observador quanto o programador têm a tarefa de chegar a uma descrição sensorialmente formada das modificações não-verbais que ocorrem no cliente, enquanto ele faz a transição entre queixar-se de um comportamento e, pelo menos, fazer uma apreciação parcial de como o comportamento tem valor para si, num referencial diferente.

Alguma pergunta?

Mulher: Qual é o objetivo de se fazer uma pausa antes de resignificar?

Quero que usem o tempo para empregar uma das estratégias específicas que lhes ofereci para a produção de uma resignificação de conteúdo. Se vocês têm prática com resignificação de conteúdo, e têm uma resposta imediata, ótimo. Vão em frente e pratiquem-na. Mas, se vocês tiverem alguma hesitação, quero que saiam de cena. Voltem-se para sua experiência interna e passem todos os sistemas representacionais em revista, para identificar visual, auditiva e cinestesicamente como lhes seria possível resignificar verbalmente o conteúdo da queixa.

Se vocês tiverem prática em fazer resignificações, será melhor para vocês gastarem uns minutinhos para identificar qual é a sua própria estratégia típica para uma resignificação verbal de conteúdo, usando então qualquer *outra*, aumentando assim sua flexibilidade. Se em geral vocês apresentam diretrizes visuais e buscam contextos alternativos visuais, tentem fazê-lo cinestésica ou auditivamente.

Voltem com um exemplo bem-sucedido de cada tipo de resignificação de conteúdo e com uma descrição sensorial específica das mudanças que presenciaram no cliente. Iremos comparar as descrições para descobrir como podemos generalizar a respeito do que vocês observaram. Mais alguma pergunta quanto a este exercício? ... Certo, então comecem.

Discussão

Mulher: Tive muita dificuldade em resignificar o problema que meu parceiro apresentou. Tratava-se de uma interação com sua esposa e quando ela faz alguma coisa que ela...

Ele lhe apresentou uma sentença só?

Mulher: Sim. Ele quer parar de fazer tantas viagens visuais paralelas quando está falando com sua esposa.

Isso não se enquadra em nenhuma das duas formas que solicitei que fossem usadas para exprimir as colocações; portanto, não tem nada a ver com o que estamos fazendo hoje aqui, *a menos que* ele refaça a colocação, ou *a menos que* você o interrogue até conseguir chegar a uma afirmação que se enquadre numa das duas formas. Quero que vocês usem as duas formas que demonstramos antes, de modo que possam ter algum controle sobre sua linguagem e seu senso de expressão. Eu disse: "Descrevam um problema em uma destas duas formas." Ele o fez numa outra forma, assim não tem a menor relação com o que está se passando aqui. Se fosse o caso de você usar com ele o Meta-Modelo, então acabaria se saindo com uma destas duas formas. A propósito, você não foi o único que fez isso. Muitas pessoas vieram me perguntar: "O que você faz com essa sentença?" e eu respondi: "Nada. Não tem nada a ver com o que estamos fazendo aqui."

Uma parte importante do êxito com a PNL é saber que tipo de problema pode ser trabalhado pelo seu procedimento. Se souberem isso, vocês poderão fazer demonstrações bem-sucedidas a qualquer momento. Peçam simplesmente a cooperação de voluntários que apresentem exatamente aquilo para que serve seu procedimento. Vocês dizem: "Quem tem um problema do seguinte tipo: vocês entram numa certa situação e querem ter um certo sentimento mas, ao invés disso, têm um sentimento completamente diferente, e isso acontece todas as vezes?" Se tiverem um modelo terapêutico como a reancoragem, destinada a tratar com esse tipo de problema, não poderão fracassar.

Freqüentemente as pessoas vêm nos procurar depois dos seminários dizendo: "Vocês fazem terapia *tão depressa!*". É rápida, porque pedimos problemas que combinam com a forma que queremos demonstrar. Assim que alguém levanta a mão, estamos feitos.

É muito importante ser capaz de identificar estas formas e de solicitá-las. Se vocês têm um cliente que chega e diz: "Bom, sabe, tenho todo tipo de problemas", então vocês podem dizer: "Você sofre de alguma coisa parecida com isso?" e ele dirá: "Sim, tenho uns dois ou três probleminhas desse tipo." Vocês podem consertar estes, depois descrever uma outra forma e perguntar: "Bom, e algum destes você tem também?" É um quadro mental muito diferente para a realização de terapia. É muito importante ser capaz de descrever o tipo de problema com o qual funcionam as determinadas medidas de que vocês dispõem para trabalhar.

Se vocês tomarem qualquer um destes dois modelos de resignificação e o usarem onde for inapropriado, não dará certo. Seria como usar a cura de fobia para alguma outra coisa. Simplesmente não terá impacto, porque não é destinada para fazer alguma outra coisa. Um homem que participava de um *workshop* que realizamos em Chicago, telefonou-me um mês depois e disse: "Você trabalhou com uma mulher que tinha fobia de pássaros e realmente funcionou muito bem, mas estive usando essa medida com todos os meus clientes e não funcional." Perguntei-lhe: "Bom, eles sofrem de fobias?" Ele respondeu: "Não, não tenho cliente algum com fobia." Ele se saiu exatamente com uma dessas! Eu disse: "Mas então por que você está usando essa técnica?" Ele disse: "Mas *funcionou*!" Ele realmente entendeu tudo do seminário!

Essencialmente falando, esse é o maior erro que já foi feito em toda a história da terapia. Alguém fez algo que deu certo. Daí, pensou: "Funcionou! Muito bom! Vou usar para *tudo*! E vamos chamá-la de uma nova escola de terapia." E aí passou a experimentar aquela determinada coisa com todo mundo. Com algumas pessoas funcionou e com outras não, ele não conseguia entender por quê.

Realmente é muito simples. A estrutura do que ele fez foi apropriada para atingir determinados objetivos, mas não outros. Já que esses objetivos específicos não foram descritos, as pessoas não sabiam como procurá-los e encontrá-los. Estou esperando que vocês acabem percebendo que há momentos convenientes e inconvenientes para o uso destes instrumentos. É importante que vocês conheçam o que fazem seus instrumentos e o que eles não fazem. De outro modo, vocês terão que descobrir por tentativa e erro.

Jim: Estou interessado em ver a reação dos demais perante uma resignificação que fiz: minha parceira fez o *role-playing* de um paciente que tentou se suicidar diversas vezes. Ela me disse: "Vocês aí alegam conhecer muito de comportamento humano. Não gosto nem um pouco quando só o que vocês fazem é me trancar ao invés de deixarem eu me matar."

Marie: Bom, teve mais uma coisa que eu disse: "Eu realmente sei que quero me matar." Sua resposta a isto, Jim, foi: "Ótimo! Estou realmente contente que você saiba o que quer." Depois respondi: "Então, se você pode apreciar isso, para que me trancar aqui? Não gosto que vocês chamem a polícia, quando engulo minhas pílulas."

Certo. Essa é a queixa. Todos vocês pensem um momento como elaborar uma resignificação de conteúdo que possam usar para esse *input*, depois Jim nos dirá o que ele fez... Certo, agora prossiga, Jim.

Jim: Eu disse para ela: "Sabe, nunca realmente entendi o suicídio antes. Não sabemos na realidade o que se passa com pessoas como você, e você está me oferecendo uma oportunidade inédita para aprender. O que eu gostaria de fazer é cooperar com você, mas o que você propôs é muito simples demais, e não vou aprender o suficiente. O que gostaria de fazer é tornar sua morte mais complexa, de modo que eu realmente possa aprender a respeito."

Evidentemente ela ficou muito surpresa com o fato de eu ter dito isso. Ela fez "tchu!", inspirou de repente e o estômago afundou para dentro.

Marie: Quando ele me disse isso, senti que ele era tão louco quanto eu!

Cathy: Quando Marie estava falando a respeito de suicídio, fiquei pensando em como é fantástico ter-se algo na vida em nome de que morrer. Assim, seria importante ir em busca *daquela* coisa pela qual seria válido dar a vida, e gastar nisso o tempo necessário.

Marie: Eu concordo com isso; isso me faria sentir bem. A questão é: "O que é que eu posso fazer com isso depois?". Estou realmente esperando que vocês possam dizer-me o que fazer com isso depois.

A coisa importante a respeito das respostas que Cathy e Jim deram é que ambos aceitam a idéia do suicídio. É um bom espelhamento e cria uma ponte. E agora, já que aceitaram que ela irá se matar, passam para o *quando* e o *como*. A resposta de Cathy é, na realidade, uma extensão natural da parte do *como*. "Se você vai realmente fazer isso, então o faça *bem-feito*. É algo muito precioso, mesmo para ser feito assim só no calor do momento." Com esse tipo de paciente, o resultado de investigar aquilo em nome de que pretende morrer é ficar conhecendo a intenção subjacente ao comportamento suicida. É típico que os pacientes suicidas nunca lhe apresentem uma colocação positiva. Não podem. Estão cometendo suicídio por puro

27

desespero: preferem morrer a continuar vivendo com os tipos de xperiências que estão tendo atualmente.

O que Cathy e Jim sugeriram é uma espécie de tratamento de choque para conseguir uma ponte. A seguir, apresentaram uma colocação que pressupõe que a única forma justificável de morrer é *por* alguma coisa positiva. O que se acaba conseguindo é alguma intenção positiva por trás do suicídio; depois, pode-se chegar perto dessa intenção por uma variedade de caminhos. Esta seqüência é especialmente bonita.

Bunny: Fiz isso com uma cliente que estava falando com uma parte dela que queria morrer. Eu disse: "Mas que beleza você estar procurando o céu na terra." Depois passamos para o que queria dizer "céu na terra", para ela, e depois ela já estava muito menos deprimida.

"Céu na terra" é, evidentemente, uma forma de definir um resultado secundário muito geral: a intenção positiva que o suicida alcançará. Essencialmente, estamos redenominando "suicídio" como "tentativa de alcançar o céu na terra". Toda vez que a redenominação incluir uma expressão como "céu na terra", terá mais uma força extra acrescida porque faz um apelo simultâneo aos dois hemisférios cerebrais. Esta é uma das poucas formas de linguagem computada em ambos os hemisférios, de modo que conta com poder extra. Sua equivalência complexa para "céu na terra" será essencialmente formada pelos objetivos que agora vocês poderão trabalhar então, numa outra direção que não a do suicidar-se. Esta é realmente uma bela forma de apresentar instruções diretivas numa situação que é apropriada ao modelo de resignificação em seis passos.

Homem: Quando seu cliente fala em se suicidar, que tal dizer: "*Maravilhoso!*"?

Mais uma vez, isso é bom como primeiro passo, principalmente se todos os análogos não-verbais apóiam o que se diz. Uma forma de interromper um padrão do cliente é fazer algo totalmente inesperado. Uma das respostas menos esperadas ao suicídio, nesta cultura, é cumprimentar a pessoa, concordar e aprovar essa atitude. Concordar com a pessoa irá fazê-la parar e também conseguirá formar uma ponte imediata com aquela parte que fez a colocação do suicídio. Não é uma manobra completa, mas é uma boa forma de modificar o foco do que está acontecendo. Vocês não vão querer deter-se aí, especialmente quando estiverem lidando com questões de vida e morte. É necessário prosseguir imediatamente, a fim de utilizar esta abertura para a investigação de resultados. "Quem você gostaria que viesse e encontrasse seu corpo?" "Já redigiu sua nota suicida?" "Gostaria que eu o ajudasse a escrevê-la?" Estas são formas de especificar o resultado que aquela determinada parte da pessoa está tentando alcançar para si através do suicídio.

Portanto, estas são apenas as primeiras medidas dentro de uma intervenção terapêutica completa. São simplesmente maneiras de interromper e de modificar o enquadre dentro do qual a pessoa entende seu comportamento, dando a vocês muito mais liberdade para manobrar. Aliás, resignificar consiste precisamente nesse ponto básico: criar liberdade para manobrar. Se uma pessoa tem um comportamento X, este é um comportamento muito específico. Tem componentes sensoriais concretos: visão, sensação e audição. Se vocês tentarem mudar esse trecho de comportamento, de forma direta, será muito difícil. No entanto, se esse trecho de comportamento, como toda a sua especificidade, for de repente visto, ouvido ou sentido dentro de um contexto mais amplo, de um molde mais folgado, vocês poderão descobrir que não estão realmente comprometidos com o trecho específico de comportamento e sim com o *resultado* que supostamente esse comportamento trará em seu modelo de mundo. Aí, vocês de repente têm muito espaço para manobrar. Vocês conservam o resultado — o objetivo que estiverem tentando atingir — constante e reconhecem que esse padrão particular de comportamento é apenas *uma* maneira de alcançá-lo. Existem muitas outras formas de alcançar o "céu na terra".

Deixem-me recordar-lhes que quase nunca eliminamos uma resposta, exceto temporariamente. Pode haver um contexto em que até mesmo o homicídio, o suicídio etc., sejam boas escolhas. Não tenho vontade de brincar de Deus e ir a ponto, inclusive, de remover quaisquer escolhas que a pessoa tenha; simplesmente, quero acrescentar mais alternativas adicionais que, de alguma forma, sejam mais congruentes com o entendimento consciente da pessoa daquilo que quer alcançar. Não pretendo eliminar a habilidade de envolver-se com "comportamento inapropriado" porque poderá tornar-se apropriado em algum outro momento e em outro contexto.

No entanto, com um cliente suicida, é muito apropriado eliminar *temporariamente* a escolha do suicídio. Recomendo que vocês sejam muito explícitos no começo do trabalho com a mesma. "Concordo que é melhor para você morrer do que continuar vivendo desse jeito. Acredito que posso assisti-lo na modificação de sua vida para algo que valha a pena ser vivido. Irei aceitá-lo como cliente *apenas* se você desistir da possibilidade de suicídio durante três meses. Ao final desse período, se ainda acreditar que o suicídio é a melhor resposta, eu mesmo o ajudarei a cometê-lo. Concorda?"

É isso que faço verbalmente. Enquanto falo essas coisas, leio as respostas não-verbais do cliente, para ter certeza de que conto com um completo acordo inconsciente. Qualquer pessoa que tenta cometer suicídio está suficientemente dissociada para não ter conhecimento consciente de que irá ou não realmente cometer suicídio.

Após usar a PNL durante três meses, a situação será tão diferente que o assunto do suicídio provavelmente não chegará nem mesmo a ser ventilado. Eu é quem o trarei à baila, para ter certeza, e porque foi um acordo.

Milton Erickson usava freqüentemente contratos desse tipo. Depois, ele sugeria que, uma vez que ela estava planejando suicidar-se de qualquer jeito, poderia muito bem fazê-lo com toda a classe. "Quanto dinheiro você tem no banco?" "Ah, 5.000 dólares." "Ótimo. Na quarta-feira você terá consultado um cabeleireiro especializado, alguém competente também para ensiná-la a vestir-se adequadamente. Você parece desajeitada! Você também irá consultar alguém que lhe ensinará a andar e a falar e a encontrar pessoas, tanto em situações sociais quanto em entrevistas." A pessoa não pode objetar contra despesas porque em breve estará morta, de modo que não faz diferença. Ele usa o plano dela de estar morta como *alavanca* para transformá-la e enviá-la em direção de novos comportamentos que, já sabe, tornarão o suicídio desnecessário.

Homem: E se você tivesse decidido que o suicídio seria uma escolha apropriada, porque a pessoa é muito velha, incapacitada, ou está padecendo de uma grande dor, ou algo parecido?

Então eu faria essencialmente a mesma coisa que faço quando os dois parceiros de um casal decidiram terminar um relacionamento. Ajudo-os a realmente completarem o término da relação, de modo que possam ir-se limpos e congruentes. Quando a pessoa acaba uma relação, é típico estar carregada de muitos "negócios inacabados" e isso deixa atrás de si um monte de bagunças. E vale também para o suicídio.

Permitam-me apresentar-lhes um ritual específico que uso para conseguir isso. Peço à pessoa que escolha um local ao ar livre que lhe seja muito especial, de preferência um local alto, onde possa olhar para o mundo de cima. "Vá para esse lugar, na imaginação, e reúna ali todas as pessoas que foram importantes em sua vida. Pegue uma delas pela mão, olhe-a bem nos olhos, e informe-a de sua decisão de suicidar-se. Se houver outras coisas que você queira dizer a essa pessoa para poder sentir-se completamente satisfeito com o modo como está concluindo esse relacionamento, então diga, agora. Pense em todas as mensagens que não foram ditas, em todas as atividades que ficaram por fazer, e, enquanto passa isso tudo em revista, preste atenção visual e auditivamente na resposta que receber, a fim de ver se é satisfatória para você aquela maneira de completar o relacionamento. Leve o tempo de que você precisar para fazer isto por completo, até sentir que com essa pessoa não sobrou nada.

"Agora quero que você e essa pessoa olhem juntas para o futuro, para ver como os eventos presentes irão se desenvolver sem você. Enquanto faz isso, quero que considere se há alguma coisa a mais que deseja fazer antes de ir-se, para influir nesses eventos futuros...

"Agora, prepare-se para fazer a mesma coisa com cada pessoa que você levou para lá à sua volta, sem escapar nenhuma."

Se a pessoa está verdadeiramente pronta para morrer, isso pode alertá-la para as coisas que precisa fazer primeiro, para que sua morte tenha o impacto mais construtivo nos amigos e parentes. Se a pessoa não estiver congruentemente pronta para morrer, este ritual lhe dará montes de informações sobre os resultados ocultos atrás da decisão de suicidar-se, e essa informação pode ser usada para desenvolver outros modos de chegar satisfatoriamente aos mesmos. Também iremos aprender bastante quanto às pessoas e aos eventos que ainda têm significado para o suicida em potencial, e podemos usar tais dados como alavanca para facilitar as mudanças que queremos fazer.

Voltemos agora para o exercício e vamos falar um pouco sobre a outra parte do mesmo. Alguém me dê uma descrição sensorialmente fundamentada daquilo que puderam ver, ouvir e sentir — como se tivessem feito um contato tátil — e que lhes pareceu uma indicação de que conseguiram uma resignificação bem-sucedida. O que observaram quando se deu a reorganização do entendimento da pessoa a nível inconsciente, e também em geral parcialmente a nível consciente, que lhes indicou terem sido bem-sucedidos na resignificação?

Ben: Houve uma descontração do corpo, especialmente no peito. A tensão muscular na face e nos ombros se suavizou.

Alguém teria contra-exemplos para isso? Alguém se enrijeceu nessas áreas quando a resignificação funcionou?

Homem: A surpresa inicial parece tê-los feito se enrijecer... e depois se soltaram.

Becky: Passei por algo que percebi como um discreto ataque epiléptico interno, depois relaxei.

Certo. Isso transpareceu a nível externo?

Parceiro de Becky: Sim. Observei uma outra coisa. Quando Becky estava considerando uma coisa qualquer, ela ficava metaforicamente "remoendo" a coisa. Ela estava também literalmente mascando. Era muito visível em movimentos de seu queixo.

Certo. E o que aconteceu quando ela tomou a decisão de engolir ou não aquilo?

Parceiro de Becky: Seus maxilares relaxaram e ocorreram alterações notórias de pele. Toda vez que apresentava a colocação de resignificação, havia um visível afluxo de rosa para suas maçãs do rosto e para a testa.

Certo, houve então um aumento no fluxo sangüíneo para a pele. Há algum contra-exemplo para isso?

Mulher: Junto com o tensionamento houve um pouco de embranquecimento, depois o róseo aconteceu junto com o relaxamento.

O que estamos descrevendo agora são alguns dos sinais visíveis do funcionamento do sistema nervoso autônomo. Existem duas partes do sistema nervoso autônomo: o simpático e o parassimpático. Os dois têm a tendência de se equilibrarem, através de efeitos opostos.

A ativação do simpático resulta numa tensão muscular maior e numa prontidão para responder fisicamente a alguma ameaça. Há maior nível de adrenalina e a pele fica mais branca à medida que se contraem os vasos sangüíneos e as pupilas. A ativação do parassimpático resulta em relaxamento muscular, coloração rósea da pele, dilatação dos vasos sangüíneos e dilatação pupilar etc.

Estas são algumas das características visíveis muito gerais destes dois sistemas. O que descrevemos é que as pessoas têm tendência a apresentar uma ativação do simpático quando enunciam uma queixa e consideram a resignificação. Depois mudam para a ativação do parassimpático quando a resignificação funciona, algo que é o que vocês esperariam que ocorresse. Se a resignificação funciona, o que fora percebido como problema a ser enfrentado não é mais problema em absoluto. Que outras modificações vocês observaram?

Ken: Testemunhei mudanças de captação. Era típico que, ao apresentar sua queixa, a pessoa usasse um modo de captação. Em geral, os modos que vimos eram cinestésicos de alta intensidade. Quando apresentamos a resignificação, a captação mudou para um padrão visual ou auditivo. Depois, quando voltamos e retomamos a conversa sobre a situação problemática, a pessoa usava a captação do segundo padrão.

Excelente. Esse é um teste não-verbal realmente elegante para descobrir se a resignificação continua a funcionar depois de vocês apresentarem-na pela primeira vez. O cliente pode aceitar a resignificação no momento em que vocês a fazem. Depois, poderá rejeitá-la devido a objeções que surgem. No entanto, se mais tarde vocês mencionarem outras dimensões do mesmo problema que se apresenta, e verificarem que o cliente pratica a seqüência de captação que foi característica da resignificação, e não a seqüência de captação anterior à resignificação, saberão então que a resignificação está integrada à experiência que o cliente tem da área problemática.

Mulher: Foi o que se passou com Bob. Os olhos dele fizeram uma construção visual quando apresentou a queixa. Quando ocorreu a resignificação, os olhos saíram de foco e ele fixou o olhar direto à frente, no vazio. Depois, quando mencionei novamente a queixa, entrou mais uma vez no mesmo processo de tirar os olhos de foco.

Grande. No que me diz respeito, a generalização é esta: um indicador de que a resignificação funciona *no momento* é ter-se uma seqüência de captação diferente daquela quando a pessoa considera a mesma área de problema. Observa-se alguma nova estratégia. Talvez ao invés de ficar presa a sensações-sentimentos cinestésicos, a pessoa seja capaz de adotar uma nova perspectiva. Ou talvez possamos observar a mesma seqüência de captação, mas como uma resposta diferente. Reconhece-se observando as pistas do sistema autônomo que mencionamos antes: alterações da cor da pele, alterações respiratórias, alterações na tensão muscular etc.

Depois, passa-se para outro material, ou faz-se com que o cliente pratique algum novo comportamento a ser conectado, de modo que tenha muitas e muitas escolhas no contexto que vocês resignificaram. Mais tarde, no final da sessão, pode-se usar o que foi observado antes, para testar se a resignificação persistiu. Pode-se perguntar: "A propósito, o fulano-de-tal — parte do problema originalmente apresentado — tem bigode?". Se vocês notarem as mesmas alterações que caracterizaram o momento da resignificação, então saberão que conseguiram uma integração do material. Caso não — se a pessoa passa direto para o padrão original — então há bons motivos para se suspeitar de que é necessário fazer um pouco mais de trabalho. Algum outro exemplo ou comentário?

Mulher: Minha cliente estava representado uma pessoa cega e disse: "Vocês simplesmente não entedem o que é ser cego." Eu disse: "Nossa, devemos estar perdendo um montão de coisas." Todo o corpo dela se sacudiu e os olhos abriram-se ao máximo.

Ótimo! O que você disse *inverteu* o pressuposto da colocação que ela fizera. Ela está se queixando: "Você não entende o que é ser cego e perder tantas coisas." A sua resposta é: "*Somos nós* que estamos perdendo muito."

Este é o padrão típico que Carl Whitaker usa. Vou dar um exemplo. Carl está trabalhando com uma família e o pai diz: "Ninguém desta família me deu apoio alguma vez, cuidando de mim. Sempre tenho que fazer tudo sozinho. Ninguém jamais me demonstra solicitude e a minha vida inteira foi sempre assim." O comportamento não-verbal de apoio que exprime é o seguinte: "Não é horrível que eu tenha que viver neste martírio?". Whitaker ouve e presta atenção com todo cuidado. Quando o homem acaba, Whitaker faz uma pausa significativa, enquanto o homem está aguardando por algum comentário de apoio do tipo: "Oh, realmente é péssimo. Talvez possamos fazer modificações na família." e então Carl olha para ele e diz: "Graças a Deus!"

O resultado de uma manobra destas é: 1) interrupção do padrão, pois a resposta de Carl é tão inesperada; 2) o pai volta-se para seu interior e vai em busca de alguma forma para interpretar como seria possível ele ficar feliz com aquele comportamento; 3) faz-se um elogio à parte do pai que organizou seu comportamento de tal modo que ninguém jamais o apóia de modo ostensivo, cuidando dele.

Se você pensar na mensagem que está sendo oferecida, trata-se na realidade de uma queixa da mente consciente a respeito de seu próprio comportamnto. Ele se comportou de tal modo que ninguém jamais formou um relacionamento no qual cuidassem dele. A resposta de Carl é uma validação da parte que o situou nessa posição de não ter pessoas tomando conta dele. Essencialmente está dizendo: "Estou verdadeiramente feliz por esta sua parte haver estabelecido aqueles tipos de relacionamentos com os membros de sua família e por ter provocado a ocorrência de tais comportamentos."

Esta é uma resignificação de significado. É rápida e pode ser muito eficiente. Carl está pressupondo que realmente existe algo de bom naquele comportamento e que o pai será capaz de chegar a reconhecer, pelo menos inconscientemente, o que significa o comentário de Carl: "Graças a Deus!". Contudo, isto é fazer uma pressuposição que, falando estritamente, não é cem por cento segura. É possível — conquanto não muito provável — que nada exista de bom naquele comportamento. Confio em Carl como comunicador, por já ter tido a oportunidade de vê-lo e ouvi-lo. Se ele devia fazer aquela intervenção e a resposta do pai fosse incongruente com o resultado em direção do qual Carl estaria trabalhando, confio nele como alguém de experiência sensorial e flexibilidade suficiente para tentar alguma outra coisa mais apropriada. Carl tem *finesse* e, portanto, não voltaria atrás para falar disso; ele simplesmente prosseguiria e passaria à próxima resignificação ou a alguma outra intervenção que fosse ajudar a pessoa a realizar a mudança.

Uma coisa em que não confio é em fórmulas. Por exemplo, existe uma fórmula em Gestalt-terapia segundo a qual culpa é ressentimento e por baixo esconde-se raiva e, abaixo ainda, há um pedido. Esta talvez seja uma fórmula útil para algumas pessoas. Se vocês querem usar fórmulas, evidentemente essa é uma outra escolha que vocês devem ter à sua disposição. Se vocês se dedicam a fazer resignificação de conteúdo, então vocês têm que assumir a responsabilidade de ser muito sensíveis a nível perceptivo, captando quaisquer incongruências na resposta à sua intervenção, para saberem se a resignificação funciona ou não. Se não funciona, vocês estão impondo um conteúdo sobre aquela pessoa e provavelmente provocando-lhe um desserviço. Se, através do *feedback*, vocês sabem que uma certa resignificação funcionou, isso indica que foi feita uma adivinhação correta que tem ressonância com um conjunto inconsciente daquela pessoa, sendo congruente com o mesmo.

Uma forma de pensar a respeito da resignificação de conteúdo é que ela pode ser usada como uma medida temporária para descontrair o molde perceptivo da pessoa. O cliente está fixado no fato de que alguma coisa em particular é o problema. Sua consciência e sua atenção estão absorvidas pelo fato de que X é a causa, e vocês indicam que "realmente" é Y ou também Z. Quando tiverem conseguido sacudir o molde perceptivo da pessoa, será muito mais fácil partir para outras coisas.

Por exemplo, existe um homem na Califórnia que pratica uma única resignificação de conteúdo que funciona com anoréxicos. Ele tem um índice de cura de 80% com a anorexia, algo que para a maioria dos terapeutas é um problema duro de resolver. Ele leva a família toda para uma sala com um espelho monofásico. Na sala há uma mesa com uma grande tijela cheia de cachorros-quentes. Ele entra na sala e diz: "Sou o dr. Fulano de Tal; vocês têm quinze minutos para fazer esta mulher comer. Volto logo." E depois se retira.

A família faz todos os tipos de coisas para conseguir que a anoréxica coma. Alguns chegam a amarrar fisicamente a moça na cadeira e a enfiar comida para dentro dela. Fazem o seu mais comum e inútil esforço para tentar fazê-la comer. Ao final dos quinze minutos, ele volta e diz para a família: "Vocês fracassaram de uma forma horrorosa. Saiam!". Manda todo mundo embora, exceto a anoréxica. Depois, vira-se para a paciente e diz: "Agora, há quanto tempo que você está usando isto como forma de chamar a atenção de sua família?"

Trata-se de uma grave imposição de conteúdo sobre o paciente anoréxico, mas funciona. Quatro entre cinco vezes, o ciclo anoréxico é rompido e o paciente pode passar para ciclos mais saudáveis. Com sucessos como este, não discuto.

Mulher: Faço algo parecido quando quero modificar o modo como membros de uma família vêem a criança "problema". Numa sessão familiar, digo para a criança: "Não pare de se meter em encrencas. Você está conseguindo uma coisa realmente importante com esse comportamento. Até conseguir a atenção destes idiotas, ou até encontrar uma forma melhor de chamar a atenção deles, continue fazendo o que está fazendo."

Excelente. Na verdade, existem duas resignificações nessa intervenção: 1) descreve o comportamento-problema como uma maneira útil de obter atenção, e 2) caracteriza o comportamento-problema sintomático como algo sob controle consciente. Isso pode ser muito útil. Em qualquer momento em que re-rotularmos o comportamento de outra pessoa dessa forma, estaremos impondo nossas próprias crenças e nossos próprios valores. Estaremos alucinando a todo vapor e projetando nossa alucinação. Não há nada de errado com isso, exceto que é preciso saber o que estamos fazendo e perceber as conseqüências disso.

Vou dar-lhes um outro exemplo extraído do trabalho de Virginia Satir. Ela está trabalhando com um casal e o marido está gritando para a esposa: "Você, sua cadela ignorante, blá, blá, blá." Quando ele faz uma pausa, Virginia lhe diz: "Quero lhe dizer, Jim, que sei que você está zangado. Sua expressão é zangada e suas palavras soam zangadas, e quero apenas lhe dizer que uma das coisas mais importantes para *qualquer* pesosa numa família é que ela sinta os sentimentos que tem, e que possa expressá-los. Espero que todos nesta família tenham a habilidade de expressar raiva de modo tão congruente quanto Jim."

Isto é espelhamento; ela constrói um molde que diz: "Está ótimo! Isto realmente é muito lindo!" O marido não está mais gritando; está ouvindo esta mensagem elogiosa, destinada a cumprimentar sua gritaria e seus berros — que é a última coisa que ele esperaria!

Depois Virginia prossegue, e realmente se aproxima bastante do marido. Coloca a mão delicadamente sobre o estômago dele e diz em voz suave, baixa: "E será, me pergunto, que você gostaria de me falar desses sentimentos de solidão, de mágoa, de isolamento, por baixo dessa raiva?"

Se havia ou não sentimentos de isolamento, de solidão e de mágoa *antes* de ela dizer isso, *agora* eles existem! O pai não está gritando, não está sequer zangado. Agora Virginia pode passar para a construção de padrões mais úteis de interação na família.

Algumas pessoas que estiveram expostas ao poderoso trabalho de Satir simplesmente copiam o conteúdo de algo que ela disse e que funcionou. Vocês jamais conseguirão ser comunicadores eficientes se basearem suas respostas exclusivamente no conteúdo, porque o conteúdo variará infinitamente. Cada um de nós representa uma outra possibilidade humana singular de conteúdo. Contudo, todos nós parecemos nos valer dos mesmos processos e estratégias para criar nossas experiências. De modo que vocês fazem a si mesmos um favor, na qualidade de comunicadores profissionais, se focalizarem, entrarem em contato e ouvirem cuidadosamente os tipos de mensagens que são oferecidos e que identificam um processo, em contraposição a conteúdo. Esta é uma das vantagens de se usar um modelo de resignificação de seis passos. É mais complexo, mas resguarda a integridade do cliente, porque é um modelo de processo puro, isento de conteúdo...

Todos vocês entendem o que está escrito lá no alto?

HAVERÁ OCASIÕES EM QUE O JANTAR NÃO SERÁ SERVIDO.

Homem: É verdade?

Agora mesmo é verdade, não é?

Mulher: Isso me deixou intrigada.

Homem: É verdade, inclusive quando estamos jantando.

Dependendo do quanto vocês forem cheios de nove-horas, claro. Vocês todos entendem, agora, que é uma sentença verdadeira neste momento? Faz sentido para vocês?

Parece um truque barato, e é. O sentido de tê-lo escrito lá é que quando vocês fazem colocações e elas *têm aparência* de significativas, as pessoas irão atribuir-lhes todas as conotações necessárias para torná-las significativas. Digamos que saí e deixei essa sentença ali. Algumas pessoas entrariam na sala e diriam: "Quer dizer então que não vai haver jantar?" As pessoas prestam muito pouca atenção à precisão do significado. Quando escrevi essa sentença lá, várias pessoas olharam e engasgaram: "Ora! Mas eu *paguei* pelas refeições!" Essa sentença é uma sentença perfeitamente verdadeira. A única coisa que lhe dá sentido é o contexto dentro do qual é apresentada.

Quando Leslie fez a resignificação que descrevi anteriormente no contexto da terapia, o resultado foi muito poderoso apesar de o que ela disse ter sido realmente irrelevante. "O fato de seu tapete estar limpo significa que não há ninguém por perto" *não tem nada a ver com estar sozinha*. A apresentação é *muito* importante. Dizer: "O fato de seu tapete estar limpo significa que não há ninguém em casa nesse momento" terá muito menos impacto do que dizer: "E você vê que seu tapete está limpo e *percebe* que isto significa que você está *completamente sozinha!*" Estas duas sentenças têm conotações muito diferentes, embora o significado possa ser idêntico.

Homem: Você está acionando âncoras com seu tom de voz e sua ênfase.

Certo. A conotação do que você está dizendo é tão importante quanto as palavras que você usa para descrevê-lo. Todos os padrões para construção da conotação são padrões de hipnose; o que chamamos de "Modelo Milton": ambigüidade, nominalização, todas essas boas coisas. Em sua maioria, as pessoas não notam conscientemente todas essas formas lingüísticas porque a linguagem passa depressa demais para processarmos todas as palavras exatas. As pessoas lêem: "Haverá ocasiões em que o jantar não será servido" como: *"Não há jantar!"*. Não está dito que não haverá jantar. Não está dito nada disso. Se eu digo: "Você percebe que está completamente sozinha", isto não significa que ninguém virá mais tarde. Contudo, o fato de a afirmação ter sido feita *implica* isso.

Se eu olhar para você e disser: *"Você* aqui de *novo* na primeira fila?", fiz apenas uma pergunta, mas a ênfase tonal apresenta algumas implicações a mais. "Você *de novo?"* *"Você* tem *mais* perguntas?" Não há como eu possa enfatizar suficientemente a importância do que chamamos "congruência" e "expressividade". Estes fatores serão sempre uma parte muito importante do contexto em que se dá a resignificação.

O contexto físico real é também muito importante. É muito, muito diferente estar num consultório médico e ver o médico olhar de lado para você e dar a impressão de estar desconfortável, e ver a mesma coisa acontecendo numa recepção de hotel. São duas experiências *inteiramente* diferentes, apesar de a experiência sensorial ter determinadas similaridades. Quero que tenham o contexto em mente quando fazem a resignificação, pois isso os ajudará a ter o impacto que querem provocar.

O referencial que vocês puseram em torno de um novo comportamento terá um forte impacto sobre o modo como a pessoa o considerará e também sobre o fato de ela o considerar ou não. Certa vez, a título de demonstração, alguém trouxe uma cliente que era "frígida". Era professora e tinha três filhos. Seu marido queria sexualmente mais do que ela estava podendo oferecer e, congruentemente, ela também queria mais do que tinha sido capaz de oferecer.

Rapidamente estabeleci a relação de ponte e então disse: "Agora pense naquela coisa que você pode fazer sexualmente com conforto e bem-estar. Não comente comigo." Os discretos movimentos de seu corpo, enquanto ela pensava, eram para mim evidências suficientes de qual seria o conteúdo, mas ela não o estava percebendo conscientemente.

Depois eu disse: "E agora, pense naquela coisa que está justamente no limite do que é para você aceitável conscientemente, no que diz respeito a comportamento sexual." Pedi-lhe que considerasse relacionar-se sexualmente com seu marido, comportando-se de modo não exatamente aceitável; algo que fosse um pouco tentalizante e interessante, que não tivesse muita certeza de poder concientizar de imediato, mas ao contrário, que achasse algum dia poder até chegar a realizar. Isto era o mesmo que lhe pedir que imaginasse fazer alguma coisa que estava na extremidade-limite de seu modelo de mundo.

Quando lhe pedi que considerasse isso, obtive uma resposta de polaridade muito forte. Ela não conseguia fazê-lo. De jeito nenhum. Meu entendimento disto é que a parte dela que fazia objeções àquele tipo de comportamento tinha medo de que ela o pudesse efetivamente experimentar, de modo que a impediu de até mesmo *considerá-lo*.

Quando observei sua resposta de polaridade, troquei os meus próprios análogos e pedi-lhe que pensasse em um dos comportamentos mais despropositais sexualmente em que pudesse envolver-se com seu marido, algo que ela sabia com toda certeza que *nunca jamais* teria a audácia de realmente fazer. Isso ela pode fazer confortavelmente. Fez a captação e passou para uma seqüência de movimentos musculares implícitos.

Mais tarde, o terapeuta dela contou-me que no dia seguinte ela despachou as crianças para a escola, o marido para o trabalho, insistindo que voltasse para o almoço. Quando ele chegou, ela estava embrulhada em celofane com um grande laço de fita vermelha, exatamente o comportamento que era tão despropositado que ela jamais poderia considerar como exeqüível.

Se o novo comportamento proposto é percebido como elemento que está dentro dos limites do modelo que a pessoa faz a respeito de suas possíveis ações, ela talvez resista até mesmo à noção mental do mesmo. Mas se a gente vai longe o suficiente para ultrapassar tal modelo, obtém-se uma dissociação que lhe permite considerar a possibilidade. Uma vez que o novo comportamento é moldado como algo inteiramente além do que aquela mulher consideraria passível de realizar, a parte que objeta nada tem contra o que objetar, e é seguro deixá-la pensar a respeito. Pensar a respeito permitiu à moça contemplar por completo o que seria assumir aquele novo comportamento, estabelecendo assim os programas internos para adotá-lo nalgum momento futuro. Considerar o comportamento por completo, em contexto, é realmente um espelhamento de futuro, o mesmo que o passo cinco na resignificação de seis passos.

Homem: Por que a parte não faria objeções ao comportamento enquanto é espelhado no futuro?

Bom, aquela parte particular objetava ao fato de *considerar* a realização do comportamento, não ao comportamento em si. Quando

39

ela considerava de fato o comportamento, a parte não objetava. Se alguma parte houvesse feito objeções ao comportamento, ela não o teria realizado.

Muitas pessoas limitam-se pelo fato de nunca considerarem determinados comportamentos. Se realmente houvessem considerado os comportamentos, muitas vezes teriam descoberto que são aceitáveis. Mas alguma parte objeta até mesmo a que *considerem* o comportamento. A parte assume, com muito poucas evidências, que seria ruim realizar o tal comportamento, e também assume que se você considera um comportamento terá que ir em frente e executá-lo.

Um dos maiores favores que vocês podem fazer a muitos de seus clientes é conseguir que façam uma distinção entre considerar um comportamento e realizá-lo. Se conseguirem fazer essa distinção, podem considerar por completo o que seria realizar *qualquer coisa*. À medida que consideram essa coisa, podem descobrir na experiência interna como seria fazê-la, e podem descobrir se acham ou não que vale a pena fazê-la de fato — tanto em termos de seus valores pessoais quanto de seus objetivos — a nível da experiência externa.

Homem: Então, a resignificação — seja uma crença reduzida, ou um pressuposto maior — consiste em simplesmente tomar a preocupação a respeito de alguma coisa para torná-la algo positivo.

Não. Cuidado com essa estória de "positivo". Vocês resignificam de um modo que, num dado *contexto*, seja *útil*. Vocês precisam tomar cuidado com essa estória de "positivo-negativo". É *positivo* ser *útil*. A propósito, isso é uma resignificação.

Até este momento, falamos exclusivamente de resignificar alguma coisa "ruim" em alguma coisa boa, e, na terapia, é desse jeito que geralmente é mais útil. Mas a resignificação não serve apenas para pegar coisas que têm conotações negativas e modificá-las para terem conotações positivas. Às vezes, é útil significar em sentido inverso. Por exemplo, pensem em alguém que realmente crê em si mesmo, mas é incompetente. Ele precisa ter sua confiança resignificada para uma *exagerada* confiança.

Vi Frank Farrelly fazer, certa vez, uma interessante resignificação "negativa". Frank estava trabalhando com um homem numa conferência, na qual era eu quem devia modelar seu comportamento. O homem estava dizendo a Frank que aparentemente não conseguia nada com a mulher, falando basicamente. E Frank, com seu estilo inevitável, estava atormentando o sujeito de uma forma tão rápida que este não conseguia pegar o fio da meada do que ele estava dizendo.

Frank: "Bom, alguma vez você ficou de olho em alguma mulher, sabe do que estou falando?"

Homem: "Bom, sim, às vezes."

Frank: "Mas você vai com sua esposa e não acontece nada?"

Homem: "Bom, sim, eu fico assim meio tolhido."

Frank: "Bem, *onde* você se tolhe? *Isto é muito importante!*"

Homem: "Bom, sabe, por toda parte."

Frank: "E quando você está com outras mulheres, você também se tolhe por completo?"

Homem: "Bom, não não. Sabe, já tive muitas e muitas interações com outras mulheres e han..."

Frank: "*Interações?* Você quer dizer trepar?" Frank é muito sutil.

Homem: "Bom, han,... sim."

Frank: "Sua mulher sabe?"

Homem: "Não."

Frank: "Então, sua mulher também tem 'interações'?"

Homem: "Bom, han, não."

Frank: "Como é que você sabe?"

Homem: "Bom, sabe, eu sinto assim..."

Frank: "Ah! A intensidade de seus sentimentos *não* é o teste da realidade!"

Bom, essa foi uma resignificação sofrível. Se vocês consideram a resignificação apenas como útil para tornar agradável algo desagradável, então vocês provavelmente deveriam procurar uma outra profissão. Muitas pessoas precisam ter uma visão mais precisa de si mesmas e do mundo, e nem sempre isso é agradável.

O homem com quem Frank Farrelly estava trabalhando *assumira* que sua esposa não tinha "interações" com outros homens, e que ela não sabia que ele estava transando com outras mulheres. Ele também assumira algo ainda mais dramático: que ela não era importante para ele. Ele é o tipo de cara que procura terapia quando a mulher o deixa de lado como uma batata quente. De repente, nenhuma outra mulher no mundo serve para ele. Chamo de "chorões" esses caras. Vêm se lamentando atrás do amor perdido. E, para início de conversa, se tivessem tido mais experiência sensorial, talvez nunca tivessem perdido esse amor.

Quero dizer-lhes que sou um terapeuta oriundo do Meio-Oeste e que me tornei terapeuta sem saber exatamente como foi que cheguei

41

até ali. Estava na Faculdade, e química era muito difícil; eu não gostava realmente de matemática e achava história uma chatice. Todos os meus amigos iam se tornar professores, mas eu não queria fazer isso, porque queria uma nova platéia. Sentia-me inadequado e quando entrei na terapia vi que todo mundo sempre elogia os outros, em grupos, e pensei que isso era mesmo uma beleza. Então virei terapeuta e obtive o certificado, mas ainda tenho fortes sentimentos de inadequação, o que causa problemas. Se eu generalizar meus problemas pessoais para o resto do mundo, então vai haver um monte de gente a quem não vou poder ajudar porque algumas pessoas não têm problemas por se sentirem inadequadas. Na realidade, se algumas delas se sentissem inadequadas, estariam em muito melhores condições.

Existem muitas pessoas no mundo que não sabem como usar a experiência sensorial para testar e descobrir o que fazem bem e o que não fazem bem. O de que precisam realmente é de uma dose dupla de dúvida a seu próprio respeito. Quando ficam com muita convicção de si mesmas, acabam geralmente fazendo alguma coisa que resulta em mágoa para elas. No entanto, não usam esse resultado como base para se tornarem menos seguras de si mesmas de uma forma que lhes seja útil. Passam por ciclos quase iguais aos de um maníaco-depressivo: competência, *competência*, COMPETÊNCIA, fracasso! Encontro freqüentemente pessoas desse tipo. Uma das coisas que vocês podem fazer para ajudá-las é esticar bem o pé para a frente e dar-lhes uma rasteira exatamente no momento em que estão se sentindo muito competentes — e antes que caiam muito do alto. Depois, vocês podem começar a ajudá-las na construção dos tipos de *feedback* sensorial que lhes darão informações válidas a respeito de si mesmas.

Portanto, não pensem que a resignificação só é adequada num contexto em que se pega algo negativo e se torna isso positivo. Às vezes uma dose caprichada de medo, incompetência, incerteza ou suspeita pode ser muito útil.

Mulher: Você parece o diabo.

Você não foi a primeira que disse isso, posso lhe assegurar! Houve um assistente social baixinho e engraçadinho que veio até mim num *workshop* que fiz no Meio-Oeste...

Mulher: Homem ou mulher?

Faz diferença? Você é sexista? Que tal essa, para inverter um pressuposto? O comentário que essa pessoa me fez, quando chegou perto e astutamente me olhou, foi: "Você está me dizendo que está certo ser matreiro?" Eu respondi: "Sim, é isso que estou lhe dizendo."

42

E a pessoa falou: "Oh, eu era *tão eficiente* nisso quando era mais jovem, e já são anos que não consigo mais fazer artimanhas. Será alguma coisa manipulativa?". E respondi: "Sim." Bom, acho que esse é um exemplo de um caso em que é realmente necessário um pouco de resignificação.

Virginia Satir faz "festas de partes", que são resignificações realizadas pelo psicodrama. Cada pessoa passa a ser uma parte de alguma outra pessoa. Se vocês não gostam da pessoa, a oportunidade é ótima para se vingarem. Por algum motivo, eu sempre era uma parte ruim. Nunca consegui ser o Menininho Bonzinho nem nada do gênero. Tinha que ser sempre maquiavélico. E era sempre o *último* a ser resignificado! Numa dessas festas de partes, acabei sendo a habilidade de uma outra pessoa para ser manipuladora. Não sei por quê; acho que foi a distribuição de papéis. De repente, no andamento da festa de partes, essa pessoa parou e disse: "Eu *gosto* dessa parte! Nunca pensei nisso realmente, mas minha habilidade de manipular me trouxe *muitas* coisas boas." E se pensarem nisso realmente, é verdade mesmo.

Contudo, uma resignificação de conteúdo ocorreu no campo da psicologia humanista: "É ruim manipular." Se você olhar no dicionário, a primeira definição de manipulação é "trabalhar ou operar com a mão ou mãos; manipular ou usar, especialmente com habilidade; administrar ou controlar com mestria". Isso não tem nada a ver com bem ou mal. Tem a ver com ser capaz de fazer alguma coisa *com eficiência*.

Se seu molde é: "Aquele que manipula é mau", vocês se limitam para a execução de muitas coisas. Se vocês acreditam, como o disse Sidney Jourar, que: "Aquele que é bom é transparente", isso significa que vocês têm que mudar seu jeito para dizer coisas desagradáveis às pessoas. Se vocês participarem de conferências de Psicologia Humanista, as pessoas chegarão e dirão: "Oi, hoje sua cara está horrível." "Não me sinto realmente bem, mas vou lhe dizer uma coisa: dou conta assim mesmo." Quando se é aprisionado num molde desses, a escolha é limitada. Independente de o molde ser "bom" ou "ruim", isso não faz diferença.

Na qualidade de comunicadores, vocês querem ter a habilidade de mudar os moldes que as pessoas põem em torno de qualquer coisa. Se a pessoa acredita que uma coisa é ruim, a pergunta é: "Quando, onde, como, para quem?" A resignificação é uma forma diferente de fazer as mesmas coisas feitas com as perguntas do Meta-Modelo. Ao invés de perguntar coisas como "para quem?", vocês mudam a coisa. Se alguém disser: "A estupidez é uma coisa inerentemente má; é ruim ser estúpido", vocês dizem: "Algumas pessoas usam a estupidez como forma de aprender uma tremenda quantidade de coisas. Algumas pessoas usam a estupidez como uma forma de conseguir que os outros façam as coisas para elas. E isso é muito inteligente."

É típico as pessoas pensarem que o sucesso é bom e a confusão, ruim. Em nossos *workshops*, estamos sempre comentando que o sucesso é a mais perigosa das experiências humanas, porque impede a percepção de outras coisas e a aprendizagem de outras maneiras de fazer as coisas. Isso significa também que, a qualquer momento que vocês fracassem, vocês têm uma oportunidade sem precedentes para aprender algo que, de outra maneira, não aprenderiam. A confusão é a porta de entrada para a reorganização de suas percepções e para a aprendizagem de algo novo. Se vocês nunca ficaram confusos, isso significa que tudo que lhes aconteceu se encaixou em suas expectativas, em seu modelo de mundo, com perfeição. A vida seria uma experiência chata e repetitiva atrás da outra. A confusão é um sinal de que alguma coisa não se encaixa e que se está frente à oportunidade de aprender alguma coisa nova.

A própria frase "oportunidade sem precedentes" é uma re-significação, porque dirige a pessoa no sentido de ir em busca de oportunidades que sempre existiram, mesmo em meio ao pior desastre.

Outra resignificação que estamos sempre fazendo é: *"O significado de sua comunicação é a resposta que você recebe."* A maioria das pessoas não pensa de jeito nenhum dessa forma. Acreditam que sabem qual é o significado de sua comunicação e que, se a outra pessoa não a entende, a culpa é desta. Se vocês realmente acreditarem que o significado de sua comunicação é a resposta que recebem, não há mais como culpar os outros. Vocês simplesmente ficam se comunicando até obter a resposta que desejam. Um mundo sem culpas é um estado muito alterado para a maioria das pessoas!

Ben: As crenças, ou pressupostos, das pessoas em geral lhes causam um grande monte de problemas. Minha dúvida é: como você mexe num detalhezinho de um sistema de crenças de alguém? Poderia dar uma ilustração?

Por que você quereria fazer isso? Primeiro, lhe faço essa pergunta... Como é que você sabe se a pessoa vai ficar em melhores condições sem uma determinada crença em particular? Você está pedindo um modelo sem ter um resultado...

Só mexo nos pauzinhos da realidade de alguém quando acredito que isso levará a pessoa a alguma situação útil. Não concordo que fazer isso com todas as pessoas deste seminário seja algo útil. Existem aqui pessoas cujos detalhezinhos não irão ser abordados. Essa é uma decisão que tomo baseado em minha experiência sensorial. A única base que tenho e sobre a qual posso tomar essa decisão é conhecer os desdobramentos que terá uma mexida nesses detalhezinhos. Digamos que temos alguém aqui que baseia oitenta por cento de suas experiências em determinadas crenças religiosas. O que acontece se mexo num elemento a respeito de bem e mal? Não tenho meios de saber com o que acabarei lidando! E se eu não *souber* com o que acabarei me metendo, não fico mexendo nas coisas!

Ben: Bom, ainda assim gostaria de saber como é que isso aconteceria.

Mulher: Acho que você seguramente estaria a salvo fazendo isso com Ben, já que ele está pedindo.

E mesmo assim eu não o farei. Não me importo com o que sua mente consciente quer. Mentes conscientes são bobas.

Mulher: E se a mente inconsciente dele desejasse?

Mentes inconscientes podem ser *igualmente* estúpidas. Não estou absolutamente me referindo a ninguém em particular!

Ben: Bom, digamos que um homem vem procurá-lo, você ouve o que ele tem a dizer e torna-se evidente que ele acredita estarem as mulheres no mundo apenas para controlarem *intrinsecmnete* o comportamento dele. Sua mãe sempre o controlou e agora ele está com trinta e seis anos e nunca se casou porque isto o limita. Seria certamente útil para ele generalizar sua crença e perceber que *todas* as pessoas tentam controlar o comportamento de outros.

Sim, claro. Mas isso será o passo *final*. O que eu faria *primeiro* seria descrever metaforicamente quanto me dá prazer ter uma mulher tentando controlar meu comportamento — que elogio, não é mesmo? Porque se não tentasse controlar-me, isso significaria que ela não estaria interessada em mim, de modo nenhum. Essa é uma resignificação de significado.

Mulher: Assumo que este homem tem vivido rodeado por outros homens que tentaram controlá-lo por muito tempo e isso não o incomodou. É por isso que resignificar não parece ser a coisa essencial. Não acho que ele se incomode de ser controlado por um homem.

Claro que não.

Mulher: Portanto, mesmo que você resignifique que é bom ser controlado, ele ainda poderá dizer: "Bem, certo, é bom ser controlado e acho que escolherei ser controlado por um homem."

Bom, você dá muito mais crédito às pessoas do que eu. Não acho que as pessoas consigam em geral fazer esse tipo de distinção. Em primeiro lugar, duvido seriamente que ele admitiria estarem os homens no mundo com o objetivo precípuo de controlar as mulheres e um ao outro quase tanto quanto — e sempre seria *tanto quanto* — as mulheres.

Mulher: Mas ele está experimentando isso e tolerando isso e não *vendo* isso.

Sim, mas aí é só uma questão de falta de experiência sensorial. A falta de experiência sensorial dele estará baseada em todos os pressupostos de seu compartamento. É como a pista de captação visual: se você a conhece, tem muito mais probabilidade de encontrá-la. Ele *sabe* que as mulheres estão controlando, de modo que tem mais probabilidade de observar uma manipulando. Não obstante, um homem poderá ser capaz de controlar o comportamento dele feito maluco e ele não reparará nisso.

Tudo que quero modificar é a resposta interna dele. Agora, a resposta dele a ser controlado por uma mulher é negativa. Se eu puder modificar isso em resposta positiva, *então* será possível para mim fazer o que quero, ou seja, conseguir que ele controle as pessoas e de modo gracioso e expressivo.

Homem: Na noite passada fiquei realmente satisfeito por ter visto um programa na TV a respeito do movimento feminista. Se eu não tivesse visto o programa, não teria percebido até que ponto as mulheres conseguem controlar bem os homens.

Bom, verifico que quanto mais as mulheres entram no movimento feminista, *menos* podem controlar os homens. Minha experiência tem sido esta. Trata-se de um dos desserviços que o movimento feminista tem feito às mulheres. Acredito que agora entraremos numa fase em que as mulheres irão conservar parte dos benefícios que obtiveram com o movimento feminista, como mais dinheiro quando trabalham e não precisarem suportar determinados rituais que não querem suportar. Mas as mulheres irão retomar uma parte das coisas encantadoras, como roupas bonitas. Outro dia de manhã mostraram um desfile de moda na TV, apresentando toda a nova tendência em roupa feminina. As roupas de mulheres estão realmente se tornando roupas de mulheres novamente — coisas lindas como capas penduradas até o chão, penas, e toda espécie de coisas que arrastam pelo chão. As feministas *não podem* usar essas coisas.

Agora, quem é limitado? Toda vez que vocês disserem: "Não faremos isto", então perderão. Se disserem: "Vou fazer quando sentir vontade e quando não sentir vontade não vou fazer", *então* vocês têm escolha e uma determinada base a partir da qual podem estar no controle.

Homem: Com o homem que acredita que as mulheres servem só para controlá-lo, seria uma estratégia apropriada fazê-lo perceber de que modo *ele* está controlando as pessoas, muito embora seja homem?

Não. Absolutamente não. Sua pergunta é a seguinte: "Seria apropriado fazer este homem ver ou sentir conscientemente que de fato ele está controlando as pessoas, *sem sabê-lo*. De modo que talvez as mulheres não saibam disso." E minha resposta é: "Absolutamente não. Essa é a abordagem errada." É uma escolha de sintaxe, a *ordem* em que vocês fazem as coisas. Se vocês fazem as coisas na ordem errada, vocês realmente dificultam tudo para vocês. *Se* vocês tivessem sucesso nisso, qual seria o resultado de convencê-lo de que durante anos ele esteve controlando as pessoas sem sabê-lo?

Homem: Provavelmente culpa. Ele é exatamente como a mãe.

Certo! Culpa. Ele iria a um psiquiatra sem mais hesitações.

Homem: Então você poderia resignificar a crença dele a respeito de culpa.

Vocês poderiam fazer isso. *Mas, se vocês modificarem o significado do controle antes, será muito mais fácil.* Se vocês *primeiro* tornarem o controle uma coisa *boa*, então ele nunca precisará sentir-se culpado. E será muito mais fácil resignificar o controle se não for ele quem o estiver praticando. Se vocês resignificarem de modo que ele comece a notar que as mulheres estão tentando controlá-lo por estarem interessadas em seu corpo, então controlar torna-se algo que vale a pena. Depois, vocês podem dizer: "A propósito, isso também vale para você." A sintaxe, a *ordem* daquilo que vocês fazem, facilita as coisas para ele, e facilita para vocês também.

Frank: Antes você disse que a resignificação de conteúdo era a essência das vendas. Pode dar-nos alguns exemplos?

Seguramente. Digamos que alguém vem comprar um carro caro. Está olhando para um modelo e diz: "Não consigo me ver dirigindo um carro destes; parece veloz demais e frívolo." Primeiro, podem dizer algo como: "Bom, eu certamente não poderia me ver dirigindo um carro com enfeites de corrida ou coisa espalhafatosa como isso" — a fim de espelhar as objeções. Mas depois vocês podem dizer: "Mas ter um carro com a rápida aceleração e o poder de motor deste é mais do que uma coisa frívola; é realmente a segurança de poder safar-se rapidamente de uma colisão. Este carro se mantém melhor e se comporta melhor em vias molhadas e cheias de curvas, e certamente eu não considero segurança uma frivolidade."

Primeiro, vocês lhe apresentam algo contra o que objetar que não seja do carro, na realidade, como enfeites de corrida. Depois, passam a resignificar as implicações do conteúdo. O fato de ser um carro veloz, esportivo, não implica que seja frívolo; significa que é *seguro*.

Claro que antes vocês precisam ter reunido bastante informação para saber que a segurança será atraente como fator para essa pessoa

47

em particular. Para determinadas pessoas, a segurança não significa absolutamente nada. Para fazer uma resignificação efetiva de conteúdo vocês precisam saber pelo menos um pouco a respeito de quais critérios são importantes para a pessoa com quem vocês estão conversando. Depois, vocês pegam quaisquer elementos aos quais ele faça objeções e descobrem uma forma de estes elementos poderem satisfazer outros critérios que a pessoa tenha. Vocês mencionam economia de dinheiro, de tempo, prestígio, ou qualquer coisa que seja importante para essa pessoa em particular.

Se alguém diz: "É veloz demais; quero uma coisa mais conservadora", então vocês vão redefinindo o carro como sendo na verdade muito conservador; a segurança, a velocidade, o custo da manutenção tudo conserva seu investimento, bem como sua vida.

Se ele concorda com isso mas diz que outras pessoas não irão perceber tais qualidades, vocês resignificam isso: "Fazer o que *você* sabe que é melhor é a marca registrada do verdadeiro conservador. É realmente conservador querer dirigir um carro destes, mesmo que todas as outras pessoas não saibam que você está sendo conservador." Com sua ênfase e mudanças de tonalidade, vocês deixam implícito que é uma questão de aparência em contraste com a real função do carro.

Vocês podem utilizar também sua preocupação com as aparências e com o que as demais pessoas pensam. Podem usar essa preocupação para estimulá-lo a ir em frente e a comprar o carro. "Você sabe, muitas pessoas entram aqui e na realidade não se incomodam com o que as outras pessoas dizem de si. Simplesmente decidem o que é apropriado para *elas* e vão em frente! Evidentemente estas pessoas são as que depois ficam satisfeitas com suas decisões." Agora o cara está num dilema, porque está sendo defrontado com "o que as pessoas pensam" dos dois lados do argumento. Por um lado, algumas pessoas acham-no muito veloz; por outro lado, vocês estão dizendo: "Você está muito preocupado com o que os outros dizem de você". De modo que vocês utilizam a preocupação dele pela opinião dos outros a fim de estimulá-lo na direção de decidir por si mesmo.

Uma coisa de que todos os vendedores precisam é serem capazes de resignificar objeções a respeito de preço. "Bem, este carro custa definitivamente muito mais do que um Chevette, ou coisa parecida. Na realidade, é o dobro do preço, mas se você pensar em comprar um carro apenas a curto prazo então é melhor um modelo mais dispendioso, porque você pode financiá-lo por um período maior de tempo e manter seus pagamentos mensais num preço mais baixo. Na verdade, você estaria gastando menos dinheiro por mês para dirigir um carro melhor. Leva muito mais tempo para quitá-lo mas, a longo prazo, quando você realmente o tiver pago todo, você acabará dono de algo que ainda poderá dirigir ao invés de um monte de lata velha que não vale mais nada."

Geralmente olho para o freguês e digo: "Você acha que todos esses médicos e advogados dirigem carros assim só porque gostam de ostentar? Fazem-no porque sabem como usar seu dinheiro. Se você acha mais barato pagar 20 dólares por mês durante três anos para comprar um Datsun, em oposição a 220 dólares durante cinco anos para comprar um BMW, olhe para um Datsun com cinco anos de uso e compare-o com um BMW de cinco anos de uso. Compare o valor dos dois e o estado em que se encontram, veja qual ainda está andando. Você verá que é realmente muito mais frívolo e dispendioso sair comprando carros baratos. Você *não pode pagar* por isso. Embora você esteja eventualmente economizando uns poucos dólares com a desvalorização do pagamento mensal e talvez mais uns poucos dólares por mês, neste exato momento, daqui a três anos você terá que ir comprar um outro carro novo e começar tudo de novo."

Cinco anos depois, a pessoa que comprou o carro caro olhará realmente para ele e dirá: "Ainda tenho um carro que está inteiro. Anda bem e ainda vale dinheiro." A tarefa de vocês, na qualidade de vendedores, é criar a experiência para o cliente *agora*, de modo que ele possa levá-la em consideração enquanto decide qual carro comprar.

O elemento efetivamente crítico na realização de uma resignificação bem-sucedida é encontrar dados suficientes a respeito do modelo de mundo da pessoa, para que vocês possam saber que tipo de resignificação irá servir para ela. Podem obter informações diretamente, e também é necessário que ouçam com muito cuidado as objeções. Cada objeção irá dizer-lhes algo a respeito de critérios que são importantes para a pessoa. Quanto mais vocês souberem a respeito do modelo de mundo do comprador, mais apropriadamente poderão resignificar. A simples coleta de informações é onde a maioria dos vendedores fracassa miseravelmente. A maioria dos vendedores tem também um estilo medonho de espelhamento. A tendência deles é pular em cima com um jargão padronizado de vendas que pode ser completamente inadequado, em vez de espelhar e de obter informações a respeito dos critérios *deste* cliente em particular.

Muitos vendedores acham que deveriam tentar vender tudo a todo mundo. Essa é uma situação em que *eles* precisam ser resignificados, porque precisam entender que às vezes fazem mais dinheiro *não* vendendo determinado artigo. Quando vocês perceberem que o produto que vocês têm é realmente inadequado para um dado cliente, vocês farão muito melhor se *não* concretizarem a venda. Se seu produto for tão bom quanto o que outra pessoa tem, ou se não há meios de fazer a distinção, não importa. Mas se vocês estiverem realmente convencidos de que uma outra coisa seria melhor, então vocês farão muito melhor se convencerem o cliente de que é assim, de modo que a pessoa possa ir em algum outro lugar e ficar feliz com a aquisição.

Se vocês venderem uma coisa a uma pessoa sem que isso se coadune com os critérios dela, mais cedo ou mais tarde essa pessoa terá o que os vendedores chamam de "remorso do comprador". As pessoas comentam com os amigos sobre compras insatisfatórias e é típico que culpem o vendedor. Esse tipo de publicidade não é exatamente o de que vocês precisam.

Clientes satisfeitos também comentam com os amigos, e clientes satisfeitos não são necessariamente pessoas às quais vocês efetivamentem venderam alguma coisa. Se ficaram satisfeitos com a experiência que tiveram com vocês, enviarão os amigos mesmo que eles próprios não tenham comprado nada.

Conheço uma corretora de imóveis que é muito boa para obter informações. Ela é capaz de escolher as poucas casas que poderiam realmente ser atraentes a um cliente em particular. Se aquelas não forem convenientes, ela não tenta mostrar-lhes mais nada. Ela simplesmente diz: "Eu sei o que você quer. Mas o que tenho no presente momento que poderia interessá-lo é só isto. Entrarei em contato consigo quando alguma coisa nova aparecer." Praticamente todas as suas vendas são referências de pessoas às quais ela *não* vendeu, mas que apreciaram o modo como ela os tratou.

Existe um livrinho fantástico a esse respeito, chamado *Miracle on 34th Street* (Milagre na Rua 34). Um sujeito é contratado para ser Papai Noel para uma grande loja de departamentos de Nova Iorque. Começa a mandar os pais para outras lojas quando descobre que podem fazer melhores negócios de brinquedos em outra parte. O gerente da loja descobre e está a ponto de despedi-lo, quando nesse preciso momento uma multidão de pessoas invade a loja, porque ouviram dizer que naquela loja existe um Papai Noel que não fica o tempo todo tentando impingir tralha aos compradores. E, evidentemente, vendem todo o estoque da loja. A maioria dos vendedores é míope e nunca considera os benefícios a longo prazo de reconhecer quando não há meios de se coadunar produto e comprador.

O problema ao qual se devota a resignificação é a forma pela qual as pessoas generalizam. Algumas pessoas nunca levam em consideração que estarão na mesma situação, depois de três anos, se comprarem um carro que não dura muito. Ou então, compram carro usado porque é mais barato e não pensam nas outras coisas, como não poder confiar nele, ter de alugar um carro enquanto o próprio está no conserto, e assim por diante. Quando estão comprando um carro e olham os preços, vêem a diferença em termos de preço total, mas não fazem uma pergunta: "Quando?". Acho que agora é mais barato, pode ser *muito* mais caro a longo prazo.

Isto é exatamente o que se passa com o pai que diz à filha: "Não seja teimosa", ao invés de perceber "Ela é difícil de controlar, e isso é um problema; quero descobrir uma forma de contornar o problema, mas este mesmo comportamento irá render-me bons frutos em outras situações futuras." Não existe utilização no processo que a maior parte das pessoas emprega para generalizar. Resignificar é dizer: "Você pode olhar para isso, deste jeito, desse jeito ou daquele jeito. O significado que você anexa não é o significado 'real'. *Todos* estes significados são bem formados dentro de sua maneira de entender o mundo."

Pensem na mãe fanática por limpeza, com a qual Leslie trabalhou. Quando Leslie fez a mulher visualizar o tapete e lhe disse: "E perceba que isto significa que você está sozinha!", o significado antigo era: "Você é uma boa mãe e uma faxineira" e o novo é: "As pessoas que você ama não estão perto de você!"

Leslie alterou apenas *uma* resposta naquela mãe, mas esta mudou radicalmente toda a família. Antes, a mãe via as pegadas, sentia-se mal e depois enchia o saco da família por sua falta de cuidado e de consideração. Depois disso, ela enxergava as pegadas, sentia-se bem de as pessoas por ela amadas estarem por perto e então fazia alguma coisa boa para elas. *Ela se tornou tão capaz de apreciar sua família quanto tinha sido capaz de encher o saco de todos ali!* Depois de umas poucas semanas disso, a família estava *inteiramente* diferente.

Abrir os horizontes das pessoas pela resignificação não as força a fazer algo. Só conseguirá fazer que ajam *se* a nova visão fizer para elas mais sentido do que a maneira pela qual vieram considerando o mundo e se for uma forma inegavelmente válida de olhar as coisas.

Quando as pessoas pensam em comprar alguma coisa, em geral decidem antes do ato da compra e não chegam sequer a considerar alternativas. Não se dão conta de que podem comprar um carro em três ou cinco anos, que podem alugá-lo em *leasings* ou pagar em dinheiro. Existem sempre variáveis como estas que *eles nunca levaram em consideração*. Estas variáveis são a base para fazer com que o produto se coadune com o modo pelo qual pensam a respeito de si mesmos. Se alguém entra numa concessionária Mercedes, já querem o carro. É só uma questão de tornar possível àquele desejo encaixar-se no conjunto de todos os outros critérios.

Evidente que o entendimento da pessoa jamais será completamente emparelhado ao mundo, vasto mundo. Nunca se pode saber se um carro irá durar bastante. Pode-se sempre estar comprando um "abacaxi". Ou pode-se comprar um carro de aparência ruim que mais tarde se mostre uma daquelas preciosidades inestimáveis como carro usado, que dura para sempre. Os que compraram Edsels pensaram que tinham entrado numa fria, mas vejam agora o quanto valem!

Se você telefona para uma mulher e diz: "Eu vendo panelas e recipientes a domicílio. Quero ir visitá-la em sua casa" e se ela responde: "Pois então, venha", naquele momento você sabe que existe pelo menos uma parte dela que está interessada em recipientes e panelas. Existe uma parte dela que deseja comprar essas coisas e, provavelmente, existem outras partes que ainda não podem encaixar a idéia dessa compra na configuração das condições que ela realmente se impõe para comprar coisas. Se você não levar estas outras partes em consideração quando fizer uma venda, você acabará tendo o que se chama de "remorso de comprador".

Acho que remorso de comprador não é lamentar-se. Remorso de comprador significa simplesmente que o produto não foi adequadamente vendido e que a decisão de comprá-lo não tinha sido feita por completo. Em outras palavras, o produto não estava moldado de tal sorte que satisfizesse todos os padrões da pessoa. Mais tarde, quando um desses padrões for violado, o comprador dirá: "Eu tinha que ter optado melhor" e isso estraga tudo. Daí em diante, esse produto será uma âncora para sentimentos desagradáveis.

Certa vez, trabalhamos com pessoas que vendiam porcelana a domicílio. Seu problema decorria do fato de os vendedores domiciliares serem os de mais baixo grau de prestígio. As pessoas pressupõem que vendedores domiciliares tentarão passar uma conversa rápida para convencê-las a comprar itens com preço despropositalmente alto. A porcelana que vendiam era de boa qualidade e com preço razoável; seus clientes realmente queriam a porcelana e a compravam. Depois, quando os clientes iam para o trabalho no dia seguinte, seus amigos diziam-lhes: *"Oh! você caiu naquela estória de venda domiciliar?"* e era aí que se sentiam logrados.

Minha proposta foi que os vendedores empregassem espelhamento de futuro para afastar o problema. Imediatamente depois de redigirem o contrato, eu os fazia dizer aos clientes: "Olhe, estou com esse contrato em mãos e posso rasgá-lo em pedacinhos se você quiser. Sei que as pessoas vão dizer a você que você entrou numa fria por ter comprado coisas de vendedor de porta em porta. Mas ou você quer uma coisa ou não quer. Se não quiser a porcelana, rasgo o contrato." Nesse momento, você pode até rasgar a pontinha de cima do contrato para dar a sensação. Você só olha para o cliente e diz: "Muitas pessoas que vendem de porta em porta taxam abusivamente seus produtos. Se você quiser fazer um levantamento e comparar, está ótimo. Eu preciso saber que você quer comprar e que você tem *certeza* que quer. Não quero que depois você me procure insatisfeito. Quero clientes que me mandem mais pessoas porque ficaram satisfeitas com o que compraram. Sei que algumas pessoas irão dizer que você foi enganado e se isso o deixar em dúvida, é pior para mim. Preciso que você esteja suficientemente seguro, para que não venha manchar a minha reputação."

Isso resignifica efetivamente alguma coisa que venha a ocorrer no futuro. E se acontecer mesmo, elicia uma resposta diferente. Ao invés de dizer: "Ora, fui mais um otário", a pessoa irá responder: "Ah, ele me avisou que isso iria acontecer." Isso torna a pessoa ainda *mais* confiante, porque o vendedor sabia de antemão que isso iria acontecer.

Quando propus esta idéia aos vendedores de porcelana, ficaram mortalmente assustados. Acharam que iriam perder muitas vendas. Mas essa proposta não está apenas protegendo o vendedor, está protegendo o cliente. Se você não fizer isso pelo seu cliente, você merece toda a insatisfação que o cliente sentir.

Uma grande quantidade de vendedores pensa que deve se aproveitar das pessoas, mas a tarefa real dos mesmos é protegê-las. Acho que isso seria uma resignificação tamanho industrial. Os vendedores que trabalham dessa maneira fazem muito mais dinheiro com muito menos trabalho, porque recebem tantas indicações que compensa. Não têm que tentar forçar as pessoas a nada. Muitos vendedores agem como tratores, mas desse jeito se tem muito remorso de comprador como troco e, no final, acaba-se precisando trabalhar muito mais.

Resignificações não são pura enganação. O que faz uma resignificação funcionar é que ela adere às condições de boa formação das necessidades de uma pessoa em particular. Não se trata de uma medida destinada a fraudar. É efetivamente precisa. As melhores resignificações são aquelas que são *tão* válidas enquanto modo de olhar para o mundo quanto o modo como a pessoa vê as coisas agora. As resignificações não necessariamente têm que ser mais válidas, mas realmente não podem ser menos válidas.

Quando o pai diz: "Oh, minha filha é teimosa demais", e você diz: "Mas você não se orgulha de ela poder dizer 'não' a homens com más intenções?", essa é uma forma realmente válida de considerar essa situação. Num outro tempo e lugar, o pai realmente olharia para aquilo e ficaria orgulhoso dela, mas ele não havia pensado na coisa até que você a mencionou.

Não se pode resignificar uma coisa em outra coisa qualquer; tem que ser algo que se enquadre na experiência da pessoa. Dizer ao pai: "Você deve gostar de sua filha ser teimosa porque isso significa que ela é uma mulher liberada", provavelmente não irá funcionar com ele. É preciso que encontremos um conjunto válido de percepções em termos daquele modelo de mundo daquela pessoa em particular.

O que a resignificação faz é dizer: olhe, esta coisa externa ocorre e elicia esta resposta em você, de modo que você assume saber qual é o significado. Mas se pensasse nisso deste outro jeito, então teria uma resposta diferente. Ser capaz de pensar nas coisas de vários modos facilita a construção de um amplo espectro de entendimento. Nenhuma destas formas é "realmente" verdadeira, porém. São simplesmente afirmações a respeito do entendimento de uma pessoa.

II
Negociações entre Partes

O modelo de resignificação em seis passos pressupõe que existe uma parte de você fazendo você agir em relação ao que não quer, ou uma parte impedindo de fazer o que tem vontade. É um enorme pressuposto. Contudo, é uma maneira de descrever uma dificuldade e, em geral, pode-se organizar as experiências desse modo. Pode-se *fazer* com que qualquer dificuldade se encaixe no modelo de seis passos. Essa descrição sempre pode ser tomada como precisa, porque *alguma coisa* está produzindo a dificuldade.

Às vezes, é mais conveniente como ponto de partida ter pressupostos completamente diferentes. Pode-se agir como se a dificuldade fosse duas ou mais partes em conflito. Cada parte tem uma função válida e uma maneira válida de desincumbir-se de sua tarefa, mas pisam nos calos uma da outra. Então, não se trata de uma parte "obrigar você a fazer uma determinada coisa"; são duas partes fazendo cada uma delas algo útil, mas a maneira pela qual cada uma se desempenha conflita com a outra.

Por exemplo, alguém de vocês já tentou alguma vez trabalhar e não ser capaz? A experiência que descrevo a seguir é familiar a vocês? Vocês se sentam para redigir um exame final de semestre, para preencher o formulário do seguro, ou qualquer outro trabalho. Seu trabalho está à sua frente e, congruentemente, vocês decidem que irão fazê-lo durante a hora seguinte. Pegam a caneta e olham para o papel. Começam a escrever e uma vozinha vem de lá de dentro e diz:: "Olá, benzinho. Que tal uma cerveja?", "O que será que está passando na televisão?", "Que lindo dia lá fora, faz *sol*."

Bom, a pergunta é: Descreveremos essa situação como não ser capaz de realizar uma coisa porque *uma* parte detém vocês? Ou como uma situação em que vocês têm *duas* partes: uma quer sair e distrair-se e a outra quer trabalhar?

Trabalho e lazer são duas funções válidas e a maioria das pessoas tem maneiras válidas de realizar as duas funções. Mas se ambas as partes se lançam à operação ao mesmo tempo, nenhuma das duas pode funcionar bem. Nenhuma pode realizar sua tarefa tão bem quanto seria possível, se tivessem alguma forma de organizar em conjunto seu comportamento, a fim de chegar aos resultados que ambas desejam.

Descrever essa situação deste modo pode ser muito mais útil do que pressupor que o problema é o resultado de uma única parte. Qualquer uma das descrições pode conduzir vocês ao mesmo resultado. É uma questão de eficiência. Às vezes, poderão chegar a bons resultados com mais rapidez e eficiência se fizerem a pressuposição de duas partes.

Uma indicação de existirem aqui *duas* partes a resignificar é a ocorrência do inverso do problema. Quantos de vocês então não decidiram sair e distrair-se o dia todo e, de repente, uma vozinha vem lá de dentro e insinua: "Seu imposto de renda não está pronto." "A casa não está limpa." "Você deveria ter escrito primeiro o exame." Isso faz vocês se inteirarem de que cada parte interfere com a outra.

Decidir qual é o modelo a ser usado é apenas uma questão de quando vocês irão pregar uma mentira. Estou falando sério. Se eu olhar de modo significativo para alguém, numa sessão, e disser: "Olha, há uma parte de você que acha isso tudo aqui um pouco assustador e eu posso entender isto", acabei de pregar uma enorme mentira. "Parte do *quê*?". Não sei o que isso quer dizer. Ou podemos dizer: "Agora, você tem uma estratégia e sua dificuldade é um subproduto desta estratégia." Estas são apenas maneiras de falar a respeito das coisas e são palavras não fundamentadas na realidade. *Estas descrições são apenas maneiras úteis de organizar a experiência.*

Não é que uma forma de falar se aproxima mais da realidade do que a outra. Toda vez que vocês começarem a tentar decidir isso, estão roubados. As pessoas que tentam aproximar a realidade caem no que chamamos de "perder citações". Por exemplo, certa vez eu estava lendo em voz alta um livro de Tolkien para algumas crianças. Um dos personagens do livro, Strider, disse a Frodo: "Feche a porta" e uma das crianças do grupo de leitura se levantou e fechou a porta. Isso é perder a citação.

A maior perda de citação de todas é o que chamamos de "desempenho perdido", no Meta-Modelo. O mais perigoso e acho que o mais letal é perder citações a respeito de si mesmo e acreditar que seus pensamentos *são* a realidade: acreditar que as pessoas *são* realmente "visuais", "cinestésicas" ou "auditivas"; acreditar que as pessoas são realmente "conciliadoras", "super-razoáveis", ou *qualquer outra coisa*. Acreditar que vocês têm mesmo um "pai", uma "criança" ou um "adulto" de verdade é psicótico! Uma coisa é usar tais constructos para fazer um bom trabalho — para organizar o comportamento de outra pessoa. Uma outra bem diferente é perder citações e acreditar que isso é realidade. De modo que quando vocês dizem: "Bem, essa mentira aproxima o que está 'realmente' acontecendo mais do que aquela outra", sejam *muito* cuidadosos porque vocês estão em terreno perigoso. Vocês correm o risco de virar guru, se fizerem isso.

Alguém como Werner Erhard está numa situação perigosa. Se ele perder a citação de suas próprias idéias, então entrará num laço (*loop*) muito estranho. Se alguém que vai a EST perde citações, é típico cair fora de EST depois de um certo tempo, de modo que as conseqüências não são de todo ruins. No entanto, se o sujeito que *dirige* EST perder citações, então estará tudo acabado.

Não sei qual modelo de resignificação é mais real. Nunca admitiria pensar que um é mais real do que o outro. E, mais importante ainda, não *importa* se um é mais real.

Homem: Um é mais real para mim e, não obstante, nenhum dos dois é real.

Bom, você pode levar em frente a coisa com esse raciocínio. Seja qual for a mentira que dê certo, é importante vocês entenderem que todas são mentiras. São apenas formas de organizar sua experiência para ir a algum lugar novo. É só isso que conta. Iremos assumir que a outra mentira, o modelo de seis passos, é antiquado porque já rodou por aí durante muito tempo. Essa sempre é uma boa política. Esse modelo, pressupor que uma parte é responsável pelo comportamento negativo, já está em vigência por muitos anos, neste momento.

De modo que iremos adotar por um certo tempo uma outra mentira, assumindo que o problema não é inerentemente que alguma determinada parte gera comportamentos que vocês não querem. Iremos assumir que o comportamento-problema é o resultado da *interação* de duas ou mais partes, e a solução será uma negociação entre elas.

Portanto, digamos que alguém chega e diz: "Não consigo estudar. Sento e tento estudar, mas não consigo me concentrar. Fico pensando em ir esquiar." Pelo modelo antigo diríamos: "Existe uma parte que interrompe sua concentração." Ao invés de fazermos isso, com o modelo atual diremos: "Olha, você tem muitas e muitas partes aí dentro. Você tem todas as espécies de partes correndo para todo lado e desempenhando as mais diferentes tarefas. Você tem a habilidade de estudar. Você tem a habilidade de sair e distrair-se. Quando você se senta para estudar, alguma outra parte está ativamente tentando desicumbrir-se de *sua* função."

A fim de negociar uma solução, preciso identificar cada parte, estabelecer comunicação com cada uma, conseguir a intenção positiva das duas. Posso começar pela parte que interfere com o estudo. Então, digo: "Gostaria que você se voltasse para seu interior e perguntasse para a parte que realmente quer estudar se ela conhece qual é a outra parte que está a aborrecê-la de tal modo que ela não consegue se concentrar por completo." Depois faço a pessoa comunicar-se com a parte interferente e perguntar: "Qual é a sua função?" Esse é um meio rápido de descobrir qual é a intenção por trás do comportamento. "O que você faz para esta pessoa?" "Bom, faço com que ela saia e se distraia."

Depois, quero descobrir se a interferência se dá nos dois sentidos. Pergunto a esta parte: "Quando você quer fazer esta pessoa sair e distrair-se, alguma outra parte atrapalha o *seu* funcionamento? Essa parte que responde pelo trabalho vem e diz: 'Oi, você devia estar estudando'?" Se obtiver uma resposta positiva, ficou canja, porque as duas partes querem algo da outra e será necessário apenas fazer uma negociação.

Bill: Não chego nem a entender como é que você consegue fazer a parte dizer qual é sua função.

Não? Não há meio algum no mundo pelo qual você poderia fazer isso.

Bill: Bem, quero ficar ouvindo você falar.

Esta é a única opção que você tem? Você tem dificuldades, às vezes, para ouvir palestras? Alguma vez já teve problemas com isso?

Bill: Às vezes.

Gostaria de voltar-se a seu interior e perguntar à sua parte que gosta de ouvir palestras se ela conhece qual a parte que interrompe sua atenção de tempos em tempos...?

Bill: Umhm. Ela conhece uma das partes.

Certo. Deu-lhe algum nome?

Bill: Sim. A parte que se preocupa com negócios e assuntos de dinheiro. A parte que se preocupa com as coisas — a parte preocupada.

A "parte preocupada". Ouçam esse nome! Qual dentre os dois tipos de resignificação de conteúdo é realmente apropriada neste exato momento?... Significado. Isto é muito importante. Se você definir a parte como "A Velha Parte Preocupada", terá muito mais dificuldades para sintonizar sua função positiva.

Então, existe uma determinada parte dentro de você que tem graves preocupações a respeito das coisas e recebe o título de "parte preocupada". Estou curioso para saber se você se voltaria para seu interior e perguntaria: "Essa minha parte que recebe o título de 'parte preocupada' poderia dizer-me quando sua função é para mim? O que é que você faz por mim?"... Certo, ela lhe disse?

Bill: Umhm.

Você concorda que essa função é algo positivo?

Bill: Sim, é positiva em certas circunstâncias. A parte preocupada exagera, acho.

Bem, se eu fosse sua parte preocupada, eu também exageraria. É só isso que tenho a dizer!

Bill: Mantém-me num comportamento responsável, e me permite pagar minhas contas; me conserva fora da cadeia.

Certo. O ponto é que ela o interrompe às vezes quando você quer se concentrar em alguma outra coisa. Bem, então volte-se para dentro e faça contato com aquela parte de você preocupada com seu bem-estar, essa que gosta de chamar de "parte preocupada" — e aí já foi uma pequena resignificação de significado! Pergunte-lhe o seguinte: "Quando está tentando fazer o que faz em termos de planejamento adequado e motivação para fazê-lo cuidar de negócios e esse tipo de coisas, alguma vez é interrompida pela sua parte que, ao invés disso, preferiria simplesmente estar prestando atenção a uma palestra, ouvindo uma fita, ou fazendo alguma outra coisa?". Volte-se para seu interior e pergunte-lhe se alguma vez é interrompida por essa parte em particular.

Bill: Acabei de passar em revista toda uma série de interrupções e quando voltei para fora reparei que minha cabeça estava sacudindo para cima e para baixo.

Essa parte do "bem-estar" tem uma tendência a ser mais visual, é verdade. Faz sentido.

Bill: Umhm. Está sempre alerta contra possíveis perigos.

Agora pergunte o seguinte a essa parte de "bem-estar": se não fosse interrompida quando está gastando tempo organizando seu comportamento na atividade que você chama "preocupação" — e que eu chamo de "preparação" — será que ela estaria disposta a permitir que você ouvisse palestras sem interromper? Pergunte-lhe se essa seria uma negociação que teria vontade de fazer, *se* houvesse alguma forma de ser tranqüilizada que a outra parte não a interromperia... (Bill sacode a cabeça em assentimento).

Certo. Agora, volte-se para a parte que gosta de ouvir palestras. Pergunte-lhe se ela considera importante para você prestar atenção em palestras, não permitindo que sua mente divague em coisas que não são importantes naquele momento particular... (Bill assente com a cabeça).

Agora, pergunte-lhe se ela acha *importante o suficiente* prestar atenção durante as palestras para estar disponível a não interromper a parte do "bem-estar" quando esta estiver gastando tempo preparando-o para fazer as coisas. Mesmo que a parte "ouvinte de palestras" possa não apreciar o processo de ter que pagar contas, pergunte-lhe se considera importante o suficiente prestar atenção quando você vai a palestras, para não interromper, em troca, a outra parte...

Bill: Umhm.

Bom, se pensarmos nisso em termos do modelo de resignificação em seis passos, onde é que estamos?

Homem: Um pouco antes do teste ecológico.

Quanto antes? Será ele o passo seguinte? Já passamos pelo passo quatro — dar à parte três novas maneiras?... Precisamos ter novas três formas?...

Não. Na negociação, não precisamos criar três alternativas. Ambas as partes têm comportamentos apropriados. Só precisamos que uma não interfira com a outra. Esta é a nova escolha, portanto, o passo quatro está eliminado.

Conseguimos que as duas partes aceitem a responsabilidade de não interromper uma à outra?... Concordaram com isso?

Não, não concordaram em fazer isso. Disseram que *concordariam*. Lembrem-se, este processo sempre está dividido em duas partes: primeiro, no passo quatro, a parte *concorda* que as novas escolhas são melhores e mais eficazes do que as que estão atualmente em uso. Segundo, no passo seguinte, vocês perguntam: "*Será que ela assumiria a responsabilidade de usar realmente estas novas escolhas?*" Muitas pessoas deixam de lado este passo. Como aqueles de vocês que têm filhos já o sabem, concordar com uma tarefa que valha a pena fazer e concordar em fazê-la são coisas muito diferentes.

Então, agora, queremos dizer: "Olha, quero reunir as duas partes e descobrir se farão um acordo de não interferir uma com a outra, testando esse acordo durante as próximas seis semanas." A sua parte encarregada de preocupar-se e cuidar de negócios não interromperá quando você estiver prestado atenção a uma palestra ou fazendo as atividades que esta outra parte faz. E aquela parte não interromperá o planejador, quando estiver tomando conta de negócio. Faça com que ambas concordem que irão experimentar por seis semanas e descobrir como a coisa funciona. Se uma das duas ficar insatisfeita durante esse período, então irão notificá-lo, de modo que você refaça a negociação.

Talvez haja outras partes envolvidas, e evidentemente as coisas se alteram, de modo que vocês sempre fornecerão à pessoa um passo seguinte. Na última vez que fui a Dallas, um terapeuta me disse: "Estive em seu seminário um ano atrás e fiz uma resignificação com uma mulher por causa de seu peso. Ela começou uma dieta, perdeu toneladas e está magrinha já faz quase um ano. Então, há cerca de um mês atrás, começou a aumentar de peso e quero saber o que foi que fiz de errado." O que foi que o terapeuta fez de errado?... Assumiu existir alguma relação entre onze meses atrás e agora! As pessoas mudam o tempo todo. Por quantas mudanças esta mulher não passou durante onze meses e que poderiam ter atrapalhado sua forma de manter o peso reduzido? A questão é que nada dura para sempre. No entanto, se algo der errado, sempre se pode voltar atrás e modificar o que se fez, para levar em consideração as novidades.

Agora, o que resta por fazer? Que tal o passo seis, o teste ecológico? O que nos é necessário fazer para termos um teste ecológico no modelo de negociação?

Homem: Pergunte se há objeções. "Existe alguma maneira de isto não dar certo?"

Quem vai objetar?

Homem: As outras partes.

As outras partes não concordaram em fazer coisa alguma, então a que é que iriam objetar?

Bill: Outras partes podem ainda objetar a acordos que tenham sido feitos e que de algum modo iriam interferir com elas.

Como? Dêem-me um exemplo. Outras partes não concordaram em não interromper.

Mulher: E se existe uma outra parte que interrompe as coisas?

Bom, essa parte ainda não fez acordos.

Bill: Se existe alguma parte que usa a interrupção como sinal para fazer suas coisas, então estaremos destituindo-a de sua habilidade de agir. Por exemplo, num outro seminário vocês falaram a respeito de uma mulher que queria parar de fumar. Veio à luz que uma outra parte usava o fumar como indicação de que estava na hora de falar com o marido. Toda noite ela se reunia com o marido para fumarem um cigarro e usavam esses momentos para conversar. A parte que queria que ela conversasse com o marido não concordara em fazer coisa alguma, mas a oportunidade para ela desempenhar sua função lhe havia sido roubada.

Certo. Em seu caso, você está "preocupado" e tem uma parte que chega e diz: "Ora, vamos fazer alguma outra coisa." Isso interrompe a parte que "preocupa". Você acha que existe outra parte que poderia ganhar alguma coisa com essa interrupção? É isto que está dizendo?

Bill: É possível.

Certo. Dê-me um exemplo.

Bill: Não tenho. Teria que gerar um.

Então, gere um.

Bill: Estou me preocupando e uma parte interrompe para distrair. Uma parte de minhas distrações tem também uma motivação de saúde física muito definida. Por exemplo, rotulo correr de lazer mas isso também tem a ver com minha saúde física. Portanto, se eu estivesse me preocupando e minha parte de lazer não interrompesse minha parte de preocupação por bastante tempo, a parte que cuida de minha saúde física ficaria de fora.

Está dizendo que essa parte não consegue interromper por si?

Bill: Não, pode interromper por si e provavelmente faz isso. Portanto, por que não perguntarmos para ver se irá interromper, ou se tem alguma objeção ao que entrou em acordo até aqui?

Bem, existe alguma necessidade nesse sentido?...

Existe uma outra maneira de se pensar a esse respeito, e que é a coisa em cuja direção estou me conduzindo. O que acontece se perguntarmos: "Alguma parte objeta a que estas duas partes façam o acordo?" Se recebermos um "Não", aprendemos alguma coisa?...

Não. Não aprendemos coisa alguma. Portanto, é uma pergunta estúpida.

Homem: Mas se recebermos um "sim" teremos aprendido alguma coisa.

Certo. No entanto, podemos perguntar uma coisa que nos dará a informação desejada; podemos fazer uma pergunta que nos dê um possível "Sim" como resposta *e* mais alguma coisa?

Homem: Alguma outra parte teria sugestões?

Certo. "Há alguma outra parte envolvida nisso?" "Há alguma outra parte que interrompa esta parte ou utilize estas interrupções?" "Há alguma outra parte que possa interromper qualquer uma das duas?" Este tipo de pergunta irá nos obter a informação que desejamos.

Homem: E também se tivermos estado enganados na identificação destas duas partes, isso nos devolverá à trilha da descoberta das partes que estão envolvidas nesse problema.

Certo. Esse tipo de questão também faz alguma outra coisa que é muito importante: pode dar-lhe informações relevantes a respeito de como as partes dessa pessoa estão organizadas. Em seu exemplo, você tem uma parte "trabalhadora" e uma parte "lúdica". A parte lúdica de algumas pessoas tem em seu interior uma parte que diz: "É assim que iremos nos manter saudáveis." A parte lúdica de outras pessoas só joga pôquer e fuma charutos, ao passo que a de uma terceira pessoa vai correr na praia. Depende de como você organiza suas partes.

Correr é um exemplo excelente de resignificação, a propósito. Alguém que consiga correr 8 km por dia e chamar isto de "diversão" já é um mestre de resignificação, no que me diz respeito. É uma boa resignificação de se ter. Se vocês vão praticar a resignificação, bem que poderiam fazê-la em lugares onde fosse útil. Algumas pessoas chegam inclusive a decidir "*é o máximo* praticar corrida". Acabam usando roupas especiais e tênis especiais e outros acessórios de corrida. Tornou-se algo *da moda*. Mas que resignificação *formidável*! Acho uma maravilha. Vamos todos ser saudáveis porque é legal. Se algumas pessoas conseguissem resignificar o açúcar para que seu gosto fosse ruim, imaginem em quanto suas vidas não iriam se modificar. Se conseguissem redifinir a coisa alegre como algo que seja saudável, acho que essa manobra é altamente astuta. Quando eu estava crescendo, alegria era ganhar dos outros, sentar em *drive-in* comendo hamburguer e batata frita e fumando cigarro.

Kit: De repente, estou tendo muita dificuldade para anotar. Acabo de notar que escrevi "saracotear" em vez de "correr"[1]. Posso falar com você a respeito disso agora... ou depois?

Poderia! Mas que belo pressuposto você tem aí! O que você está falando poderia combinar com o modelo de negociação. Certamente existem pelo menos duas partes. Enquanto estamos aqui bagunçando com a resignicação, vamos brincar um pouco. Volte-se para seu interior e pergunte se há alguma parte de você que esteja interrompendo seu processo usual de anotar...

Kit: Sim.

Certo. Pergunte-lhe se gostaria de lhe dizer o que está tentando fazer por você neste exato momento, atrapalhando sua anotação, que é algo que você normalmente faz sem problemas e de modo suave. Essa é uma pergunta sim/não, a propósito. Está com vontade de lhe dizer?...

Kit: Umhm.

Certo. Se está, diga-lhe que vá em frente e fale...

Agora, você concorda que isto seja uma coisa que você quer que seja feita por uma sua parte?

---

1. No original, respectivamente, *jiggling, jogging*. (NT)

Kit: Às vezes. O comportamento que a vejo fazendo por mim é bom às vezes, mas não nesta situação em particular.

Certo. Pergunte-lhe o que é que está tentando fazer por você, operando assim, *aqui*. Talvez essa parte saiba de alguma coisa que nós desconhecemos...

Kit: Ouvi apenas as palavras: "Estar aqui agora." Ah, experiência sensorial.

Kit: A sensação que tenho é que quando estou ouvindo você estou experienciando você e é assim que obtenho informações. Então, eu preciso mais ou menos dissociar-me dessa dissociação, ou um...

Certo. Volte-se para seu interior e pergunte a essa parte se ela faz objeções ao fato de, neste momento, você fazer anotações.

Kit: A única coisa que seria preciso é ser capaz de estar em dois lugares simultaneamente.

Alguma vez você já fez isso?... Pergunte se existe alguma parte que saiba como estar em dois lugares ao mesmo tempo...

Kit: Umhm.

Certo. Pergunte-lhe se teria vontade de fazer você estar em dois lugares ao mesmo tempo, neste exato momento... Qual foi a resposta?

Kit: Que esta não é uma boa situação para se estar em dois lugares ao mesmo tempo.

Certo. Evidentemente, existe uma outra parte envolvida nisto. Existe uma parte que acredita que você deveria fazer anotações: que de algum modo isso é relevante e importante para sua formação profissional. Você poderia voltar-se para seu interior e perguntar a *essa* parte se estaria disposta a dizer-lhe o que está fazendo em seu benefício com estas anotações...

Kit: É só uma âncora.

Uma âncora para quê?

Kit: Um estado mental.

Certo. Agora, pergunte-lhe se poderia imaginar alguma outra âncora para as próximas duas horas... (Ela assente com a cabeça.) Bom. Diga-lhe que vá em frente e use-a.

Agora, uma parte do que acabei de fazer tem a ver com o modelo de negociação e o misturei com algumas outras coisas. Algum dos dois tipos de resignificação de conteúdo esteve incorporado nisto que acabei de fazer com ela?

Mulher: Oh, o contexto. "Isto está certo num momento ou numa situação, e não em outra."

Com certeza. Então houve um trecho de resignificação de contexto. Também incluí o elemento básico do modelo padrão de resignificação em seis passos, que é perguntar "Qual é o propósito?" e encontrar uma maneira alternativa. O propósito da parte de anotar é servir de âncora. "Bem, muito bom. Podemos usar alguma *outra* coisa para âncora?" Portanto, incluí um trecho do modelo de resignificação em seis passos e também um trecho de troca de contexto. Estes modelos diferentes estão todos intimamente vinculados e, se conhecerem o modelo de resignificação em seis passos, já têm todos os instrumentos de que necessitam para uma negociação. Se vocês souberem todos os modelos de resignificação, podem então misturá-los toda vez que for apropriado.

A coisa importante do modelo de negociação é descobrir quais partes estão interrompendo umas às outras e descobrir depois quais são suas funções — e não por que estão interrompendo uma à outra; mas sim, quais são suas funções. É uma parte que diverte vocês? É uma parte que se incumbe de assumir as responsabilidades? É uma parte que faz vocês chegarem à igreja em cima da hora? Qual é essa parte e o que ela faz? Quando tiverem estas informações, então poderão propor um trato. Seja qual for o trato feito, está certo, desde que o trato garanta os resultados que ambas as partes desejam.

Um de nossos alunos encontra-se freqüentemente sentindo-se sonolento quando está dirigindo tarde da noite. Ele usa este modelo para negociar entre a parte sonolenta e a parte que o quer em casa são e salvo. Algumas vezes ele troca uma hora extra de vigilância pela promessa de dormir até mais tarde no dia seguinte; outras vezes, a parte sonolenta exige primeiro uma meia hora de soneca no acostamento da estrada.

Onde mais irá ser o mais apropriado utilizarmos este modelo de negociação? Para que tipos de experiência será mais apropriado este modelo de resignificação com múltiplas partes do que o modelo de seis passos?

Homem: Partes críticas e conciliadoras.

Dê-me um exemplo na experiência. Se você tenta estudar e não consegue, este é um exemplo muito concreto. É isso que quero.

Homem: Você está tentando ir dormir e sua mente está fora, ligada em alguma outra coisa.

Insônia é um exemplo maravilhoso. Pode-se considerá-lo bom porque o resto das pessoas desta sala suspira quando você diz isto. Dêem-me mais algum como esse.

Mulher: Tentar economizar dinheiro e pilhar-se gastando.

Esse é bom.

Homem: Ser desorganizado.

Esse *pode* ser. Se puder colocá-lo mais do jeito que ela fez, será melhor.

Mulher: Constipação.

Constipação é um exemplo elegante. Quanto mais puderem encontrar de problemas que se enquadrem nesta forma, mais saberão onde este modelo é apropriado, em oposição a algum outro modelo.

Mulher: Alguém que tem dificuldade de ir para a cama? Alguém que nunca está mesmo disposto a ir para a cama?

...Ou alguém que nunca está realmente disposto a se levantar? Sim, este modelo é apropriado para pessoas que têm problemas para mudar de um contexto para outro. Se estão num restaurante, não conseguem sair. Quem já trabalhou como garçom, sabe como são tais pessoas.

Homem: Gastar tempo sozinho e estar em grupo.

Você está dizendo "isto *versus* aquilo". Isso é outra coisa. Quero que identifiquem coisas que tenham a mesma forma da insônia. A insônia acontece quando você tenta adormecer e acorda.

Homem: Soa como qualquer outro comportamento que seja compulsivo.

Sim, mas não quero ainda que generalizem. Quero que dêem alguns *exemplos específicos*.

Homem: Ficar realmente nervoso antes de fazer uma apresentação.

Sim, medo do palco pode ser excelente. Quanto mais tenta descontrair, mais fica tenso.

Homem: E que tal protelar?

Protelar pode ser ótimo.

Homem: Impotência.

Impotência pode ser exemplo clássico.

Homem: Qualquer coisa cuja forma seja "quanto mais você tenta fazer uma coisa, mais você consegue o oposto".

Sim. Quanto mais vocês tentarem evitar de impedir o fato de estarem negando que está na hora de formar pares e ir para fora experimentar este modelo entre vocês, mais vocês *irão*.

Agora.

(A seguir, um esboço deste capítulo.)

Negociação entre partes: esboço

1) Perguntem à parte que está sendo interrompida (parte X) as seguintes coisas:
   a) Qual é sua função positiva?
   b) Qual(is) parte(s) está(ão) interrompendo você (parte Y)?
2) Perguntem o seguinte à parte Y:
   a) Qual é sua função positiva?
   b) X interefere alguma vez com o desincumbir-se de sua função?
3) Se as duas partes se interrompem às vezes, vocês estão agora em condições de negociar um acordo. (Se não estiverem, este modelo não é apropriado. Portanto, passem para outro modelo de resignificação. Se Y interfere com X, mas X não interefere com Y, o modelo de resignificação de seis passos com Y poderá ser o mais indicado.)
   a) Perguntem a Y se sua função é suficientemente importante para estar disposto a não interromper X, de tal modo que receberia em troco o mesmo tratamento.
   b) Perguntem a X se, caso não fosse interrompido por Y, teria disposição para não interromper Y?
4) Perguntem a cada parte se realmente concorda em *fazer* o acima mencionado durante um tempo específico. Se alguma das partes ficar insatisfeita por qualquer motivo, deverá notificar à pessoa que existe a necessidade de refazer a negociação.
5) Teste ecológico: "Há alguma outra parte envolvida nisso?" "Há alguma outra parte que interrompa esta parte ou que utilize as interrupções?" Caso haja, renegociem.

67

III

A Criação de Uma Nova Parte

Uma das perguntas que nos temos feito repetidas vezes, desde que começamos nossas aventuras no campo da psicologia, é a seguinte: "O que torna uma experiência terapêutica ou não-terapêutica?". Todas as escolas de terapia contêm determinados elementos que efetivam mudanças quando usados por certas pessoas e não efetivam, quando manipulados por outras. Usados por um terceiro grupo, tais elementos conduzem a modificações que não são de tão extensa utilidade assim. No que me diz respeito, as formas que se utilizam para modificar nas pessoas ou comportamentos, tornando-os *não-úteis*, não são realmente diferentes das destinadas a modificá-los em condutas úteis. Os tipos de técnicas usadas por pais bem intencionados, funcionários da justiça [1] e professores para fazer as pessoas se comportarem de um modo tal que as aleijará pelo resto de suas vidas são mecanismos de mudança poderosos e eficazes.

Esta manhã queremos ensinar-lhes um terceiro modelo de resignificação: como criar uma nova parte. Pais, educadores e psicoterapeutas bem intencionados não criam novas partes de modo tão explícito quanto o que iremos ensinar-lhes. Fazem uma mistura de elementos e levam um lapso de tempo consideravelmente maior. No entanto, aqueles dentre vocês que forem psicoterapeutas irão de imediato reconhecer os ditos elementos. Este modelo tem mais passos do que o modelo de resignficação em seis passos, tendo por objetivo atingir algo inteiramente diferente.

O pressuposto do modelo de resignificação em seis passos é que todo mundo tem uma parte que impede deliberadamente a execução de um comportamento, ou que o impele a comportar-se de modo determinado.

---

1. No original, *probation officer*. Trata-se de oficial de justiça encarregado de supervisionar e aconselhar delinquente primário cuja sentença teve execução suspensa condicionalmente. (NT)

Na tarde de ontem, lidamos com uma segunda possibilidade lógica: a de que existem duas ou mais partes e que cada uma delas está fazendo exatamente o que deveria estar fazendo. Suas intenções são positivas e seus comportamentos apropriados; quando estes se sobrepõem, no entanto, produzem uma condição indesejável, por exemplo, a insônia. Vocês têm uma parte que cuida dos negócios e que metodicamente elabora planos para tudo, e uma outra que quer ir dormir. Quando esta parte começa a adormecer, a outra começa: "Êpa! Você esqueceu disto! O que será que vai dar se você não fizer isso?" Aí a outra parte entra: "Não se preocupe com isso agora. Vamos dormir." Porém, vocês não encontraram uma solução; portanto, assim que vocês começam a entrar de novo no sono, diz a outra parte: "E se você não fizer, vai acontecer aquilo." O modelo da negociação é útil para situações como esta. Vocês negociam entre as partes, afim de que elas operem de modo mais cooperativo.

Esta manhã queremos explorar uma terceira possibilidade lógica: alguém não faz determinada coisa simplesmente por não existir em si nenhuma parte organizada para a realização desse comportamento; não há duas partes interferindo mutuamente uma com a outra. A pessoa deseja, conscientemente, um certo resultado; *inconscientemente*, porém, não tem, de fato, uma parte que possa encarregar-se daquele comportamento em particular.

Todos os outros modelos de resignificação modificam uma resposta. Este novo modelo de resposta desencadeia uma seqüência diferente de comportamentos. Por exemplo, na resignificação do conteúdo verbal, muda-se simplesmente a resposta e assume-se que ela deflagará comportamentos mais úteis. Evidentemente, é preciso verificar para ter certeza de que o pressuposto está correto.

Na resignificação de seis passos, vocês mudam a resposta *e* solicitam à parte criativa do cliente que efetue uma busca interna para encontrar comportamentos alternativos específicos. Ancora-se tal variedade de comportamentos nos contextos apropriados com espelhamento de futuro e depois passa-se ao teste ecológico. Quando se negocia entre duas (ou mais) partes, assume-se que ambas já contam com comportamentos adequados e só há necessidade de organizar uma forma para entrarem em seqüência, *quando* executarem seus comportamentos; não se interfere, no caso, com nenhuma das condutas.

A resignificação de conteúdo, o modelo de negociação e a resignificação em seis passos são todas elas técnicas que pressupõem ou 1) a existência concreta de comportamentos alternativos, ou 2) que certas partes podem se organizar facilmente para a elaboração de comportamentos que sejam apropriados. São pressupostos muito úteis, estes dois, mas nem sempre verdadeiros. Se eu puser um de vocês na cabine de comando do Concorde SST, pode ser que o escolhido se mantenha perfeitamente calmo e alerta, sem que partes indesejáveis interfiram com o comportamento, mas mesmo assim sem saber como fazer a aeronave voar. Vocês simplesmente não têm comportamentos adequados e organizados para tanto. É preciso passar por alguma espécie de processo de aprendizado para organizar em seqüência as necessárias habilidades. Este é o tipo de situação para a qual é preciso criar uma nova parte, a fim de realizar um comportamento específico; a maioria dos processos educativos e de treinamento supostamente refere-se a isto.

Há poucos anos, estávamos fazendo um *workshop* numa localidade no noroeste do país; uma das mulheres participantes apresentava fobia de dirigir em autopistas. Ao invés de tratá-la como fobia, o que teria sido muito mais elegante, utilizamos uma resignificação padrão em seis passos. Não recomendamos que vocês empreguem a resignificação com fobias, porque, em geral, seus clientes irão usar a resposta fóbica como um sinal. Assim que tiverem caído com tudo na resposta fóbica, é muito difícil fazer mais alguma coisa a respeito. No entanto, estávamos naquele momento demonstrando a resignificação e decidimos demonstrá-la possível para uso com fobias.

Dissemos àquela mulher: "Olha, você tem uma parte que fica morta de medo quando você se aproxima das auto-estradas. Volte-se para dentro e tranqüilize-a dizendo-lhe que sabemos que isto é algo importante; pergunte depois se esta parte está com vontade de se comunicar com você." A mulher obteve uma resposta positiva muito forte, portanto dissemos: "Agora, volte-se para seu interior e pergunte-lhe se estaria disposta a revelar-lhe o que está fazendo em seu benefício, quando fica morta de medo se você se aproxima de auto-estradas." A mulher fez uma busca interna e relatou: "Bom, a parte disse que não está a fim de contar para você o porquê."

Em vez de praticar uma resignificação inconsciente, fizemos algo que poderá parecer curioso, mas que de tempos em tempos ponho em prática quando tenho suspeitas, ou intuições, como dizem as pessoas em geral. Fizemos com que se dirigisse para seu interior e perguntasse à parte se ela *sabia* o que estava fazendo em benefício da mulher. Quando ela se voltou para o exterior de novo, disse: "Bem, eu... eu não... eu não acredito no que ela me disse." "É mesmo? Bem, vá perguntar-lhe então se está dizendo a verdade." Ela se voltou para seu interior e, mais uma vez, expressou-se da seguinte maneira: "Não quero acreditar no que ela me disse." Perguntamos: "Bom, o que ela lhe disse?" A mulher nos respondeu: "Ela disse que *esqueceu!*"

Bom, apesar do tanto que isso possa parecer absurdo, sempre a considerei uma resposta *fantástica*. Até certo ponto, faz sentido. Estamos vivos há tanto tempo. Se uma parte organiza seu comportamento para fazer alguma coisa e vocês realmente resistem contra o mesmo, combatem-no, a tal parte pode ver-se tão envolvida na luta que acabe por se esquecer, para início de conversa, por que foi mesmo que organizou seu comportamento daquele jeito. Esta é uma possibilidade real. Não sei quantos aqui já não se viram envolvidos numa argumentação e, no meio da mesma, já tinham esquecido o que era mesmo que pretendiam fazer, no início. Avaros são assim. Esqueceram-se de que o dinheiro só é útil se é empregado de tempos em tempos nalguma compra. Como as pessoas, as partes nem sempre se lembram dos resultados.

Ao invés de entrar numa lenga-lenga, nessa altura dos acontecimentos, dissemos: "Olha, essa sua parte é muito forte. Alguma vez você já pensou em como ela é forte? Toda vez que você chega perto de uma auto-estrada, essa parte tem o poder de fazer você morrer de medo. Muito estranho, não é mesmo? Você não gostaria de ter uma parte assim a seu favor?" Então, ela respondeu: "Puxa! Não tenho parte nenhuma assim do meu lado!" Portanto, dissemos: "Volte-se para dentro e pergunte a essa parte se gostaria de fazer algo que pudesse receber elogios, que fosse digno de esforço, e que valesse a pena ser feito." Claro que a parte respondeu que sim. E a seguir então dissemos: "Agora volte-se para seu interior e pergunte à parte se teria disposição para responsabilizar-se por manter você confortável, alerta, cautelosa, respirando regularmente e de maneira agradável, *sintonizada com sua experiência sensorial*, quando você estiver no acesso das auto-estradas." A parte respondeu que faria isso. Fizemos a seguir com que ela fantasiasse umas duas situações de auto-estrada. Anteriormente, ela se mostrara incapaz de fazê-lo; ficava em estado de terror porque até mesmo fantasiar que se aproximava de auto-estrada era demais para ela. Desta feita, quando imaginou a situação, fê-lo adequadamente. Pusemo-la dentro de um carro, enviamo-la até uma auto-estrada, e ela se saiu muito bem. Dirigiu feliz durante três horas e ficou sem gasolina no meio da auto-estrada.

Isto então deixou-me curioso. Pensei: "Se você consegue que uma parte fique por perto, dando sopa, isso não significa muito; mas se puder lhe dar alguma outra tarefa, provavelmente pode-se começar a formar uma parte praticamente do nada!" Quando pensei nisso, percebi que é isto que a Análise Transacional acaba fazendo. A AT passa por um processo relativamente laborioso para construir três partes — pai, adulto e criança. O pessoal de AT de Michigan constrói nove partes. Se vocês conseguem nove, é provável que consigam quantas quiserem. Se vocês conseguem criar um "pai crítico" para torturar vocês o tempo todo, no mínimo vocês têm que ser capazes de criar qualquer outra coisa.

Quando se começa a pensar no assunto, percebe-se que a maioria das terapias ensina a ter partes organizadas. A Gestalt cria um dominador e um dominado (*topdog* e *underdog*). A psicossíntese é,

71

neste sentido, um pouco mais criativa: cria um enorme círculo e dentro dele tem-se um monte de partes. Porém, todas têm que ser partes de pessoas famosas; não existem partes anônimas.

A maior parte das vezes, qaundo se descrevem as partes, estas são descritas não em termos *daquilo que fazem* — de sua função — mas em termos de *como* o fazem — comportamentos. Se vocês estudaram o modelo da psicossíntese ou de AT, sabem que normalmente as pessoas descrevem, isolam e criam partes em termos de *como* elas se comportam. Assim, por exemplo, se vocês entram numa festa de partes tipo Satir, pode ser que vocês tenham uma parte "burra" — que faz vocês agirem de maneira estúpida. Ao final da festa, ao invés de ser uma parte "burra", terá se tornado sua "habilidade para aprender em seu próprio ritmo", ou ainda, sua "habilidade para fazer perguntas", ou algum outro comportamento positivo. O comportamento deixa de ser algo negativo para tornar-se algo positivo. *No entanto, continua sendo um comportamento não claramente vinculado a um resultado.* Esta é uma diferença *muito* importante. Construimos partes para chegar a *resultados*. As partes que são criadas através dos processos aleatórios usados pelas pessoas em terapia alcançam, em geral, comportamentos e não resultados.

Todas as terapias que já estudei na vida apresentam alguma forma de construir partes. Algumas pessoas não têm mente inconsciente até entrarem em hipnose. Se vocês acreditam que a "mente inconsciente" existe *a priori*, então um dia vocês irão hipnotizar alguém e quando a mente consciente dessa pessoa estiver anulada, vocês ficarão *completamente sozinhos!* Isto aconteceu comigo. Vocês não podem assumir que está tudo aí. Algumas vezes, a pessoa tem todos os seus tesouros na mente consciente. Outras vezes, não se passa muito na mente consciente de alguém, mas ali existe uma entidade inconsciente muito bem desenvolvida numa unidade organizada. Às vezes, isso acontece através da terapia, às vezes pela experiência.

Independente de como as partes foram criadas, as pessoas têm tendência a descrever como uma parte se comporta ao invés de descrever esse comportamento em relação a resultados — em relação ao que tal comportamento traz para a pessoa. Num dos meus primeiros *workshops* para o pessoal de AT, disse que acreditava que *qualquer* parte de *qualquer* pessoa era um recurso válido. Uma mulher disse: "Esta é a coisa mais estúpida que jamais ouvi!"

"Bem, eu não disse que isso é verdade. Eu disse que, se você acreditar nisso como terapeuta, irá muito mais longe."

"Bem, isso é completamente ridículo."

"E o que a leva a crer que isso seja ridículo?"

"Tenho partes que são totalmente inúteis. Só o que fazem é me atrapalhar."

"Bom, mencione uma que seja inútil."

"Seja lá o que eu decida fazer, tenho uma parte que me diz que jamais conseguirei fazer aquilo, e que vou fracassar. Torna tudo duas vezes mais difícil do que precisa ser."

"Gostaria de falar diretamente com essa parte." A propósito, isso sempre pega o pessoal de AT pelo pé. Falar diretamente com uma parte não consta do modelo de AT. E então, se vocês olharem por cima do ombro esquerdo da pessoa enquanto fala com essa parte, vão deixá-la realmente maluca. Também constitui um mecanismo de ancoragem muito eficiente. A partir daquele momento, toda vez que vocês olharem por cima do ombro esquerdo daquela pessoa, a referida parte saberá que vocês estão falando com ela.

Então eu disse: "Eu sei que essa sua parte realiza algo *muito* importante e é *muito* matreira na forma como o faz. E mesmo que *você* não a estime muito, *eu estimo*. Bom, gostaria de dizer a essa parte que se estiver disposta a informar à sua mente consciente o que está fazendo em seu benefício, então ela talvez recebesse parte do apreço que merece." Fiz depois com que se voltasse para seu interior e perguntasse àquela parte o que de positivo estava fazendo. A parte manifestou-se imediatamente dizendo: "Estava motivando você." Quando a moça me referiu a resposta, acrescentou: "Acho isso muito estranho." Então eu disse: "Bom, sabe, eu não achava que seria possível para você neste preciso momento subir ao palco e trabalhar em frente de todo o grupo." Ela levantou-se rapidamente em postura de desafio, atravessou a sala até chegar à frente e sentou-se.

Todos aqueles que já estudaram estratégias sabem que esta foi uma demonstração do fenômeno que chamamos de "resposta de polaridade". Esta parte dela era simplesmente um Programador Neurolingüísta que entendia de utilização. Sabia que se eu dissesse: "Ora, você pode entrar na Faculdade; você pode fazê-lo", ela responderia: "Não, não posso." No entanto, se lhe dissesse: "Você não vai conseguir passar de ano", então ela diria: "Ah, é-é? e iria de cabeça até passar de ano.

Comecei a descobrir que, independente do modo como vocês se organizam, ou de quais partes vocês constroem, se o modelo que vocês usam para pensar em partes está vinculado ao modo como elas se *comportam*, então: 1) vocês lhes estão fazendo justiça; 2) pode ser que vocês tenham razão, o que talvez seja perigoso. Se vocês realmente tinham uma parte que não possuía uma função positiva — que era apenas crítica ou destrutiva — então o que vocês podem fazer? Exorcismo?

Existe um sujeito em Santa Cruz que exorciza partes. O exorcismo é terrível; leva um tempo enorme e traz algumas conseqüências infelizes. Este homem "descobriu" uma epidemia de múltiplas personalidades neste país que mais ninguém observou! Ele não chega sequer a perceber que é ele quem as está criando.

Não recomendo o exorcismo como abordagem. Em vez disso, prefiro vincular partes a resultados, tenham ou não sido vinculadas originalmente. Se vocês *agirem* como se estivessem, ficarão vinculadas. Assim que vocês tiverem um resultado, não precisam mais exorcizar uma parte. Simplesmente dotem-na de novos comportamentos.

Se uma pessoa não tem uma parte com a qual fazer alguma coisa, vocês podem criá-la. Mas vocês precisam estar seguros que aquela parte esteja destinada a atingir um *resultado específico*. Se vocês não conseguem abrir portas, podem criar uma parte que abra portas. Parece simples; mas realmente é complicado. No entanto, é uma coisa que se faz o tempo todo. Todos vocês têm partes que de um modo ou de outro conseguiram elaborar. *Todas* as coisas que explicitamente fazemos com partes e resignificação são coisas que as pessoas fazem, de um jeito ou de outro. São processos de incidência natural.

Acho que os seres humanos apresentam uma tendência de se organizarem em termos de resultados que são contextuais. Um homem se comporta diferentemente com a esposa e com os colegas de trabalho; apresenta um conjunto inteiramente diferente de comportamentos análogos, a fim de obter resultados diferentes. Isto costumava ser chamado "teoria do papel" e acho que a teoria do papel estava certa, em determinados aspectos. Contudo, os terapeutas ficaram parados, tentando provar que era isso só o que havia.

Muitos dos seguidores de B. F. Skinner ficaram parados da mesma forma. Disseram que, uma vez que Skinner não tinha olhado dentro da "caixa preta", não havia ali dentro nada para se olhar. Skinner não disse: "Não há nada dentro da caixa preta"; ele disse: "Não vou abri-la." Estas duas afirmações são muito diferentes. Os alunos de Skinner entenderam as conotações desta afirmação como significando que de qualquer jeito ali não havia nada. Não é o caso e não acho, depois de ler seus trabalhos escritos, que Skinner tenha pretendido dizer isso. Contudo, todos sabemos como certas pessoas são: se não vêem a coisa, ela não existe.

A fim de criar um parte para chegar a um resultado específico, a primeira consideração é identificar uma "necessidade".

Mulher: Você poderia diferenciar entre necessidade e resultado? Não entendo o que você quer dizer com necessidade neste contexto.

Bom, por isso é que pus as palavras entre aspas. O que *você irá* fazer é encontrar um resultado. O que seu cliente irá lhe dizer é que tem uma "necessidade".

O lado ardiloso disto é criar uma parte que não venha a interferir com o restante dos resultados da pessoa. Se realmente existe uma parte que a *impede* de fazer alguma coisa, e vocês então constroem outra para *fazê-lo*, advinhem o que acontece? GUERRA. A fim de prevenir o risco, esboçamos no modelo o fato de todas as partes da pessoa que não desejem a construção da nova parte tornarem-se aliadas, durante o processo de elaboração da mesma.

A primeira coisa que se faz é identificar qualquer que seja a "necessidade" em cujo nome se irá construir uma parte. Por exemplo, pode aparecer uma mulher e dizer: "Bem, sabe, já passei por milhões de tipos de regimes e nunca parece que estou perdendo peso. Sou assim pesada demais; por isso, quero que me ponha em transe e faça com que para mim a comida tenha sabor ruim." Se ela realmente quiser isso, recomendo que vocês a enviem para uma dessas clínicas Schik, onde se põem bolos enormes em frente da pessoa e depois dão choques. Se a pessoa fuma, colocam-na numa sala cheia de pontas de cigarro e fazem com que beba as cinzas e todas as demais formas maravilhosas de atendimento.

Essa é uma forma de construir uma parte que lhe *impede* a realização de determinadas coisas. Porém, não leva em conta o ganho secundário — o resultado do comportamento-problema. Isto torna muito difícil interromper comportamentos. É uma forma experimental de fazer a coisa e será operativa enquanto for reforçada. Às vezes, após um período de tempo, quando a parte que vocês desenvolveram descobrir que vocês não ficam mais chocados, não se importará mais se vocês fumarem. Então, pode ser que vocês tenham que retornar tempos depois a repetir o procedimento ou a fazer alguma outra coisa. Esse é um dos problemas de se criar partes desse modo em particular. No entanto, não subestimem esta abordagem, pois funciona. Parece um pouco severa e não dá certo para todo mundo, mas realmente funciona; esta é uma consideração importante. É importante compreender o que se passa quando as pessoas mudam e inventar uma metáfora ou mentira para descrever aquilo que nos capacita a efetuar mudanças de modo mais elegante.

Voltemos à nossa cliente obesa. Sua necessidade expressa é "perder peso". No entanto, se vocês criarem uma parte cuja tarefa seja *perder peso*, o que irá acontecer quando ela perder peso? Ela vai perder *demais*! Poderá tornar-se anoréxica! Assim, se vocês abrirem uma clínica para problemas de peso e criarem partes que percam peso, acabarão precisando de uma outra, rua abaixo, para anoréxicos. Lá poderão construir partes que comam e conseguirão assim que seus clientes vão e venham regularmente a cada seis meses. Não há nada no resultado expressamente declarado pela cliente em termos de peso estabilizado.

A maioria das pessoas, na realidade, não entende sintomas *substitutivos*. Existe uma escola de pensamento que diz: "Bem, se você usar hipnose, então obterá a substituição de sintomas." Minha resposta é a seguinte: "*Bravo! Façamos substituições deliberadas de sintomas e que sejam úteis!*"

Há anos atrás, um homem escreveu um artigo no qual descrevia o modo como fazia os cigarros terem o pior sabor que podia imaginar: óleo de fígado de bacalhau. O cliente com quem trabalhou neste sentido deixou de fumar, mas se tornou um adicto do óleo de fígado de bacalhau! Carregava um vidro do óleo no bolso do casaco, o dia todo. Acho que é melhor do que fumar. Não sei das complexidades de uma superdose de óleo de peixe. Para mim a coisa dá nojo. Prefiro substituir sintomas que sejam positivos.

Portanto, a pergunta realmente importante é: "O que é que você vai fazer em termos de um resultado?" Se chega alguém e diz: "Quero parar de fumar" e vocês entendem o resultado *cigarros, não*, então o modo como vocês organizam os recursos daquela pessoa para suprimir tal atividade pode ter muitos e muitos *outros* resultados que não são positivos.

A questão é: "De que maneira conceber um trabalho de mudança de tal sorte que se evitem efeitos colaterais indesejáveis?" Quando aparece alguém com um problema de peso, qual parte vocês irão construir? Em outras palavras, qual será o resultado da parte que vocês construirão? No momento presente, a necessidade daquela mulher é perder peso. Mas de que modo vocês fariam isso sem fazer dela uma anoréxica no final?

Ann: Você poderia determinar um peso específico que ela desejasse ter e não permitir que a parte funcionasse quando ficasse com menos peso do que o escolhido.

Bom, sim. Pode-se impor condições semânticas sobre o momento em que a parte deverá mostrar-se ativa ou não. Pode-se fazer a parte começar a responder toda vez que pesar mais do que um certo nível. No entanto, partes não gostam de ficar inativas.

Homem: Pode-se fazer com que todas as partes concordem com o mesmo resultado.

Tente isso algum dia! Estou falando sério. Se alguém chegar e quiser perder peso, tente fazer a parte que gosta de doces concordar com isso. Todas as partes da pessoa poderão dizer: "Mas que belo resultado." Mas, se você conseguir que todas as partes concordem com o belo resultado que isso seria, ainda assim isso não o levaria a lugar nenhum. As partes objetam ao *processo* de chegar lá.

Homem: Elas poderiam gerar alternativas?

Você pode conseguir isso, mas estará usando então um modelo de resignificação diferente. Nesse caso, você estará dizendo que o problema é resultado da interação de partes que existem agora. Poderia usar o modelo de seis passos para conseguir o que quer. Porém, ele não é muito elegante porque será preciso lidar com um número avassalador de partes. A questão é simplesmente a rapidez: se você construir apenas uma parte, o que é que ela faria? Quero que você faça uma distinção entre o resultado — o que você quer com certeza que aconteça — e os comportamentos ou procedimentos que a parte usa para chegar ao resultado. Os dois elementos são importantes, mas agora quero que você especifique os resultados.

Homem: Você precisa torná-la mais versátil, de modo que possa fazer mais de uma coisa.

Certo, mas o que *é* que vai fazer? Qual será sua tarefa?

Não quero despistar vocês. Se criarmos uma parte cuja função seja fazer alguém pesar 52,5 kg, ela irá funcionar. Ótimo. Eis um resultado bem informado. Agora quero perguntar: "Quais são *outros* resultados que funcionarão igualmente bem?" Existem *montanhas* de respostas corretas a esta pergunta. O importante é que vocês aprendam como concebê-las. Ann estava na trilha certa. Ela disse: "Estes são os que não queremos; isto é o que realmente queremos. Esta é uma forma de obtermos *apenas* o que queremos." A pergunta central que vocês têm que fazer é *"Será que isso nos dará APENAS o que queremos?"*

Homem: Você pode dar à parte a incumbência da "saúde" ou "atratividade", ou alguma outra estrutura superordenada que inclua peso.

Mulher: Que tal um "controle central de alimentação" que levaria em consideração todos estes fatores no processo de decidir quanto ela deveria pesar?

Mulher: Acho que você precisa levar todas essas necessidades em consideração, necessidades que aquela parte pensa em gratificar, e satisfazê-la de modos diferentes.

Bem, tudo isso é verdade. A pergunta que estou fazendo é *"O que irá fazer essa parte?"* Se tivermos uma parte cuja tarefa seja a de cuidar da saúde geral e aí incluirmos a manutenção de um determinado peso, então faremos *apenas* isso? A palavra mágica é *apenas*. Às vezes pode ser conveniente fazer-se bem mais coisas do que as que o cliente solicitou. Neste momento, no entanto, vamos falar de mudanças terapêuticas limitadas. Sua resposta é exata, e pode ser uma resposta melhor na prática, quando você estiver tratando clientes. Porém, *cada tarefa que uma parte tem torna mais difícil instalar aquela parte.* Quero que tenham isso em mente. Todo resultado extra que uma parte tenha torna mais complicado o funcionamento da mesma. *Quanto mais limitado o resultado, mais fácil instalar a parte.* Às vezes é melhor fazer um esforço extra para instalar uma parte mais complicada a fim de obter um melhor resultado no final. Uma

77

parte que mantenha alguém com um certo peso é muito mais fácil do que aquela espécie de coordenação central da qual você falou, porque essa coordenação terá que comportar muito mais conhecimentos do que signifique estar saudável, etc. Conterá também muito mais comportamentos, de modo que você corre o risco de sofrer objeções de outras partes.

Homem: E que tal instalar uma pista semântica para comer, e uma estratégia de motivação para fazê-la comer apenas nessas ocasiões?

Bem, você sempre está fazendo isso. A sugestão de Ann também, a de uma pista semântica para um peso em particular. Contudo, quero que vocês se refiram diferentemente a isto, hoje. Uma parte do nosso jogo é como vocês podem modificar o modo como se referem à experiência, para que possam fazer modificações de várias formas. Vocês ainda estão jogando o jogo da estratégia. Não existem estratégias assim como não existe isso que se chama uma parte. A pergunta é: "De que modo podemos falar a respeito disso, de um jeito diferente, sendo capazes de fazer coisas diferentes?" Se esquecerem isso, então recomendo que criem uma parte que os faça lembrar-se. "O mapa não é o território" e isso não é verdade, tampouco.

Homem: Que tal modificar o peso extra em felicidade?

Desculpe, não entendi. Uma parte cuja tarefa seja dissolver o peso extra e transformá-lo em felicidade?

Homem: Enquanto estivermos sonhando.

Claro. Pode ser, mas ela irá fazer *apenas* o que a pessoa quer? Veja, existe um grande perigo no que você está sugerindo: seis meses depois, essa figurinha, então pesando uns quinze quilos, entrará pela sua porta, sorridente, para dizer: "Você é o melhor terapeuta que já tive na vida!" Ou isso ou ela acabará aparecendo sem os dois braços, e ainda assim gorda. Dirá: "Sinto-me ótima... mas apareceu este probleminha..."

Quero que vocês ouçam muito cuidadosamente qual é sua definição de uma nova parte porque, na prática, esse é o tipo de coisa que irá realmente acontecer. Penso que os anoréxicos são criação de pessoas bem intencionadas, embora não necessariamente terapeutas. Os pais em geral passam à jovem montes e montes de mensagens que tornam a comida uma âncora tão negativa que ela chega a ter ânsias quando tenta comer. Através das intenções positivas dos pais, a filha acaba se tornando anoréxica.

Estou recomendando que, enquanto terapeutas, vocês sejam *muito* cautelosos quanto à especificação de resultados. Quanto mais cuidadosamente vocês especificarem, com exatidão, o que uma certa parte irá fazer, menos objeções irão receber das outras partes devidas à sua mera existência e melhor ela será realmente capaz de funcionar.

Se uma nova parte for mal elaborada, as outras terão mais oportunidade de eliminá-la. Se criarmos uma parte que irá transformar peso em felicidade, essa parte será aniquilada! Todas as outras partes irão praticar um exorcismo. O que acontecerá com aquela parte que gosta de comer doces? Empunhará sua espada de samurai, *ssst — whacko*, e acabou-se. Estou pedindo a vocês que conceitualizem definições com o propósito de tornar a instalação fácil, eficiente e útil.

Homem: Que tal um semáforo?

Seria melhor que você especificasse mais. Este não é um seminário de metáforas.

Homem: Uma parte que dirigisse seqüencialmente outras partes para fazerem o que devem, a fim de alcançarem o resultado desejado. A maioria dos obesos sabe como ganhar e perder peso. Mantê-lo é que é a dificuldade.

Então você teria uma parte que se encarregaria da manutenção, por exemplo?

Homem: Ela daria instruções para as demais partes, dizendo: "Agora você faça isto, você aquilo e depois aquilo outro; agora é a vez daquela."

Certo, esta certamente é uma coisa possível. Que outro resultado vocês poderiam especificar para uma parte que vocês pudessem criar com o objetivo de se encarregar deste problema?

Bill: Estou pensando numa cliente que tenho e que come principalmente à noite quando está só e entediada. Quero criar uma parte para que toda vez que estiver sozinha e começar a sentir-se entediada ela gere imediatamente várias atividades interessantes para se envolver, assim ela se dedicará a estas e não a comer.

Certo. Esta é uma forte possibilidade, *pressupondo-se* que sua informação esteja correta, ou seja, que comer naqueles momentos produz o peso indesejado. Aí, a primeira pergunta a ser feita é a seguinte: "Ela já tem uma parte cuja tarefa seja entretê-la quando ela fica entediada?" Pode ser que ela já tenha essa parte e que o modo da mesma operar seja entupindo-a de doces. Nesse caso, a parte só precisa de três outras formas de entretê-la. O modelo de seis passos seria adequado para tal. Essa é uma possibilidade. Ou pode ser que ela não tenha uma parte para entretê-la e talvez fosse apropriado criar uma.

Bill: Ela sofreu uma lobotomia, o que levanta algumas dificuldades interessantes.

Pode ser. Não acho que se cortem partes desse jeito, no entanto. Creio que se tornem *atenuadas*.

Bill: Mas, de qualquer jeito, isso cria âncoras em sua mente a respeito do que é incapaz de fazer ou pensar.

Bem, você só precisa produzir pesquisas que demonstrem ser possível fazer as mudanças que você deseja. Creio que você conseguirá amontoar pilhas de estudos e datas.

Bill: Acabei de me lembrar de tantas, que dariam para um livro.

Sim. Chama-se "pesquisa instantânea". Para certos clientes, é muito válido.

Deixem-me propor-lhes um outro problema. Digamos que vocês estão empregando o modelo de resignificação em seis passos. Vocês perguntam: "Você tem alguma parte que considere sua parte criativa?" E a pessoa diz: "Não sei." E vocês respondem: "Bem, volte-se para seu interior e pergunte se existe uma parte dentro de você que consiga fazer coisas criativamente." Ela vai e quando se volta para fora diz: "Não aconteceu nada." E, segundo a observação exterior, nada aconteceu. Nesse momento existem duas escolhas sobre como criar uma parte criativa. Uma delas é agir como se vocês recebessem mensagens enviadas por uma parte que realmente estaria ali. Se vocês convencerem congruentemente a pessoa disso, ela sozinha irá criar uma. Outra escolha é criar oficialmente uma parte porque ela ainda não tem uma que esteja em condições de desempenhar tal função.

Que outros tipos de contextos seriam apropriados para a *criação* de partes, e não para a resignificação de partes já existentes? Dêem-me alguns exemplos de quando a construção de uma parte pode ser mais útil do que fazer a maior confusão com as partes que já existem.

Homem: Alguma espécie de história que a pessoa nunca tenha experimentado na vida?

Isto não é exemplo. Exemplos são específicos quanto ao conteúdo, de modo que quando você os menciona as pessoas conseguem dizer "Ah, sim". O que você deu foi uma *classe*, e esse é um jogo diferente. Dê-me um *exemplo* da classe sobre a qual você falou.

Homem: Tomemos o caso de alguém que nunca teve uma experiência sexual satisfatória.

Certo. O que fará a parte que você construir? Você quer uma parte para fazer a pessoa sentir-se bem com respeito a sexo, de tal modo que toda vez que ficar sexualmente insatisfeita diga a si mesma: "Sou OK, sou OK?"

Mulher: Faça-a imaginar uma, construa-a na imaginação da pessoa.

É *assim* que iremos proceder durante a construção de partes. Você voltou à questão do procedimento, ao invés de mencionar um resultado. Não irei ensinar-lhes como construir partes enquanto vocês não souberem *o que* estão construindo. É uma de minhas antigas regras. Dêem-me alguns exemplos de motivos pelos quais criariam partes.

Mulher: Se uma pessoa nasce com um problema de coordenação, você pode fornecer-lhe uma estratégia para ser coordenada, copiando uma outra pessoa.

Certo. Aceito tudo exceto o prefácio sobre "ter nascido desse jeito". Existem muitas pessoas que podem usar uma parte de coordenação visomotora e que não "nasceram desse jeito". Simplesmente, nunca desenvolveram uma parte que tivesse alguma coisa a ver com serem coordenadas. Mesmo no caso de existir um déficit físico, pode ser ainda apropriado construir essa parte.

Bill: Digamos que estou com um sujeito do exército que foi criado além-mar e que não passou pelas mesmas experiências que a maioria de seus contemporâneos. Quero ajudar o rapaz a adquirir algumas formas de habilidades sociais. Poderia construir uma parte para ensiná-lo como ouvir com cuidado as pessoas que falam à sua volta, e a elaborar uma nova história a partir do que ouvir as pessoas falarem.

Qual é o resultado do comportamento dessa parte?

Bill: O resultado do comportamento dessa parte é ensiná-lo a falar congruentemente sobre coisas pelas quais ele nunca passou realmente, de modo que possa construir vínculos sociais, deixando de parecer diferente.

Isso ainda é comportamento. Qual é a função da parte?

Bill: Ajudá-lo a aumentar sua interação social com as outras pessoas.

Certo. Aí está o resultado. Posso pensar em situações nas quais isto seria muito apropriado.

Homem: Você poderia criar uma parte que o motivasse a explorar coisas novas, arriscadas.

Uma parte cuja incumbência seja realmente instigar comportamentos em contextos que são arriscados. Chamamos a essa parte "peituda"[2]. Posso pensar em *muitas* pessoas que precisam de uma.

Homem: Parece que você está construindo partes dentro de nós, o tempo todo. Por exemplo, você constrói partes em nós para observar a experiência sensorial e para traduzi-la, e para atender a resignificação.

Claro. Sem dúvida.

Mulher: Gostaria de uma parte para ouvir tonalidades musicais. O resultado seria eu ser capaz de cantar afinado.

---

2. No original, *chutzpah*. (NT)

Ouvir, ouvir. Dêem-me alguns outros exemplos de situações onde poderiam usar este modelo, ao invés do outro modelo de resignificação.

Homem: Construir uma parte que aprenda como realizar qualquer atividade física, como patinar sobre rodas, esquiar na neve, ou qualquer outro esporte.

Claro. Parecem estratégias, não é mesmo? Certo, retornemos agora à terapia; estivemos à deriva, e chegamos inclusive às terras da generatividade. Acho legal que a tendência de vocês seja tornarem-se geradores. No entanto, este seminário diz respeito à terapia. A questão é: "Que espécie de problemas as pessoas trazem até vocês, terapeutas, e para os quais este modelo será apropriado?". Se vocês não conseguirem pensar em nenhum, não há razão para eu ensinar isto a vocês.

Mulher: Você poderia usá-lo no trabalho com uma criança filha de missionários que nunca teve um ambiente doméstico estável e que não se sente parte de lugar algum.

O que essa parte faria?

Mulher: Permitir-lhe-ia sentir-se em casa onde quer que estivesse.

Claro, certo.

Mulher: Que tal construir uma parte para manter a própria posição e ser assertivo?

Certo. O que você pensa que é o treinamento de assertividade? "Agora iremos todos aqui construir juntos a mesma parte."

Homem: Uma parte para saber quando safar-se de relacionamentos improdutivos.

Ouçam, ouçam!

Mulher: Uma parte para informar à pessoa qual a necessidade engendrada pelas operações presentes. E ela saberia por quê...

Espere um minuto. Para mim, "operações" é uma âncora para uma coisa diferente da que você está usando para falar. Este comentário foi "cortante"; por favor, refaça sua colocação.

Mulher: Uma parte para informar à pessoa por que a atividade em que está envolvida lhe é satisfatória.

Uma parte psicoterapeuta? "Agora você está feliz *porque*..."

Mulher: Então a pessoa saberia por que está comendo, qual a necessidade que ingerir comida está satisfazendo e poderia depois substituir uma atividade preferencial.

Permita-me questioná-la um pouco a respeito disso, porque isto é algo que a terapia vem tentando fazer há anos e não concordo que seja um resultado útil. Qual é o *resultado* de se instalar uma parte que informe à pessoa fatos sobre seu comportamento presente, enquanto ela o executa? Existe aí um resultado que para mim parece completamente desastroso: existirão sempre *dois* de você, em qualquer momento: um fazendo alguma coisa, outro falando a esse respeito. Chama-se a isto dissociação.

Além disso, ainda existe um resultado até pior desse tipo de conscientização: você fica sem muitas experiências sensoriais externas. O resultado de ter uma parte que monitora constantemente o seu comportamento é que você sempre estará de dentro monitorando seu comportamento. Você não se aperceberá de como o mundo lhe está devolvendo respostas. Você vai ficar ali falando para si mesma por que está levando aquele determinado papo e se sentindo mal. Mas nunca verá o comportamento externo; estará por demais ocupada internamente. Esse tipo de parte tem importantes limitações que deveriam ser consideradas.

Vocês podem construir um parte para fazer isso e, na realidade, muitos terapeutas já têm a sua. Chegam a meus grupos e eu digo: "Agora, vou pegar esta pessoa aqui, vou tocá-la em seu ombro e sua cor de pele irá mudar." As pessoas que têm semelhantes partes, voltam-se para seu interior e dizem: "Bem, estou me sentindo ameaçado por isto. Por que estou ameaçado neste momento?" Depois eu pergunto: "Para que cor a pessoa mudou?" Elas voltam-se para o exterior e dizem: "Não vi nada." O problema é que não se pode ver nem ouvir muito, exteriormente, se a atenção está dentro monitorando o seu comportamento — tanto visual, auditiva quanto cinestesicamente.

Quando vocês estão num laço, podem querer ter aquilo que chamamos uma meta-parte; esta dissocia-se temporariamente, assume uma posição de observador e diz: "Ora, o que está acontecendo aqui neste exato momento?" A função dessa parte seria a de desvencilhar vocês dos laços. Mas a única ocasião em que se manifestaria seria aquela da confusão total; não ficaria a analisar o tempo todo. Se lhe colocarem essa limitação, podem começar a receber resultados mais úteis de seu funcionamento. A importância de se pensar muito cuidadosamente a respeito de resultados é que vocês podem ter muito sucesso mesmo com a instalação de partes que deixarão as pessoas inteiramente piradas, de forma inútil. De modo que, quando considerarem a instalação de alguma coisa, quero que se perguntem: "Bom, qual é o resultado lógico de criar essa parte? É isso mesmo que eu *realmente* quero fazer, ou existe alguma outra coisa que tenho em mente? De que maneira posso ser mais específico a respeito de minha descrição, para que quando eu a construir obtenha em retorno algo que se aproxime daquilo que quero?"

Permitam-me generalizar a idéia de uma meta-parte. Uma meta-parte é apenas esporadicamente funcional; a pista contextual que

83

aciona seu funcionamento em geral baseia-se no modo como outras partes estão funcionando. Por exemplo, poderia ser uma parte que entra em jogo somente quando vocês se sentirem entalados, insatisfeitos, em dúvida. Seu funcionamento poderia ser também vinculado a pistas de estimulação externa, como momento do dia; se vocês fizerem isso, porém, poderão interferir com alguma outra coisa que eventualmente possa estar acontecendo naquele momento. Portanto, em geral, é melhor fazê-la ser acionada por um estado interno — pela sensação de estar em conflito, indeciso, ou algo parecido. Vocês podem especificar isso: toda vez que duas partes entrarem em conflito, então entra em ação a meta-parte.

Uma meta-parte é uma espécie de estado amnésico, aguardando em surdina até ser acionada. A meta-parte comporta um programa, um conjunto formal de procedimentos que surge de modo linear. Mais do que qualquer outra coisa, parece-se a um subprograma de computador. "Se as partes discordam, então faça isto." A meta-parte opera e modifica as partes discordantes. Opera sobre as outras partes, mas só é funcional em resposta a uma pista. O procedimento de que se utiliza é geralmente formal: poderá ser a resignificação em seis passos, ou a resignificação de conteúdo, ou pode simplesmente fazer a pessoa entrar em amnésia. Existem inúmeras possibilidades para o que uma meta-parte pode fazer. É uma parte que influi em outras para mantê-las longe de conflitos mútuos, ou para impedi-las de fazer coisas que deixem a pessoa em maus lençóis, ou coisa assim.

Uma forma de pensar a meta-parte é a de que se trata de um mecanismo para *construir* uma resposta. Uma outra forma de pensar a respeito de uma meta-parte em bom funcionamento é a de que se vocês se enredam num laço interno calibrado sem utilidade, aquele estado torna-se uma âncora para um procedimento que elicia uma resposta capaz de tirar a pessoa do laço. Isto é o mais próximo do modo como penso essa parte. A noção de partes é um bom espelhamento para as experiências da maioria das pessoas; mas, para mim, existe um certo excesso de antropomorfismo na noção de partes. Pode-se pensar numa meta-parte como numa parte que faz distinções e que depois se deflagra num procedimento que pode conduzir a pessoa a alguma coisa.

Com um casal, pode-se construir uma parte, num dos dois, que só entre em funcionamento quando discutem. Esta parte reconhece que o motivo para argumentarem um com o outro é porque desejam que as coisas melhorem. Ao invés de partir para a negociação de todas as partes que se sentem justas e querem uma discussão, pode-se construir uma parte que reconhece que naquele momento estão fazendo o possível para sentirem-se mal *porque* estão querendo se sentir bem. Está ótimo o que desejam, mas o modo como estão procurando isso fede. Ao invés de vocês mesmos resignificarem todas as outras partes, pode-se construir uma meta-parte que reconheça isto e diga: "Ei, você está fazendo isso porque você ama este sujeito. Você se lembra da primeira vez em que se apaixonou por ele? Lembra-se de como se sentiu? O *modo* como você está tentando fazer com que ele a trate bem não está funcionando. Você se lembra do que fazia então? O que mais você poderia fazer? O que é que Janie faz com seu marido que funciona?" A meta-parte entra num processo de alguma espécie de geração de alternativas: fornece-lhes meios para que consigam o que realmente desejam. Em momentos específicos, diz: "Parta para modificar seu comportamento e saia deste laço; você já entrou nele antes e nunca deu certo. Discutir não vai lhe dar aquilo que você espera conseguir e, a fim de entrar numa discussão, é preciso que a coisa seja efetivamente importante. Deve ser *importante o suficiente* para modificar o que você está fazendo."

Homem: Fiquei impressionado pela frase "importante o suficiente". Sei intuitivamente que é importante e isso já foi enfatizado umas duas vezes, mas você poderia explicar o que a torna tão forte?

É um pressuposto. Pressupõe que uma coisa é mais importante do que a outra. Se eu digo: "Olhe, você é alto o bastante para alcançar aquele copo", há a implicação de você ser mais alto do que eu sou. Se eu digo a uma criança: "Agora você é grande o bastante para se virar sozinha", isso pressupõe que havia um tempo em que aquela criança não o era, mas agora é. Se eu digo: "Você é grande o bastante para se sustentar financeiramente sozinho", isto pressupõe que antes não o era mas agora é e não reconhecia ainda o fato. "Você quer isto porque é importante. E isto significa que deve ser importante o *suficiente* para você fazer estas outras coisas."

Este padrão é muito bom para ser usado em terapia de casal. O casal está discutindo e gritando: "Estou com a razão!" Então você diz: "Você está discutindo porque X, Y e Z são coisas muito importantes para você. Mas seriam elas importantes o *suficiente* para que você considerasse outras formas de comunicação que dessem mais certo do que discutir?" Este é um ótimo vínculo duplo. Se não fosse realmente importante, então é importante o bastante para tentarem alguma outra coisa que possa funcionar, pois o que estão fazendo agora não está dando certo. Toda a força que está por trás de "ter razão" é direcionada para novos comportamentos.

Com um casal com quem trabalhei, toda vez que o marido lhe dava o que ela pedira, ela queria *mais*. Ela sabia que não deveria fazê-lo, mas ficava insatisfeita e isto o deixava louco. Ele costumava oferecer-lhe coisas, mas depois deixou de fazer isso tão freqüentemente. Ela possuía uma parte que tinha por objetivo principal fazê-lo reassegurar-lhe que ele ainda a amava. O que aquela parte estava fazendo não funcionava então muito bem. Decidi construir uma parte para ajudar: um aliado. Toda vez que ela começasse a ter dúvidas, esta nova parte entraria em ação. Este aliado resignificaria a parte que reassegurava numa base contínua. Toda vez que ela nutrisse alguma dúvida, o aliado diria: "Escuta, é importante ser reassegurada?" "Sim." "Então, está certo. É para você suficientemente importante descobrir o que você pode fazer para reassegurar-lhe que você o ama?"

Isto resultará numa mudança comportamental muito mais ampla do que simplesmente dar a ela outras alternativas para se sentir reassegurada. O aliado vai conseguir que ela faça muitas coisas com o marido que não signifiquem de imediato um ser reassegurada, mas que *resultarão* nisso *espontaneamente* noutros momentos; e é isso o que ela realmente deseja. Não se pode diretamente conseguir que alguém nos reassegure com espontaneidade. Mas é possível à pessoa comportar-se de modo que acabe resultando nisso, espontaneamente, noutros momentos. Uma meta-parte pode ser uma boa forma de fazer isso.

Mulher: Estou tentando relacionar isso com o modelo de seis passos, que diria: "Descubra a necessidade que está sendo satisfeita pelo comportamento presente que você não gosta; encontre um novo comportamento que melhor satisfaça a necessidade."

Sim, este é o modelo de seis passos. Uma forma de pensar a respeito de tais "problemas" é como se todo comportamento servisse a uma necessidade. Ou pode-se assumir que um comportamento problemático não tenha nada a ver com as próprias necessidades; seria apenas um *efeito colateral* da consecução de algum outro resultado. Isto também engendraria o uso do modelo de seis passos.

A diferença entre os momentos de particular utilidade do modelo de seis passos e do modelo de construção de partes é a diferença entre construir partes que *detenham* as coisas ou que *façam* coisas. Com o modelo de seis passos, você normalmente começa com algum comportamento que não gosta e chega a novas escolhas, de modo que não utiliza mais o comportamento indesejado. Isto é o uso da resignificação para deter alguma coisa. A situação em que é mais apropriado construir uma parte é aquela em que a pessoa quer uma certa parte que realmente *faça* alguma coisa: a pessoa deseja gerar certos comportamentos desejados e não o está fazendo. Quando a pessoa pede a uma determinada parte que *pare* de fazer alguma coisa, então o modelo de seis passos, o modelo do ganho secundário, irá ser muito mais apropriado.

Homem: Que tal construir uma parte que diferencie entre relacionamentos profissionais e amizades pessoais? Professores de faculdade que dão palestras quando você está só batendo um papo poderiam usá-la.

É mesmo, acho que poderia pensar em algumas pessoas que usariam essa parte.

Homem: Que tal uma parte que desse mais flexibilidade a pessoas com muitas polaridades?

Bem, você tem que ser mais específico quanto ao que você quer dizer. Você está sendo geral demais. Pode ser realmente uma coisa ótima aquilo que você está *pensando*, mas você precisa tomar cuidado com o modo como descreve isso, porque temos aqui um outro ser humano em quem iremos instalá-la. Isso significa que ele irá tornar-se mais tolerante com respeito às brigas das partes entre si? O que você quer dizer?

Homem: Digamos que a pessoas tem uma resposta de polaridade a situações que envolvem grupos de pessoas; você desenvolve uma parte que permitirá à pessoa flexibilidade para ouvir.

Ah, você quer dizer a habilidade de não ter a resposta de polaridade. Se você fizer isso, terá que considerar o possível ganho secundário. Se ele tem *sempre* uma resposta de polaridade, haveria nela alguma função positiva? Pode ser que sim ou que não. A coisa boa de seu exemplo é que se alguma coisa está a tal ponto excessivamente generalizada no comportamento, muito freqüentemente você poderá apenas construir uma parte que ouça *palestras* e nenhuma outra parte na pessoa fará objeções a isto porque não há ganho secundário em não se escutar, *naquele contexto*.

Independente da dificuldade que houver, você pode agir como se houvesse um ganho secundário e consolidá-lo. Isto sempre dá certo. Se você fingir suficientemente bem, pode fazer com que qualquer coisa seja real. Mas pode acontecer de não haver nenhum ganho secundário. Poderá existir ganho secundário numa resposta de polaridade somente quando você estiver recebendo uma palestra dada pelos pais e for um adolescente. A resposta de polaridade permite-lhe revoltar-se. No entanto, você generalizou excessivamente a resposta para todas as situações.

Você se torna uma das pessoas que se sentam no fundo da sala de um de nossos seminários. Mais tarde, você diz: "Bom, e quanto ao pessoal que sofre de insônia? Funciona com fobias, mas o que é que você faz com depressivos?" Essa pessoa sairá da palestra sem saber coisa alguma de como lidar com fobias por causa de sua resposta de polaridade.

O que estou querendo elucidar é que não ouvir pode não ter ganhos secundários num certo contexto, mas sim em outro. Portanto, se você simplesmente construir uma parte para aquele contexto em particular pode ser que funcione às mil maravilhas; para evitar objeções, no entanto, você tem que ser *muito* específico a respeito do que ela irá fazer.

Homem: Uma parte que consiga que a pessoa chegue na hora certa para as sessões de terapia, ou uma parte que faça as lições de casa no prazo certo.

Qual dos três modelos será o mais apropriado para o exemplo que ele acabou de dar? "As pessoas se atrasam." Com o que isso se parece?... Parecem duas partes pisando uma nos calos da outra. Portanto, nesse caso, usariam o modelo da negociação.

Mulher: Uma parte para discriminar entre uma situação de perigo e uma situação isenta de perigos.

Uma parte para discriminar entre o que é perigoso e o que é seguro. O que acham disto? Com o que isso se parece? Parece-se com uma situação em que vocês teriam que: 1) resignificar uma parte, ou 2) construir uma parte, ou 3) negociar entre partes?

Homem: Seria o caso de qualquer um desses modelos.

Bom, sempre se pode usar qualquer um desses modelos, mas qual deles parece ser *o mais* apropriado?

Mulher: Construir uma nova parte.

Bill: Reconstruir uma parte antiga. Pegue a parte que o vem mantendo suficientemente seguro para chegar vivo até aqui, que o impede de ser atropelado por carros, ou qualquer coisa e...

Como você sabe disso? Ela não disse nada disso. O que acontece se você está com uma pessoa que está sempre atravessando o trilho na frente do trem? Ela não especificou nada disso.

Homem: Ele deve ter escapado dos trens ou então não estaria aqui.

Este é um 'pressuposto bem grande. Você pode verificar isso pela experiência sensorial, mas posso pensar nuns exemplos de pessoas que têm necessidade de ter partes que distingam entre situações que são perigosas e outras que não o são, porque elas as misturam.

Mulher: Isto é especialmente verdadeiro no caso de crianças.

Certo. Seus pais constroem uma parte como essa dentro de vocês. É parte de como vocês chegaram até aqui. Pensem em todas as pessoas que não conseguiram chegar a este seminário.

Vou fazer um rápido retrocesso e percorrer de novo tudo o que já rodou por aqui. No começo fiz uma colocação sobre uma coisa que observei a respeito de terapia: o que as pessoas fazem é, em sua maior parte, construir partes. Isto representa cerca de 80% do que muitos terapeutas realmente fazem. Se isto for mesmo verdade, então por que construir partes é tão predominante? Freqüentemente é inadequado construir partes. Não acho que as pessoas precisem de um "pai", de uma "criança" e de um "adulto", mas acho que algumas pessoas precisam. A questão é "Quem irá precisar de uma parte?" e depois, "Especificamente, do que é que irão precisar?" Que espécies de contextos familiares ocorrem nos quais as pessoas precisam de partes? (Alguém anda pela sala fazendo muito barulho.)

Que tal uma parte que faça a pessoa prestar atenção à experiência sensorial quando atravessa uma sala e assim perceba que está fazendo um absurdo de barulho? Acabamos de ter uma demonstração desta necessidade. Seria uma parte exótica para algumas pessoas terem-na. Talvez em algumas situações não tê-la não seja prejudicial. Contudo, se vocês não têm uma parte que preste atenção ao modo como as pessoas lhes estão respondendo, poderá haver um monte de pessoas agindo como se não estivessem gostando de seu comportamento e vocês não terão nenhuma forma de observar ou modificar esse fato. Existem muitas, muitas pessoas em terapia com esse problema em particular. Não têm amigos de espécie alguma e não merecem tê-los. Quantos de vocês já tiveram clientes desse tipo? Vocês podem dizer-lhes que alguém irá um dia gostar deles, mas bem no fundo de si mesmos *vocês* não gostam deles. Freqüentemente, o problema é que eles realmente não têm meios de saber como as pessoas lhes respondem. Este seria mesmo o exemplo clássico de uma situação em que o apropriado seria construir uma parte. Onde mais vocês precisariam construir partes?

Mulher: Em relacionamentos de casal, talvez se precise de uma parte que faça negociações com o parceiro.

Aí você está bem no limite, quando se fala de ter uma parte que entabule negociações. E no ínterim, o que estão fazendo as partes restantes? Quero saber qual seria o resultado de instalar essa parte.

Posso dar-lhes um exemplo. Um casal veio me procurar porque os dois apresentavam comportamentos estúpidos que eram acionados automaticamente e impediam os dois de conversar a respeito do que desejavam. Eu só escolhi um deles e instalei uma parte de interruptor. A nova parte fazia coisas que capturavam a atenção dos dois, interrompendo o comportamento estúpido por tempo suficientemente longo para que pudessem voltar um pouco atrás e retomar a conversa sobre o que desejavam falar. Não sei o que vocês estão pensando, mas isso foi uma coisa que fiz.

Mulher: Pode-se instalar uma parte que diferencie entre realidade e alucinação.

Puxa, essa seria uma parte infernalmente boa! Acho que algum dia vou tentar instalar uma dessas. No final deste ano estarei fazendo o treinamento na equipe de um hospital estadual psiquiátrico. A principal função deste hospital é "armazenar" pacientes com os quais ninguém sabe realmente o que fazer. Uma pessoa muito interessante acabou de assumir a direção do hospital, após uma seqüência muito incomum de circunstâncias. A *única* coisa que pretendo ensinar, quando voltar lá, será como usar este modelo de construir uma parte que faça distinções entre o que é uma realidade compartilhada e o que não é. Muitos psicóticos não têm uma parte que faça isso.

Homem: Muitos psiquiatras não têm uma parte que faça isso quando trabalham com tais pessoas.

E muitos não a têm de jeito nenhum, pelo que me consta! A única diferença é que contam com outros psiquiatras que compartilham da mesma realidade, de modo que pelo menos têm *uma* realidade compartilhada. Faço muitas piadas a respeito do modo como os psicólogos humanistas se tratam quando se reúnem. Exibem muitos rituais sociais que não existiam na época em que trabalhei na Rand Corporation. Nela, as pessoas não chegavam de manhã ao escritório, não seguravam nas mãos uns dos outros, olhando-se significativamente nos olhos por cinco minutos e meio.

Quando alguém na Rand vê um outro fazendo isso, diz: "Ora!... Esquisito!" As pessoas dos círculos de humanistas acham que o pessoal da Rand é frio, insensível e desumano. Bem, *as duas* são realidades psicóticas e não tenho certeza de qual seja a mais louca. E, no caso de começarem a falar de realidades *compartilhadas*, as pessoas da Rand contam com um maior número de pessoas para compartilhar a delas.

Vocês *realmente* têm escolha somente se puderem passar de uma realidade para outra e se puderem ainda ter uma perspectiva do processo que está se desenrolando. É realmente absurdo que um psicólogo humanista contratado para lecionar na Rand Corporation não altere seu comportamento. Pensem em termos da alta freqüência com que isto se passa. Se um sujeito com todo o jargão da AT vai a um instituto de Gestalt, será engolfado pelos terapeutas da Gestalt porque estes podem gritar e a maioria do pessoal de AT não pode. Neste contexto, na minha opinião, a incapacidade para ajustar-se a uma realidade compartilhada é uma demonstração de psicose. Quantitativamente, não é diferente. Simplesmente conseguimos não ser anulados.

Digamos que vocês são um Gestalt-terapeuta, um terapeuta de AT, um analista, ou qualquer que seja o seu lance — inclusive um Programador Neurolingüista. Amanha de manhã cedo vocês acordam e vão até aquele bar onde estão todos os caras. Vocês dizem: "Sabem, estávamos trabalhando com estratégias agora de manhã com um cliente e estávamos observando suas pistas de captação..." Eles dizem: "O quê?" De modo que vocês respondem: "Bem, sabem, estudamos com Bandler e Grinder. Nós olhamos os movimentos dos olhos das pessoas e sabemos como elas estão passando." Eles dizem: "Claro que sim." "Ah, sim, depois eliciamos uma resposta e tocamos nele, e depois associamos isto a esta outra recordação, simplesmente tocando nele." Com certeza iriam pensar que vocês estavam muito estranhos.

O que vocês têm que lembrar é que essa realidade, como outras, é contextual. *Aqui* nós podemos falar a respeito dessas coisas e todo mundo assente significativamente com a cabeça. Todos vocês tornaram-se uma parte de minha realidade psicótica. Construí em vocês uma parte para que eu não mais continuasse louco.

Se tivéssemos um psicótico, uma das coisas que faríamos seria fazê-lo conter todas as demais pessoas em sua alucinação; depois, poderíamos chamá-la "religião" ou "política". A questão é: realidades são estruturas definidas.

Em certas situações vocês têm que construir uma parte; pode-se construir uma parte em qualquer situação. Quem aqui precisa de uma parte? Todos aqui precisam de uma parte? O que vocês querem? O que é que essa parte irá fazer?

Teri: Iria manter-me num certo peso.

Você quer uma parte para mantê-la com um determinado peso. Esta certamente é uma parte bem definida. Quem mais?

Homem: Quero uma parte que me capacite a ver nitidamente em binocularidade, sem lentes corretivas.

É uma possibilidade.

Mulher: Gostaria de uma parte que fosse criativa em metáforas.

Quero que todos vocês observem uma coisa. Irei agora comentar a respeito do processo grupal. Pedi a pessoas que definissem um resultado e elas estavam tendo um monte de dificuldade. Há um instante atrás perguntei "Quem aqui quer uma parte?" e ouçam quantos resultados bem definidos surgiram! Lembrem-se disso quando forem trabalhar com pessoas.

Homem: Quero uma parte que me lembre a intervalos regulares e freqüentes que sei o que estou fazendo na maior parte do tempo.

Certo. Se você precisa ter uma parte como essa.

Jill: Quero uma parte que me faça saber o que *eu sei* fazer.

Qual o resultado disso? O que você falou não foi um resultado. Foi um processo. Foi a primeira quebrada que aconteceu. Você pode obter para si uma parte que a lembre de catalogar suas habilidades terapêuticas, ou de incluir variedade em seu comportamento. Isso seria específico. O que você quer?

Jill: Quero uma parte que me faça progredir para uma coisa diferente depois de eu estar convencida de que já sei fazer bem uma certa coisa.

OK. Poderia ser uma parte que lhe dissesse: "Certo. Você fez resignificação; conhece o modelo padrão. Você é quente nisso e daria certo neste contexto, mas façamos diferente desta vez e vamos nos divertir muito." Você quer essa? Ou uma que, após você ter feito com êxito um pouco de resignificação, lhe diga: "Certo, funcionou" de modo que você não avance e nem use nenhum outro modelo para curar o mesmo problema que já foi curado?

Mulher: Eu ficaria com as duas.

Homem: Gostaria de ter uma parte que me permitisse relaxar quando estou sentado numa cadeira ouvindo uma palestra, ou quando estou falando.

Isto é apropriado para este modelo?... *Poderia* ser. A pergunta chave é: "Você relaxa em outros momentos?"

Homem: Sim.

Portanto, só quando você vem para um contexto como esse é que você fica tenso. Então o modelo de seis passos é mais adequado. Se você construísse uma parte para deixá-lo à vontade, ela entraria em conflito com alguma outra parte que o está deixando tenso.

Homem: Gostaria de uma parte que me permitisse reter o conteúdo de uma palestra sem gravá-la em fita.

Mulher: Quero uma parte assertiva, mas assertiva apenas em determinados contextos. Seria então o caso de eu usar este modelo se eu *tivesse* uma parte assertiva e o problema de falta de asserção estivesse relacionado contextualmente? Em outras palavras, eu *tenho* uma parte assertiva... mas que não funciona o tempo todo.

Bom, não estou disposto a concordar com essa descrição. Eu diria que o que você está descrevendo é que tem uma parte assertiva, porque é capaz de ser assertiva em determinadas situações. Isto poderia ser descrito de duas maneiras. Uma é que você cai em determinadas situações e essa parte diz: "Eu não!" A outra possibilidade é que a parte assertiva diga: "Pega agora!", enquanto alguma outra parte manda calar a boca. A questão é qual das duas possibilidades acontece. Quando você souber isso, *então* poderá decidir que tipo de resignificação empregar; de qualquer modo, porém, não se trata de construir uma.

Harvey: Gostaria de ter uma parte que me facilitasse ganhar muito dinheiro.

Certo. Você quer uma parte gananciosa ou esperta, dependendo de como pensar a respeito. Mais uma vez, existem muitas perguntas sobre o resultado. Se o resultado for conseguir muito dinheiro, precisarão existir algumas condições bem formadas a respeito de como fará isso. Se não for assim, você talvez pegue um revólver e vá assaltar o primeiro banco que encontrar pela frente. É a mesma coisa que falei antes. Quero uma descrição *específica* do que essa parte irá fazer. Ou então, se eu instalar essa parte, você pode de repente sair por aí assaltando.

Harvey: Quero uma parte que construa referências e me encontre novas oportunidades de trabalho, levando em conta minhas habilidades.

Certo, bom. Se você construir a parte que se encarregará de gerar referências, então ela sabe *como* fazer dinheiro. Este é um tipo de resultado bem específico.

Ray: Gostaria de uma parte que me permitisse fazer improvisos ao piano.

Mulher: Gostaria de uma parte que me permitisse acesso consciente a imagens visuais do passado.

Você não consegue formar imagens eidéticas? Como você soletra a palavra "floresta"?... Certo. Você pode formar imagens; a ênfase está na palavra "consciente".

Mulher: Gostaria de uma parte que me permitisse criar um humor bem engraçado toda vez que eu quisesse. Quero uma parte que leve as pessoas a estourarem de tanto bom humor.

Homem: Quero uma parte... que me permita... fazer pausas.

Você quer *outra*? Seria bom então que você fosse um pouco mais específico, porque você acabou de demonstrar que tem uma parte que lhe permite fazer pausas. Essa é uma incongruência moderada em sua comunicação, mas sinto que você tem em mente algo mais específico.

Kit: Gostaria de uma parte que tomasse conta de comportamentos "passivo-agressivos".

Você precisará definir isto para mim. "Passivo-agressivos" é uma *dupla* nominalização.

Kit: Certo. Sinto uma incongruência num conjunto de comportamentos que experiencio nas pessoas e em mim mesma...

Estamos perdidos agora na "Terra das Nominalizações." Temos que ter cuidado. O que esta parte irá *fazer*?

Kit: Bem, essa parte irá servir a uma necessidade.

Todas as partes irão servir a uma necessidade. O que ela irá *fazer*?

Kit: Será como um periscópio.

Você não pode especificar o resultado usando esse tipo de metáfora. Você *tem* que ser muito específica ou então irá para casa à noite, irá deitar-se e seu corpo irá ficar empinado, como se fosse um periscópio. Se você disser que será como um periscópio, o que irá fazer por você, exatamente? Você tem que se vincular realmente ao mundo da experiência.

Kit: Quero equilíbrio entre polaridades.

De?...

Homem: Você poderia construir uma parte em Kit para que fosse mais específica.

Aí está. Maravilhoso. Se você instalasse nela uma parte que se encarregasse do Meta-Modelo e ela então meta-modelasse seu próprio diálogo interno, pense que presente isso não seria para ela. A maioria de meus alunos dos primeiros tempos tem uma parte Meta-Modelo.

Kit: Quero uma parte que me traga coisas...

Espera aí. Não importa. Você precisa de uma parte que conheça as primeiras quatro distinções do Meta-Modelo. No exercício, alguém irá instalar em você uma parte que faça isso a partir de seu interior, de modo que, antes de você falar, poderá escolher entre o uso de uma linguagem específica ou não.

Kit: Gostaria de uma parte que... Sinto que eu... Tenho uma nova colocação para criá-la... deste ontem.

Certo. Fique aí por uns momentos. Volte-se para seu interior...

Kit: Sinto o que sou.

Sim, está certo. Isto se chama "espelhar o comportamento observável". Volte-se para seu interior e imagine-o. Quero que você faça uma imagem visual do que seria aquilo que está ocorrendo ou em sua mente *ou* no mundo das experiências e que *me* permitiria saber quando está em operação essa parte que você quer. Eu *não* quero que sua imagem seja metafórica. Em outras palavras, se você tivesse uma parte que fizesse isso, o que é que eu veria que seria diferente? Pode levar um tempinho, quanto precisar, e pesquise isto sozinha.

Lucy: Quero uma parte que aumente a freqüência e a intensidade de orgasmos com meu marido. Isso caberia nesse modelo.

Verdade. Por quê? Em busca do que valha a pena, é o que sempre digo.

Mulher: Isso é construção de uma nova parte, ou só...

Bom, a tarefa da parte que ela quer construir não é fazê-la ter orgasmos. É fazer com que outra parte o faça com mais freqüência. A parte que ela quer é o que nós chamamos de "parte cotovelo". Faz as outras trabalharem. É como a diferença entre uma estratégia de motivação e uma de aprendizagem. Uma faz com que você aja, a outra faz realmente o trabalho. Por exemplo, frente a um problema com o peso, é uma coisa construir uma parte cuja tarefa seja entrar em dieta, e outra coisa construir uma parte cuja tarefa seja fazer você retomar os regimes. Existem maneiras diferentes de pensar a respeito de como vocês vão construir partes e para que elas servem.

O que nós estivemos fazendo até agora é o passo número um: a determinação de um resultado específico por vocês desejado, tomando todos os cuidados necessários para que seja apropriado construir uma parte para aquele resultado. Antes de construírem uma parte, quero que vocês sempre verifiquem se encontram algum outro modelo de resignificação que seja mais apropriado para a obtenção do que desejam...

Para aqueles dentre vocês que escolheram uma parte desejada e que especificaram o resultado, quero que avancem para o passo número dois. Trata-se de um procedimento relativamente complexo e iremos percorrê-lo metodicamente, não metaforicamente. Na qualidade de terapeutas, podem dançar um pouco em torno dele, se o desejarem, mas iremos atravessá-lo passo a passo. Recomendo *enfaticamente* que tenham um pedaço de papel e um lápis durante este procedimento, porque mais tarde irão existir coisas com as quais vocês precisarão manter contato; aliás, talvez venham a existir muitas.

Quero que todos aqueles que vão entrar neste jogo comigo que se voltem para seu interior, e descubram se encontram aí alguma estrutura de referência para o comportamento que desejam. Captem qualquer experiência histórica que puderem encontrar a respeito de fazerem o que desejam ser capazes de fazer mais metodicamente, mais freqüentemente, ou seja lá o que for. Digamos que alguém gostaria de ter uma parte criativa. Talvez ela tenha sido criativa uma vez há dez anos atrás, ou pode ser ela uma vez ter pensado numa nova forma de escrever uma lista de compras. Seja o que for, quero que descubram todos os exemplos relevantes que existirem. Quando localizarem tais recordações, quero que entrem nas mesmas e recuperem *toda* a experiência que as acompanhar. Este é um detalhe absolutamente essencial ao que iremos fazer. Levem o tempo que for necessário para isso. Isolem casos específicos do que desejam e façam o levantamento mais exaustivo que puderem. Assegurem-se de contar com uma, duas ou três experiências — se as tiverem — daquilo que desejam que essa parte seja capaz de fazer.

Se o que desejam é uma parte que os faça terem orgasmos com mais freqüência, não se lembrem do orgasmo; lembrem-se de um momento em que se pegaram tendo um orgasmo inesperado. Se vocês vão construir uma parte cuja tarefa seja fazê-los manter seu peso num determinado ponto, vocês não querem se lembrar do momento em que pesaram esse tanto, mas sim, lembrar-se do momento em que *mantiveram* um peso específico.

Captem essas recordações tão intensamente quanto possível. Não será preciso muito tempo. O fator importante será a intensidade do que vocês captarem.

Mulher: E no caso de não haver exemplos?

Se não houver exemplos, então esperem. Mas tomem muito cuidado porque provavelmente existem exemplos de tudo, na experiência de vocês, quer vocês saibam disso ou não. Se não conseguirem encontrar exemplos de jeito nenhum, então fiquem firmes apenas, porque o passo três irá encarregar-se disso de um jeito ou de outro...

Para aqueles que não conseguiram encontrar exemplo algum *e* para quem já terminou, quero agora que passem para o passo número três, dividido em duas partes. Primeiramente, quero que criem para si mesmos uma imagem construída visual e auditiva dissociada, relativa ao modo como se comportariam caso estivessem realmente demonstrando aquilo que esta parte irá fazer com que vocês façam. Assim, no caso de manter o peso, vocês não irão se ver tendo um certo peso, mas sim, irão se ver envolvidos com os comportamentos que aconteceriam caso estivessem com aquele peso e aumentassem ou diminuíssem um pouco de peso; em outras palavras, envolvidos naqueles comportamentos que estariam em operação durante a *manutenção* daquele peso. A maioria das pessoas é adepta de ganhar e perder peso. O problema começa quando perdem um pouco: num instante voltam a engordar. A tarefa da nova parte consiste não em perder peso, mas em mantê-lo. Vocês precisam ver-se naquele contexto: qual seria a aparência de vocês, o que estariam fazendo, como estariam se expressando.

Depois, quando virem uma seqüência toda na qual se sentirem satisfeitos, entrem nessa imagem e passem de novo por toda a seqüência, a partir *de dentro*. Certifiquem-se dos sentimentos e sensações que tiverem ao fazer isso e façam-no bem feito. Portanto, passarão pela coisa duas vezes: uma, de fora; outra, de dentro. Primeiro visualizem um bom exemplo de como seria sua aparência e expressão, manifestando o comportamento em questão. Depois, na segunda vez, descubram qual é a sensação, a partir de dentro da imagem. Se ficarem satisfeitos com o filminho todo, visto de fora, então entrem nele e refaçam-no do começo, todo de novo. No caso de não ficarem satisfeitos com os sentimentos e sensações, voltem atrás e modifiquem as imagens tal como vocês as estão vendo de fora; depois, mais uma vez, passem por elas, de dentro...

Bill: Quando entro na imagem, aparece um elemento auditivo interno que não está aparente quando a vejo de fora. Não sei como me livrar disso. Posso ver a imagem de fora e ver-me redigindo um manuscrito. Assim que entro nela, porém, estou sentado à máquina de escrever e estou começando a escrever as primeiras sentenças e então surge uma voz que levanta todo tipo de objeções ao que estou fazendo. Não acredito que continuar fazendo o laço dentro-fora vá dar conta desse obstáculo.

Certo. Pergunte à parte auditiva — tendo em vista os objetivos de sua fantasia neste momento — se ela poderia ficar quieta só uns momentos, porque você quer descobrir *se* aquilo é uma coisa que você quer de fato. Se acontecer de ser uma coisa que você quer mesmo, não irá consegui-lo, a menos que essa parte também concorde. Esse é o próximo passo. Portanto, se tal parte auditiva tem alguma objeção a você passar pela experiência interna que você fantasiou que quer, então aí está uma oportunidade para objetar, e com todo o direito. Antes, porém, ela deve ceder-lhe uma oportunidade de descobrir se você deseja o novo comportamento. Quando ela lhe permitir ter tal experiência, você talvez descubra que, na ausência daquela voz interna, você não terá a respeito do que escrever. Se for assim, você então precisará construir uma outra fantasia.

Mulher: Você está pedindo uma fantasia ou várias fantasias?

Vocês só querem *uma* fantasia que seja um exemplo do modo se pareceriam, vistos de fora, comportando-se como se tivessem essa parte. Aí, *caso* vocês gostem dela, vista de fora, se der a impressão de algo seguro — ninguém bate em vocês, vocês não caem de penhascos, nem coisa do gênero — então repitam a mesma seqüência, dentro da fantasia, descobrindo então se gostam da experiência interna também. Às vezes, pensamos que queremos uma parte mas, quando a experimentamos um pouco, descobrimos que não gostamos dela.

Se não tiverem acabado, levem mais o tempo que for necessário e acabem o terceiro passo. Não lhes fará bem algum pular para a frente. Eu irei avançar agora e dar as instruções do passo seguinte. Se as perderem, não se preocupem. Provavelmente acabarei dando essas instruções várias vezes porque o próximo passo é um pouco complicado. Antes, assegurem-se de concluir este passo em que estão. Levem todo o tempo que precisarem. Repassaremos tantas vezes quantas vocês precisarem.

Depois que tiverem um exemplo bem formado de como se comportariam caso tivessem realmente a tal parte, e que ficarem satisfeitos com a fantasia tanto vista de fora como experimentada de dentro, então, a próxima coisa que quero que façam é um teste ecológico. Este é o passo quatro. Quero que se voltem para seu interior (e é muito importante o modo como vocês fizerem isso) e perguntem: *"Há alguma parte que objete a eu ter uma parte que se encarregue de tornar esta fantasia realidade?"* Esta é uma pergunta tipo sim ou não. Se ouvirem um "sim" verbal, ótimo. Se for uma sensação ou sentimento, é preciso intensificá-lo para "sim" ou atenuá-lo para "não". Para isso, poderão usar todos os métodos dos outros modelos de resignificação.

Se alguma parte objetar, quero que perguntem: "*Qual é sua função para mim?*" Desta feita, não importa qual seja a objeção. Não é isto que importa. Vocês querem descobrir o que é que faz a parte objetante, qual é sua tarefa, sua função.

Quando tiverem recebido essa informação, e se de seu ponto de vista não fizer sentido que ela objete a vocês terem essa nova parte, prossigam e perguntem-lhe, especificamente, qual é a objeção. Perguntem-lhe de que maneira está prevendo que a nova parte irá atrapalhá-la.

Digamos que vocês decidem: "Irei instalar uma parte que me ensine como prender minha respiração durante uma hora e meia." Então, voltam-se para seu interior e perguntam: "Alguma parte objeta?" Vocês recebem um "sim" e têm, portanto, de perguntar: "Qual é sua função para mim? O que é que você faz por mim? Qual é sua tarefa?" A parte objetante diz: "Bom, sou sua parte que mantém seu coração batendo." Se, conscientemente, vocês não conseguirem perceber a relação entre prender a respiração durante uma hora e meia e isso interferir com a parte que tem a função de manter o coração palpitando, então sugiro que perguntem. Penso que a maioria dessas conexões serão óbvias, mas se não o forem, perguntem.

O papel e o lápis servirão neste passo. Até este momento, toda vez que usei este modelo existiram pelo menos oito ou nove partes com objeções. Dependendo de qual parte vocês estão construindo, alguns aqui não terão talvez muitas objeções a enfrentar. Quando vocês se dedicam à instalação de uma nova parte, o potencial que esta tem para atrapalhar alguma outra é muito maior do que se vocês apenas alterassem um pouco o comportamento de uma das partes. Poderá existir muitas e muitas partes com objeções à criação de uma nova. Quanto mais, mais engraçado, porque todas elas irão tornar-se aliadas, no processo de produção do esboço da mesma. Façam apenas uma relação completa das partes que objetam e da função de cada uma delas. Vocês querem saber se há partes que objetam e, em caso afirmativo, o que é que elas fazem. Qual é a sua função? Sejam o mais completos possível. Certifiquem-se de haverem arrolado *todas*. Verifiquem cada sistema representacional para objeções, a fim de descobrirem todas as partes que de alguma forma levantam objeções. Estas serão a essência da certeza de que a parte por vocês criada é realmente elegante e funciona bem. As objeções serão os talentos da parte que vocês irão criar...

Lucy: Anotei seis partes.

Certo, anotou seis partes. E reuniu todas as suas funções?

Lucy: Ah, não. Só relacionei as partes.

Certo. Quero que você descubra a função de cada uma delas. Você dirá: "Parte número um, você objetou? O que você faz por mim?" Não pergunte: "Qual é sua objeção?" e sim "Qual é sua função?" Você quer saber do que está encarregada cada parte com objeções a fazer. Não se trata de vocês terem uma parte que diga: "Muito bem, passemos a limitar os orgasmos desse fulano." É só que a parte objetante está fazendo alguma *outra* coisa. Quando esta considera a possibilidade de vocês virem a ter uma parte que lhes faça ter orgasmos mais freqüentemente, diz: "Ora, não tenho muita certeza se quero uma parte que faça isso." Bom, pode ser que vocês consigam instalar a nova parte de qualquer jeito e talvez a parte que levantou objeções não venha a interferir com ela de modo algum. No entanto, se descobrirmos quais são suas preocupações, poderemos então criar uma parte ainda melhor e ter certeza de que as outras não irão opor-se a ela.

Lucy: Então você quer que eu descubra quais são as preocupações das demais partes?

Em segundo lugar. Antes, quero que você saiba qual é sua *função*, aquilo de que está encarregada. Se isto não lhe proporcionar uma compreensão daquilo que a deixa preocupada, em relação à presença de uma nova parte, então pergunte.

Lucy: Não tenho certeza de ter entendido. Por exemplo, existe uma parte que não me quer fazendo pressão sobre meu marido e uma parte que não quer me dar aquilo que eu quero. Então, elas seriam duas partes?

Certo. Então, qual é a função da parte que "não quer lhe dar o que você quer?" Tenho certeza de que você não tem só uma parte que fica aí sentada e dizendo: "O que será que posso impedir Lucy de ter, hoje?" Tem que estar encarregada de alguma outra tarefa. A pergunta é: "Qual é sua tarefa?" Pode ser uma parte que não deseja para você alimentar expectativas irreais. Eu quero saber apenas qual é sua função, e depois, qual é sua preocupação. Se você tem de fato uma parte que não lhe deseja ver alimentando "expectativas irreais", então você já sabe qual é a preocupação da mesma. Sua preocupação é que a nova parte não dê certo e que você fique desapontada. Você não precisa se preocupar com isso, porque o que construímos irá funcionar. Você quer saber a função de cada parte que objeta, além de uma parcela de suas preocupações quanto a ter por perto uma nova parte.

Esta nova parte que vocês querem construir irá influir em seu comportamento. Vocês querem saber se existem outras partes dentro de vocês que objetem à existência da mesma, em seu interior. Queremos tomar conhecimento de *todas* as partes que levantem objeções à idéia de ter essa nova parte. E também queremos saber especificamente o que é que preocupa, na nova parte, as outras que já existem. Esta é uma informação muitíssimo importante. Precisamos saber disso, para que, ao construirmos uma parte, possamos construir aquela que venha a satisfazer a pessoa toda, ao invés de só despejar ali dentro alguma coisa e deixar que cresçam os conflitos. Em geral, já existem conflitos em quantidade suficiente; não precisamos construir mais nenhum.

Até o momento, não disse nada a respeito da instalação de tais partes. Estamos nos atendo até agora ao processo de elaboração de suas características. O quinto passo é o que chamamos de "satisfazer as condições de boa formação". A condição de boa formação de nosso projeto é que nenhuma outra parte objete. Iremos levar em consideração *todas* as preocupações que as partes demonstrarem e modificar a nova parte de modo conseqüente. Não queremos pisar nos calos de ninguém, exceto nos da mente consciente. É a única que merece isso.

A fantasia que vocês fizeram da última vez é a base sobre a qual estas partes fizeram suas objeções. Vocês inventaram uma fantasia e aí uma certa parte disse: "*Argh*, cara, isso não vai ser moleza não." Uma outra parte disse: "Não quero isso!" Alguma outra falou: "Se fizermos isso, não seremos capazes de fazer aquilo." Todas as partes que tinham preocupações basearam suas objeções naquela fantasia. De modo que, agora, vocês irão criar uma *nova* fantasia. Temos agora uma lista de condições de boa formação que podemos usar para modificar a última fantasia e levar assim em conta *todas* as preocupações dessas outras partes. Antes de vocês construírem a nova fantasia, gostaria de *redefinir* a parte, de modo que leve em consideração todas aquelas preocupações. Esta é a importância do tempo todo que gastei com definições. Por exemplo, quais eram as funções de algumas das partes que objetaram?

Teri: Havia em mim uma parte que disse que se eu mantivesse o peso desejado não seria talvez terapeuta. Eu não iria querer fazer terapia; iria querer estar fora, fazendo outras coisas.

Isso foi uma objeção?

Teri: Bem, se continuar acima de meu peso, sinto-me confortável fazendo o que faço agora, porque não tenho muita vontade de sair e fazer outras coisas.

Mas qual é a função daquela parte?

Teri: Manter-me do jeito que sou.

Não, não é essa sua função. Se existe uma parte que diz: "Olha, se você perder todo esse peso e o mantiver, você não irá querer fazer terapia" e depois você fala: "Certo, certo, é uma possibilidade. Qual é sua função?" Se essa parte responde: "Bom, minha função é mantê-la igual", isto se chama *jive*. Neste grupo, sabemos que isto não é uma função, é um *comportamento*. Estamos mais é procurando uma função positiva. Você não tem uma parte cuja função seja mantê-la a mesma. Você tem uma parte que quer mantê-la a mesma *para que* X, Y ou Z não aconteçam, ou para que aconteçam. Se você não encontrar funções, não irá ser capaz de criar um bom conjunto de condições de boa formação.

Teri: Por exemplo, eu não iria passar tanto tempo só com meu marido.

Certo, portanto existe uma parte cuja função seja garantir que você passe tempo sufciente com seu marido. E uma maneira de desincumbir-se desta função é fazendo terapia, de modo que você pode ficar um tempão pendurada nele, no trabalho.

Teri: Certo.

Bom, essa é uma preocupação que faz sentido. No entanto, existem muitas maneiras de construir períodos de tempo para serem passados em companhia de seu marido. De modo que a sua parte incumbida de manter o peso irá com certeza verificar que esta parte fique satisfeita. Ela irá criar muitas ocasiões para serem passadas junto com seu marido, no programa de manutenção. Agora, isto passa a fazer parte da fantasia que você terá que construir. Você não vai ficar esbelta e dar no pé porque essa parte não irá permitir que isso ocorra.

Bom, agora quero um outro exemplo de uma função.

Pat: A função de minha parte nova é fazer-me tomar conhecimento de alguma coisa quando eu a souber. A preocupação é que venha a prejudicar minha motivação para aprender mais.

Certo. Então, se você tem uma parte que a faz perceber que sabe alguma coisa, então você se tornaria menos motivada a aprender. Então agora você tem que criar um desejo de saber o que está além do próximo horizonte, nessa nova parte que você irá construir. Terá que integrar-se plenamente à parte que a deixa saber que já sabe algo. "Realmente conheço resignificação. O que mais haverá, me pergunto, para aprender?" Isto terá que ser incluído na parte da nova fantasia.

Para *cada* objeção, vocês irão ter que modificar a fantasia até que ela satisfaça cada uma dessas condições.

101

Bill: Tenho uma. Sua função é manter-me honesto.

Isto não é uma função. É um comportamento. Eis um exemplo do que *não* queremos. O que é que ela está tentando fazer mantendo-o honesto?

Bill: Protege-me de ser acusado de mentiroso... ou honra-me se uma pessoa me diz que sou honesto.

Bem, tenha certeza do que ela quer. Existe uma enorme e real diferença entre sentir-se honrado e...

Bill: Parece mais aversivo do que o é...

Sim, mas seja meticuloso. Volte-se para seu interior, consiga um sinal sim/não, descubra qual é a opção. Verifique-a o mais que puder e vá até o fim.

Teri: Encontrei o ponto principal atrás daquilo tudo. A única vez em que fiquei magrinha em toda a minha vida, fiquei louca. Existe uma parte que não está disposta a permitir que eu fique magrinha porque eu não quero ficar louca.

Bom, tenho certeza que você poderia construir controles para sua saúde mental dentro de uma parte que estivesse incumbida de pôr você num programa de manutenção de peso. Pense nisto desta forma, Teri. Seu peso e sua sanidade são coisas sem relação entre si, afora a ancoragem. Aquele peso que você tinha quando era aquilo que agora está chamando de "louca" não tinha intrinsecamente nada a ver com ficar ou ser louca. Aquela ocasião foi uma coincidência. Não existe relacionamento causal entre perder peso e ficar louca de novo.

É a mesma coisa que aconteceu quando fizemos, na semana passada, um exercício de mentir. Eu disse: "OK, está na hora de mentir." Todos os outros disseram: "É, vamos mentir!" mas você disse: "Se eu mentir, vou ficar louca. Mentia antes e era louca, então se eu mentir agora e não puder mais distinguir, estarei louca, porque é assim que antes eu era louca. Se você quer fazer com que *eles* fiquem loucos, tudo bem, mas *eu* estou caindo fora!"... E todos os outros ficaram resmungando: "Bem, nós temos que ficar aqui e sermos loucos."

Quando eu voltei para fora, disse para vocês: "Olhem, mentir e não saber se estavam ou não mentindo foi uma âncora para vocês ficarem loucos. O resto das pessoas desta sala não fez isso, em sua opinião. Quando o fizerem *desta* vez, iremos proporcionar-lhes uma uma nova âncora. Iremos traçar algumas linhas pretas em torno de suas imagens quando estiverem mentindo, e estas linhas pretas são realmente importantes. Agora você podem mentir e saber que estão mentindo, de modo que não estarão loucos desta vez."

O que fiz foi só cercar com um meta-enquadre literal aquilo que estava acontecendo. Trata-se de uma mudança muito pequena em sua estratégia. Vocês ainda estão elaborando imagens visuais construídas. Estamos apenas separando as imagens construídas das demais, através de umas linhas pretas, e é essa separação que permitiu a vocês terem novos sentimentos a respeito do que irão fazer. Quando eu disse: "Certo, agora inventem uma mentira", vocês inventaram uma mentira. Perguntei: "Vocês estão loucos?" e vocês disseram: "Não." Perguntei: "Qual é a mentira?" "Bem, a que tem linhas pretas em torno é uma mentira. Qualquer um pode ver isso."

A questão é: se você está a fim de perder peso e retoma um peso que está associado a ficar louca, também precisa pôr em torno dessa parte um novo molde, uma nova moldura, que deverá ser uma função desta nova parte. Para que você possa voltar ao peso que tinha quando esteve louca, é preciso evidentemente admitir a implicação de ficar louca novamente. No entanto, uma vez que *você* não é a pessoa que ficou louca, *você* não tem como voltar a isso.

Essa distinção tem que ser construída dentro da parte que você está criando agora. É algo muito essencial que ela seja capaz de distinguir todas as diferenças entre *esta* Teri e a outra que ficou pirada. Esta Teri tem outra idade e muito mais informações a respeito do mundo da experiência. Você sabe fazer muito mais coisas do que a outra, que antes não sabia. *Aquela* Teri não conhecia coisa alguma a respeito de PNL. Não sabia como ancorar psiquiatras. Existem agora muitas ferramentas de trabalho explícitas que você tem e que não tinha então, não só o que aprendeu aqui, mas em AT, além de muitas e muitas coisas que nada têm a ver com a psicoterapia. De modo que esta nova parte terá que ser capaz de indicar, de vez em quando, como você está diferente.

Há alguma outra pergunta a respeito de como vocês utilizariam as objeções para reelaborar a parte que querem construir? Esta parte do processo é muito importante. É o ponto nevrálgico da construção de partes, para que sejam funcionais, de modo que vocês não acabem anoréxicos ou coisa assim.

Bill: Quero uma parte que me deixe escrever artigos de maneira confortável, sem agonia. Existe uma parte que faz objeções. Quando eu pergunto: "Bem, qual é sua função?", ela diz: "Minha função é torná-lo ciente de todas as possíveis objeções ou críticas ao que você está escrevendo."

Certo. A contradição que estou ouvindo é que aquela parte *quer* que você escreva. Sua incumbência é ajudá-lo com sua atividade literária. Está objetando à sua sensação de conforto?

Bill: Eu gosto de escrever; o problema é que isto me custa um esforço tremendo.

Isso é impossível. Essa é a mesma contradição. Você está dizendo: "*Adoro* escrever; é *tão doloroso!*"

Bill: Um amigo meu disse certa vez: "Não gosto de escrever; gosto de *ter escrito*."

Bom, isso é outra coisa.

Bill: Estou percebendo que me sento para datilografar todo entusiasmado. "Puxa, vai ser um troço incrível daqui a pouco." E em seguida eu faço: "*Ughhh!*"

Sim, concordo. E você sabe o que precisa fazer a fim de satisfazer essa parte? Uma solução simples poderia ser pedir-lhe que lesse seus trabalhos ao *final* de cada página.

Bill: Bem, eu estava pensando em pedir-lhe que poupasse suas objeções até eu ter terminado o primeiro rascunho. Existe uma outra parte que diz: "Quando você se sentar, escreva o primeiro rascunho."

Certo, mas você não precisa lidar com as objeções específicas. Você quer encontrar *soluções* que preservem as *funções* das partes que objetam. O importante é que ela objeta. Está dizendo: "Olha, se você escrever esse troço, você não irá considerar todas as objeções que as pessoas levantarão." Que tal se você tivesse feito uma fantasia na qual você se sentasse e escrevesse confortavelmente e depois, ao final, pegasse seu trabalho e deixasse que essa parte funcionasse com um lápis vermelho na revisão do mesmo? Será que então ela ficaria satisfeita? Isto é o que eu faço com os escritos de outras pessoas. Tenho uma parte que faz isso realmente muito bem, em especial se for o trabalho de uma outra pessoa. Chamam isto de "trabalho editorial". Pode ser uma parte muito valiosa.

Lucy: Estou entalada com uma parte que não quer me deixar abandonar o controle...

Do quê?

Lucy: ...que atribuí à parte que irá...

Espera um minuto! Estas formas são muito importantes. Você tem uma parte que objeta, certo? Qual é sua função?

Lucy: Sua função é a de impedir que me sinta desprotegida.

Isto não é uma função; é um comportamento.

Lucy: Protege-me de ser magoada.

Isto é um comportamento. Não uma função. O que acontece se você se sente desprotegida? O que é que ela está tentando fazer por você quando a poupa de sentir-se desprotegida? E daí se você se sentir desprotegida?

Lucy: É uma função desnecessária.

Não, não é não. É só que você ainda não sabe o que ela é. O que é que ela está tentando fazer por você ao protegê-la contra a sensação de desamparo? Essa é a primeira parte. A segunda é: como ter orgasmos mais freqüentemente tem alguma coisa a ver com sentir-se desprotegida ou não? Não preciso de uma resposta verbal para isso. A questão é deixar clara a função de modo que você possa entender como terá que modificar sua fantasia para que *aquela* parte possa ser também satisfeita.

Ray: Fiquei muito surpreso quando vi algumas partes objetando a eu improvisar no piano. A primeira objeção foi que eu acabaria tocando piano mais tempo, em reuniões, e interagiria menos com as pessoas.

Certo. Não pedi a você que fizesse essa pergunta. Isto é importante. Eu disse que, se existir uma parte que objeta, *não* lhe pergunte qual é sua objeção. Pergunte-lhe qual é sua *função*, de modo que você saiba do que está encarregada essa parte. *Então*, se você não entender de que modo isto transmite alguma preocupação, é o momento de perguntar com o que está se preocupando.

Ray: E perguntei também do outro jeito.

Certo. É muito importante que quando você estiver em meu grupo você faça a pergunta desse modo. Quando você for para casa, pode construir partes à sua própria maneira. Se você não souber qual a função de uma parte objetante, será muito, muito difícil agradá-la.

Bill: Fiz a seguinte pergunta: "O que você acha que acontecerá se receber algum *feedback* crítico?" E a resposta que recebi foi: "Se eu receber uma dessas, então irei sentir-me só e inadequado." De modo que está me impedindo de me sentir só e inadequado.

Bem, em certo sentido é a mesma resposta. É só uma recolocação com outras palavras. "Bem, sabe, é minha tarefa livrá-lo de sentir-se só e inadequado." "Bem, o que aconteceria se eu me sentisse só e inadequado?" "Bom, você ficaria numa pior. Minha incumbência é poupá-lo de sentir-se mal." "Bem, e o que aconteceria se eu me sentisse mal?" "Bem, se você se sentisse mal, então acharia que as pessoas não gostam de você." O que está acontecendo é apenas a redefinição da mesma coisa que ela não quer: que você se sinta numa pior. Mas a redefinição apresenta de qualquer modo mais alguma informação. Uma das coisas que você pode fazer é elaborar, dentro da construção da parte, *ou* uma proteção contra pessoas que o criticam, *ou* uma forma de apreciar críticas. Você poderia construir incluindo a compreensão seguinte: quando as pessoas estão tecendo críticas, você tem oportunidades inéditas para fazer muitas coisas.

Uma, é demonstrar como você pode gritar alto. Outra é utilizar o comportamento delas. Quando as pessoas ficarem zangadas com você, você tem uma oportunidade *sem precedentes* para testar suas habilidades de utilização. Existem tantas oportunidades por aí. Portanto, você não tem que se sentir só; você poderá tornar a crítica a base de um relacionamento que dure para sempre.

Vou contar-lhes uma das coisas estranhas que observei ao crescer. Todo mundo que me batia virou meu amigo e vice-versa. Ao crescer e ficar adolescente num lugar muito adverso, descobri que uma das melhores maneiras de formar um relacionamento duradouro e permanente era bater em alguém até arrancar o couro dele. Tomei consciência disso mais ou menos em torno do final do primeiro grau. Se havia alguém com quem queria ficar o maior tempo possível, uma das formas mais rápidas de fazer amizade com ele era tirando o couro do sujeito numa briga. Não sei como isso funciona, mas o fenômeno é interessante.

Homem: Você não encontrou algum contexto em que tal comportamento não foi apropriado?

Não, realmente não ainda. Todo o meu relacionamento profissional está fundamentado nisto. Ando pelo país todo insultando as pessoas e elas me pagam por isso. É muito estranho!

Harvey: Quero apresentar para você mais um pouco de minha lista de funções para ver se entendi direito. Impedir-me de cair é uma. Dar-me tempo para lazer é outra. Estas são funções, certo?

Claro.

Harvey: Receber amor dos outros.

Eliciar uma resposta particular, sim. Esperemos que essa parte saiba o que quer dizer com a nominalização "amor". Talvez fosse bom torná-la um pouquinho mais específica. Isto é importante.

Harvey: Certo. Tenho mais uma: ser uma pessoa carinhosa.

Isto é um comportamento, não uma função. Ainda irei ensinar a todos vocês esta informação. Pode ser que vocês não aprendam a construir partes, mas irão aprender do que se trata quando se fala função, até saírem daqui! "Ser" ou "estar" é uma descrição. Ouçam a frase: "Ser ou não ser." Quando vocês fazem uma colocação do tipo "... ser uma coisa ou outra", estão descrevendo um comportamento. "... ficar com raiva. Quero uma parte que me faça sentir raiva." Isto não é uma função; é só uma descrição de um comportamento. A parte quer que você carinhosamente se encarregue de quem, ou do que, onde, por que, com que propósito? O que é que ela irá conseguir tornando-o carinhoso? O que aconteceria se você não fosse?

Harvey: A idéia por trás disso é que eu não quero tornar-me semelhante a uma máquina.

Isto é o aspecto fundamental da psicologia humanista. "Não quero ser um andróide; portanto, vou agir assim *o tempo todo*. Vou abraçar *todo mundo*; desse jeito, não vou ser um robô." A questão é que esta parte quer que você faça alguma coisa que se constitua em "carinho". Não tenho idéia do que isto significa. Isto quer dizer que você diz às pessoas honestamente o que elas devem ouvir? Ou quer dizer que você deve tocar todo mundo? O que quer dizer? Não responda, porque não me importa qual é o conteúdo. Quero que *você* o saiba e que saiba qual é a função daquele comportamento específico. Pode ser que aquela parte quer que você não seja um andróide, em cujo caso tudo isto não tem nada a ver com ser carinhoso ou não. Você pode voltar-se para dentro e dizer: "Você já pensou no tanto que ser 'carinhoso' pode ser andróide? Façamos carinhoso/não-carinhoso, em dias alternados. Pelo menos este será um andróide *diferente*."

A questão é: "Qual é a função desta parte?" Se a função desta parte é mantê-lo livre de tornar-se um andróide, então a pergunta é: "O que isto significa?" Significa não apresentar repetição em seu comportamento? Significa *não* fazer todas as coisas que Maslow disse que eram feias? É essencial descobrir qual é a função da parte.

Ray: Desta vez, fiz a pergunta a respeito da função e a resposta foi: "Estou aqui para tomar conta de você de modo que você não venha a ser como seu pai."

Só um psicólogo diria isso.

Ray: Meu pai improvisa no piano.

Certo. Mas isso ainda não é uma função. Você precisa ir um pouco mais fundo do que isso. Se você fosse ser como seu pai foi, improvisar no piano, então o que você seria? Havia algo na maneira de seu pai improvisar que alguma parte dentro de você considera como negativo, em determinado sentido. Ou ele era um bobo, ou fazia alguma coisa que uma certa parte sua não gosta, certo? Agora, o que era?

Ray: Ele evitava interagir com as pessoas.

Certo, então existe uma parte que quer que você tenha interações pessoais com outros. Bom. Então, você só precisa construir uma maneira de ter relacionamentos pessoais com as pessoas, dentro da parte que se encarrega de fazer você improvisar no piano. Você tem que definir o que quer dizer "pessoal", porque evidentemente não quer dizer cantar músicas. Talvez queira dizer que você deve ser capaz de tocar música de fundo e ter conversas psicológicas significativas.

Mulher: "Ser cuidado" é uma função ou um comportamento?

Nem uma coisa nem outra. É algo inespecífico a ponto de não ser nada. "Ser cuidado" — como, especificamente... de que maneira?... por quem?...

Mulher: Estou atrás de um tempo no passado, quando eu ainda estava com minha família original.

Você irá construir uma parte que irá fazer alguma coisa, certo? O que ela irá fazer?

Mulher: Irá permitir-me sentir conforto ao dançar na frente de grupos de pessoas.

Deixar você dançar? Você irá usar o modelo errado de resignificação, porque existe, evidentemente, uma parte que a impede de fazer isso.

Mulher: Sim, eu sei. Sabia disso desde o começo e...

Mas achou que tinha escapado disso de alguma maneira. A questão é que evidentemente irá existir uma parte que não irá gostar disso, porque a tarefa dela é impedi-la de dançar na frente dos outros. Esta parte irá levantar objeções muito fortes. Portanto, existe uma parte de você que objeta e a função desta é fazer com que você "seja cuidada". Volte-se para seu interior e diga-lhe: "Não tenho a menor idéia do que quer dizer 'ser cuidada'. O que isto significa especificamente, na experiência?"

Mulher: Em minha família original, eu tinha que fazer X, Y e Z para ser cuidada.

Certo. Você tinha que levar o lixo para fora para ganhar uma boneca, mas estou perguntando: "O que isto significa em sua experiência *agora?*". O que você tem agora é tão inespecífico que não posso ajudá-la. É como olhar para alguém e dizer: "Substantivo, verbo, adjetivo, substantivo." Não existe conteúdo em sua sentença, portanto, não posso responder a ela. É só formal *demais*. O que você quer saber desta parte é: "O que você está proporcionando a mim como pessoa, *agora?*" Portanto, você tem que voltar atrás e dizer: "Olha, preciso saber em *termos experienciais* o que é que você faz por mim, enquanto pessoa. Evidentemente você é uma parte de mim. Não moro mais com meus pais. Quero saber o que é que você faz por mim e como você está preocupada com o fato de eu dançar. Se eu sair por aí dançando, o que é que irá acontecer assim de tão errado?"

Você quer que estas duas perguntas sejam respondidas. Você quer saber qual é a tarefa dessa parte. "O que você faz por mim?"

"Faço você ser cuidada." "Como você o faz? De que jeito você faz isso?" Veja, "ser cuidada" poderá significar que as pessoas a abracem. Ou que os outros a alimentem. Ou que as pessoas sejam agradáveis com você. Você tem que descobrir o que isso significa no campo da experiência. É isso que conta, no final.

Dan: Quero uma parte que capte completamente as informações visuais e auditivas que eu incorporo. Uma parte objeta contra o recaptar totalmente as informações visuais e auditivas.

E eu concordo com ela. Qual é a função dela, a propósito? O que é que ela faz por você? O que é que aconteceria se Dan pudesse realmente ter uma parte que conseguisse recordar *todas* as informações visuais e auditivas? Pessoas assim são denominadas *idiot savants* e são levadas para hospitais psiquiátricos. Os *idiot savants* são completamente disfuncionais. Não conseguem funcionar de jeito nenhum como seres humanos. Estão constantemente sintonizados com tudo o que lhes acontece. Conseguem multiplicar espantosamente. São gênios na matemática mas não conseguem funcionar no mundo da experiência porque gastam muito tempo em *downtime*, isto é, alheios ao que se passa.

Quando uma parte tem uma preocupação, levem-na em conta e depois redefinam o que a parte irá fazer. Dan pode redefini-la como: "Quero construir uma parte que irá tornar disponível certas informações a respeito de todas as âncoras que estão ocorrendo num determinado meio ambiente", ou "Quero ser capaz de visualizar páginas específicas de um livro que já li." Seja lá o que você estiver a fim de ser capaz de fazer, especifique-o *em termos experienciais* de modo a saber exatamente o que irá acontecer, e para que suas outras partes saibam se vão ou não levantar objeções. Assim, se você deparar-se com objeções, elas serão boas objeções.

Bill: Tenho uma função para a qual estou tendo muita dificuldade de encontrar uma frase. A coisa que estou percebendo diz: "Olha, quero que você minimize a probabilidade de ser objeto de riso e de ser tratado com desdém. E quero maximizar a probabilidade de que você seja tratado, pelo menos, com respeito e, quem sabe, até elogiado."

Certo. Bom, não há dúvida de que esta é uma função bastante extensa. Não quer que você se faça de bobo.

Bill: Certo. É uma função?

Sim, é uma função. Contudo, a questão é: e daí se você fizesse um bobo de si mesmo?

Bill: Esta não é a minha pergunta. Minha pergunta: "Estas são palavras que transmitem uma função e não comportamento?"

109

Bem, essas palavras transmitem principalmente comportamento, mas as implicações funcionais estão muito bem vinculadas ao comportamento.

Bill: Quais são algumas palavras que transmitem funções?

Certo. Por exemplo: "*Se* eu me tornar um bobo, *então* vou perder dinheiro porque meus clientes irão embora." O comportamento dessa parte está protegendo você de tornar-se um bobo *porque* tem medo que você perca seus amigos, seus sócios profissionais e seus clientes. A função é manter seus amigos.

Bill: Portanto, é a parte do "então", numa sentença tipo "se... então"?

Esta é uma forma de pensar a respeito da coisa. Existem muitas maneiras de sintonizar uma função. Não é uma coisa assim tão simples quanto você gostaria. A função é *o que* você consegue; comportamento é *como* você o consegue.

Lucy: Estou de novo com a minha lista. Uma parte que racionaliza objetou e então eu disse: "Não faz mal."

Pergunte-lhe se sua objeção é realmente importante...

Lucy: Não. Tenho aqui uma outra parte que não quer me dar o que desejo porque já tenho tanto que não é mais justo. Isto é sua argumentação.

Não lhe pedi que encontrasse motivos. Qual é a *função* em você ter uma parte assim? Esta é a pergunta importante. Não queremos conhecer os motivos da parte.

Lucy: Certo. Vou ter que ver, de novo.

Que espécie de parte é?

Lucy: Uma parte ruim; não a quero.

Não, não, NÃO! Não existem partes ruins. Todos nós temos *boas* partes. A única pergunta é: "*Que espécie de bem* ela está fazendo?"

Lucy: Está assegurando que eu mereça as coisas que consigo.

E com todo o direito. Certo. Portanto, isto é uma função e sua preocupação é que, se você conseguir fácil demais, não vai valorizar. Então você constrói a parte para ter que fazer certas coisas que a tornem merecedora do resultado que quer alcançar.

Nancy: Posso dar conta de todas as objeções e preocupações, mas aí recebo uma mensagem de que preciso de uma nova parte — uma aliada — para ajudar-me a fazer isso.

Ótimo. Contudo, acho que seria provavelmente melhor se você encontrasse uma aliada que já estivesse aí. Você não precisa construir uma aliada inteiramente nova. Basta voltar-se para seu interior e encontrar alguma outra parte que já consiga fazer aquilo de que você precisa. É trabalho demais construir duas novas partes no mesmo dia.

Nancy: A preocupação de uma certa parte é ter certeza de que eu serei capaz de perceber a desaprovação das demais pessoas.

Qual é a função da parte que a quer fazendo isso?

Nancy: Bem, seria a parte que está preocupada com meu fracasso.

Não está preocupada com você fracassar ou não; está preocupada com se as pessoas desaprovam você ou não.

Nancy: Bem, sim. As duas estão ligadas.

Com certeza. Se você fracassar, as pessoas poderão desaprovar. Mas ela está preocupada é com a opinião que os outros fazem de você.

Nancy: Sim, e também isto está ligado à obtenção de algumas coisas que eu quero.

Certo. Essa parte preocupa-se com o fato de, se acontecer uma desaprovação, então as pessoas não lhe darão emprego, ou não lhe darão alguma outra coisa. Você estaria me dizendo que não acredita que tem a experiência sensorial necessária para distinguir o momento em que está se comportando de modo que os outros desaprovam? Quero uma resposta literal a esta pergunta. Você tem ou não essa experiência sensorial?

Nancy: Acho que sim.

Certo. Então dê uma procurada aí dentro de você e encontre a parte que faz isso e lhe diga: "Ei, parte, preciso de sua ajuda aqui. Estamos construindo George, uma parte que irá fazer X, mas George precisa ter experiência sensorial da coisa e você sabe como ter experiência sensorial. Quero que você entre em contato com essa parte nova, *se* decidirmos construí-la." A nova parte não precisa ter todas as qualidades. Se você já tem partes com determinadas qualidades, só precisa fazer com que elas a ajudem.

Quando vocês conseguirem a relação de todas as funções e preocupações de todas as partes que objetaram, então passem para a *redefinição* da fantasia, de modo que *todas* as preocupações sejam levadas em conta. *Verifiquem com cada parte em particular* para ter certeza de que cada uma fique satisfeita, por ser isto uma representação de um resultado que inclui todas as coisas com as quais se preocupam *e* com aquilo que vocês querem que a nova parte faça. Vocês farão uma nova fantasia, na qual todas as objeções não terão mais necessidade de existir.

Portanto, no caso de Teri, a nova fantasia deve incluir uma nova parte que tenha a responsabilidade de assegurar que ela distinga entre o modo como está e é agora e o modo como era e estava quando ficou "louca", de tal modo que ela consiga perceber a diferença. Enquanto ela conseguir enxergar a diferença, a parte que não quer que ela enlouqueça não fará objeções.

Se existe uma parte com medo de que você se faça de bobo, então você tem que incluir na criação a habilidade de ter experiência sensorial para reparar nisto quando acontecer. Sem essa experiência, você não saberá disso e as demais partes estarão sempre com medo de você fazer determinadas coisas e assim se fazer de bobo. Você precisa de laços de *feedback* para satisfazer tais partes. Se Bill escreve, então ele tem que ser capaz de ter meios de tornar-se uma outra pssoa que leia seu trabalho, a fim de descobrir se sua resposta é: "Mas que burrice!" ou então "Ei, isto aqui está bem interessante!"

Sejam quais forem as preocupações de suas partes, construam proteções em suas fantasias, de modo a terem uma representação do que seria o mundo da experiência se vocês tivessem uma nova parte que funcionasse para conseguir o resultado que inclui todas as preocupações que as demais partes têm. Não queremos apenas construir uma parte boa; queremos construir uma parte *elegante* também, que possa fazer o que faz sem se imiscuir no trabalho de nenhuma outra.

Então, caso tenham todas as objeções e resultados, vão em frente e construam a nova fantasia. Primeiro, façam-no dissociado e depois façam tudo de novo, estando dentro. Revisem aquela fantasia até que nenhuma parte mais objete...

Se for posível para vocês inventarem uma fantasia de si mesmos fazendo alguma coisa e depois entrarem nessa fantasia e terem a experiência de fazê-la, já fizeram então todos os ajustamentos necessários a nível inconsciente — em termos de estratégias, em termos de sistemas representacionais, em termos de tudo que for relevante — para que aquela parte saiba como gerar o comportamento e como comportar-se de acordo com o que vocês querem alcançar.

Um professor de música disse-me certa vez: "Se você conseguir escutar alguma coisa dentro de você, então poderá tocá-la para fora. O problema é aprender como isto é verdade." Uma outra pessoa com quem tomei umas aulas de música disse: "Quando você conseguir ouvi-lo de dentro, então faça-o com a boca. E se puder fazê-lo com a boca, então poderá fazê-lo com suas mãos." Por trás disso, estava a compreensão de que, a fim de criar uma fantasia, vocês têm que fazer tudo que for necessário mentalmente a fim de, realmente, concretizá-la na experiência. Por exemplo, numa fantasia detalhada vocês vêem alguém e lhe contam uma piada; a pessoa ri. Ao fazer isso, vocês tiveram que passar por todas as estratégias necessárias para desenvolver a piada; a criatividade, os gestos, falar — todos esses comportamentos estão funcionando numa fantasia detalhada.

O passo número seis é muito mais metafórico do que em geral exige uma certa congruência de sua parte. Peçam a seus recursos inconscientes que analisem a fantasia, a fim de extraírem dela os elementos essenciais. O que estão pedindo a seu inconsciente que faça é algo que ele já faz, de qualquer jeito. Vocês querem que ele sintonize as primeiras recordações com as quais vocês começaram, as vezes de seu passado em que vocês realmente praticaram aquele comportamento ou outro parecido, e em que elas funcionaram; sintonizem também as estruturas subjacentes e dêem-lhes *entidade*. A propósito, é assim mesmo que vocês aleatoriamente conseguem todas as suas partes. Seu inconsciente pode fazer isso por vocês; ele o faz o tempo todo. Aqueles aqui que são terapeutas de AT e têm partes AT, quem vocês acham que as criou? Vocês as criaram.

Portanto, voltem-se para seu interior e digam: "Olha, é uma das duas: ou minha mente inconsciente está encarregada de criar partes, ou eu tenho alguma parte em mim que cria as outras. Seja qual for o caso, quero que alguém construa esta e lhe confira *entidade*." Não façam este passo antes de terem uma fantasia bem formada, à qual não existem mais objeções. Quando tiverem modificado sua fantasia de modo que *todas* as partes se sintam satisfeitas, então passem para este passo. Façam com que seu inconsciente ou alguma outra parte em vocês confira entidade à fantasia, para que possa funcionar independentemente.

Homem: Seria possível você repetir isso?

Você quer que alguma parte em você, ou seu inconsciente, seja qual for o modo como você pensa nisso, analise sua fantasia. O que estou dizendo é o seguinte: "Olhe, na fantasia você usou uma estratégia que deu certo. Você quer que a parte que está construindo use a experiência daquela fantasia como base e quer que ela funcione a partir dessa estratégia." A propósito, isto não se diz a clientes. Com estes, usamos quaisquer metáforas que forem necessárias. Seja qual for o modo como vocês pensem a respeito, chamem-no estratégia ou parte, digam: "Olha, volte-se para dentro e consiga aquilo que precisa saber." Isto é o que eu diria a um cliente. "Pegue o que precisa saber daquela fantasia, a fim de conseguir construir uma parte que possa fazer isto singular e facilmente e a qualquer momento que precise ser feito."

113

Quero que prossigam agora e passem pelos passos restantes. Se ficarem empacados, avisem-me. Depois, quero demonstrar-lhes algumas maneiras de testar...

Já acabaram esse passo? Certo. Então chegamos agora ao passo mais importante de todos: o sete. Temos que *testar* a parte para ter certeza de que está ali. Existem várias coisas que vocês podem fazer. Podem voltar-se para seu interior e perguntar: "Você está aí?". Este sempre é um bom começo. Vocês podem também fazer comportamentalmente coisas que envolvem a parte, descobrindo então o que sucede. Vocês devem ainda adicionar muitas e muitas atividades de espelhamento de futuro a esta fase de testagem, especialmente quando o fizerem com outras pessoas.

Então, como é que sua parte irá funcionar? Digam-me algo a respeito de como ela faria sua atividade. Quando é que ela estaria apta a fazer alguma coisa?

Teri: Bem, se eu for para a balança e estiver pesando um quilo a mais do que quero pesar, essa parte me faria saber que preciso parar de comer de modo que possa voltar.

Então ela a faria entrar num regime. Ela esboçaria a dieta para você, ou existe alguma outra parte que faria essa atividade?

Teri: Já tenho uma parte para isso.

Certo. Você tem uma outra parte para isso. Esta tem a tarefa de dizer: "Chegou o momento." O que mais ela faria?

Teri: Quando eu chegar no peso desejado, irá apresentar-me uma imagem diferente da que eu tinha quando fiquei louca.

O que é que ela estaria em condições de realizar aqui, agora?

Teri: Ah, ela me faria ir até o salão de refeições e ficar com as pessoas enquanto elas estão jantando e eu só comerei aquilo que quero realmente comer, e não tudo o que vier na frente.

Irá desarticular a seqüência mão-braço-boca automática? Certo. Como é que eu saberia que essa parte está em atividade, Teri? Se eu entrasse no salão de refeições, o que é que eu veria?

Teri: Provavelmente veria um resto de comida em meu prato, dependendo de ser uma coisa que eu gosto ou não. Visualmente, não estou muito segura de que iria aparecer logo de cara.

Esta parte está com pressa de perder peso ou o faz lentamente?

Teri: Lentamente. Eu só concordaria com isso se fosse devagar. Já elaborei o aspecto com meu marido. Se ele quer comer, eu não tenho que fazer a mesma coisa.

Certo. Quem mais acabou?

Bill: Minha parte irá esperar até que pelo menos...

Shhh! (com desdém) Não te chamei... Bem, o que aconteceu? Eu só estava testando a parte. Você criou uma parte para ajudá-lo a responder a críticas, certo?

Bill: Bem estou me lembrando o que... Figuei agradavelmente surpreso... e respondi de um modo que... me foi favorável.

Diferentemente de?

Bill: Sentir-me tendo feito só uma coisa horrorosa, pela qual deveria sentir-me embaraçado, envergonhado de mim mesmo, ou ter respondido de maneira irritada.

Certo. Mais alguém?

Pat: Tenho uma parte nova e até fiz com que ela crescesse, de modo que agora ela já está com mais ou menos vinte e cinco anos.

Ah, gosto disso. Certo, você construiu uma parte. O que é que ela vai fazer?

Pat: Ela me faz saber o que eu sei e agir a partir disso, quando eu o souber. E meu teste é agora dizer-lhe que tenho essa parte e saber também que eu sei disso...

Dê-me um exemplo de um resultado. Se você fosse construir uma outra parte, qual seria um exemplo de uma função que...

Pat: Estou voltando para casa e irei usá-la em toda parte. Irei ensiná-la; irei...

Isto é o que *esta* faz. Agora, dê-me um outro exemplo. Se fosse o caso de você construir *uma outra* parte, qual a função que ela teria? Se eu fosse trazer você aqui para demonstrar como é construir uma parte inteiramente nova, numa outra área de sua vida, o que é que você construiria? Qual seria sua função?

Pat: Sua função seria utilizar minha mente inconsciente tanto quanto fosse possível, tal como o fez neste exato momento.

Certo. Então, isto é uma função ou um comportamento?

Pat: Sua função é extrair tudo o que tiver de valor em meu inconsciente.

Certo. Isto é uma função ou um comportamento

Pat: Acho que é uma função.

Cetro, você tem toda a certeza?

Pat: Tem de fazê-lo na prática.

Sim. Estou só perguntando se você tem *certeza*, se você quer comprometer-se com isso.

Pat: Tenho certeza, é uma função.

OK. Estão aí todos vocês aprendendo como se testam estas coisas, a propósito?... Alguém mais?

Homem: Acho que consegui.

Qual foi a parte que você construiu? O que é que ela faz?

Homem: É uma parte que diz: "Vá em frente e experimente alguma coisa que você pensa que sabe. Tente fazê-lo e veja o que acontece."

Então essa parte leva você a fazer coisas para descobrir se você realmente sabe ou não. Isto parece uma boa idéia. É para isso que você construiu a parte e você acabou, certo? Ok, o que é que você acha que sabe mas não tem certeza se sabe?

Homem: Neste momento agora eu não estava certo de poder contar-lhe que achava ter conseguido construir uma parte sem encontrar problemas.

É mesmo?

Homem: Sim.

Certo. Bom, e o que mais você aprendeu a fazer que não tem muita certeza de poder fazer?

Homem: Aprendi a eliciar uma estratégia completa o suficiente de modo que eu sei que um passo da estratégia leva logicamente ao seguinte.

Bom. Gostaria que você ensinasse isso a um grupo de pessoas que não o compreendeu, aqui nesta sala, hoje às 7h30 da noite.

Homem: Certo.

Certo. Mais alguém?

Homem: Tenho uma parte que me permite falar numa situação de grupo.

Esta é a primeira vez que escuto *você* falar! Como você se sentiu falando?

Homem: Bem.

Recomendo que cada um de vocês experimente criar uma parte para uma *outra* pessoa pelo menos, antes de irem embora deste seminário, para descobrir o que acontece. Existem muitas pessoas neste seminário que não participaram desta sessão. Vão e testem este modelo em alguém, durante a hora do almoço, e descubram o que acontece.

Esboço para criar uma nova parte

1. Identifique o resultado desejado, a função da parte. "Quero uma parte que consiga X."
2. Capte todas as experiências passadas de você fazendo X, ou coisa parecida. Entre em todas elas e capte todos os aspectos da realização de X ou de partes disso. Passe todas as recordações pelos três sistemas representacionais.
3. Crie um conjunto detalhado de imagens de como você se comportaria se estivesse realmente demonstrando aquilo que esta sua parte irá conseguir que você faça para atingir o resultado X:
   a) Primeiro crie um filminho construído visual e auditivo, dissociado.
   b) Quando você vir uma seqüência toda com a qual se sentir satisfeito, entre na imagem e refaça toda a seqüência de dentro, sentindo como é fazer tais comportamentos.
   c) Se você não se sentir satisfeito, volte à 3.ª e modifique o filminho. Faça isto até que você se sinta satisfeito com a fantasia, vivida tanto de fora quanto de dentro.
4. Teste ecológico. "Alguma parte objeta a eu ter uma parte que se encarregará de tornar esta fantasia realidade?" Assegure-se de verificar em todos os sistemas representacionais para encontrar todas as partes que objetam. Para cada parte que objetar:
   a) Peça à parte para intensificar o sinal para "sim" e diminuí-lo para "não".
   b) Pergunte: "Qual é sua *função* para mim?" "O que você faz por mim?"
   c) Se a função não lhe disser qual é a objeção da parte, pergunte: "Qual é especificamente sua objeção ou preocupação?"
   d) Faça uma lista escrita completa de todas as partes que objetam e de suas funções respectivas.
5. Satisfaça a todas as partes que objetam:
   a) Redefina a parte que você está criando para levar em conta todas as funções e preocupações das partes objetantes.
   b) Volte ao passo 3 e faça uma nova fantasia ou modifique a antiga, a fim de satisfazer as preocupações de cada parte que levantou objeções.
   c) Verifique com todas as partes para ter certeza de que todas estão satisfeitas com o fato de esta nova representação de comportamento da parte nova não interferir com suas funções.

6. Peça a seus recursos inconscientes que analisem a fantasia, extraindo dela seus ingredientes essenciais. Seu inconsciente deve usar esta informação para construir uma parte e dotá-la de *entidade*.

"Pegue daquela fantasia o que for preciso para conseguir criar uma parte em você que possa fazer isto de modo singular e fácil, e em qualquer momento que seja necessário."

7. Teste a parte para ter certeza de que se encontra ali:

   a) Volte-se para seu interior e pergunte.

   b) Faça repetidos espelhamentos de futuro.

   c) Envolva comportamentalmente a parte, a fim de descobrir se ela reage de modo apropriado.

IV

Resignificação Avançada em Seis Passos

Agora que vocês todos já passaram pela prática de usar outros modelos de resignificação, iremos retomar o modelo básico de resignificação em seis passos para que aprendam a ter mais sofisticação com o mesmo. Acontecem muitas coisas quando vocês resignificam seus clientes e queremos que vocês tenham muitas escolhas comportamentais para lidar com uma ampla gama de respostas. Quero que vocês todos finjam que sou seu cliente e quero que me resignifiquem. Farei o papel de um motorista de caminhão chamado Ken.

Mulher: O que é que você quer?

Ken: Não tenho certeza do que quero, mas posso dizer-lhe que não quero Y. Vou lhe dizer uma coisa: é uma tremenda bagunça.

Homem: Do que é que você precisa para que não tenha Y?

Ken: Quisera saber!

Mulher: Quem o tem?

Ken: Y? Eu tenho. Eu não quero isso.

Mulher: Não. Quem tem o que você precisa?

Ken: Realmente não sei.

Homem: Alguma vez Y é útil a você? (Ken sacode a cabeça para dizer que "não".) Nunca mesmo?

Ken: Nunca. Ao certo, só me enfiou num monte de confusões.

Mulher: O que é que você preferiria fazer no lugar? O que é que você faria em vez disso?

Ken: Bem, já tentei fazer um monte de coisas, mas toda vez que tento fazer alguma coisa diferente, Y ainda acontece. É como se eu não tivesse nem controle sobre meu próprio comportamento.

Mulher: Se você tivesse escolha, o que preferiria fazer em lugar disso?

Ken: Bom, não estou com a sensação de ter-me explicado direito para você. Estou aqui por causa do que eu *não* quero fazer.

Mulher: Certo. Escolha, então, alguma coisa que você faria em vez disso. Invente.

Ken: Certo. Eu faria Z.

Mulher: Você acha que Z seria útil para você naquelas situações?

Ken: Sim. Sem dúvida seria muitíssimo melhor do que Y.

Homem: Alguma vez você já Zezou?

Ken: Não.

Homem: Conhece alguém que já tenha Zezado?

Ken: Don Juan, acho. Não sei mesmo se ele faz essas coisas, mas eu li alguns livros de Carlos Castañeda.

Homem: O que você vê Don Juan fazendo que o leva a pensar que ele é capaz de Z?

Ken: Nunca o vi. É isso que estou dizendo. Li a respeito dele num livro e, aparentemente, ele podia fazer qualquer coisa que escolhesse fazer. Estou certo que se tivesse esse tipo de poder — no livro, é chamado poder pessoal — seria capaz de fazer qualquer coisa. Não estou falando de minha vida inteira, entende. Me viro muito bem. Não me interprete mal. Estou falando apenas desta área em particular.

Dick: Então Don Juan o faz? E como é que você saberia se o estivesse fazendo? (Ken muda de postura, de respiração etc., enquanto ele capta o que aconteceria se ele tivesse "poder pessoal", de modo que possa responder à pergunta.)

Permitam-me sair um minuto do papel. Espero que apreciem o fato de Dick ter acabado de captar em mim o estado desejado. É nesse ponto que vocês irão ancorar minha resposta para que possam usá-la mais tarde. O que ele está fazendo agora — partindo para a captação de um estado desejado — é sem dúvida alguma uma coisa útil para ser feita. Vocês podem tentar ancoragem no estado que acabaram de eliciar ou então fazer com que eu use Don Juan como modelo e me levarem pelas etapas do procedimento para a construção de uma nova parte. Contudo, vocês ainda não acumularam informações suficientes para saber se isto seria apropriado.

Em vez de ir numa dessas direções, quero que assumam um formato de resignificação em seis passos. Isto significa que vocês não precisam sequer saber qual é o estado desejado. Vocês sabem que quero Y e é o máximo que precisam saber para começar. Este é o primeiro passo da resignificação em seis passos. Vocês identificaram o comportamento a ser modificado. Irei proporcionar-lhes a prática no manejo de algumas das dificuldades que poderão surgir quando estiverem fazendo a resignificação em seis passos. Farei isto como se fosse um cliente, para que vocês possam experimentar maneiras diferentes de lidar com tais dificuldades. Agora voltarei a assumir o papel.

Mulher: Você poderia perguntar a si mesmo se Y estaria disposto a se comunicar com você, a parte responsável por Y?

Ken: "A parte que é responsável por Y?" Olhe, sou só um motorista de caminhão. Eu... entende...

George: Como é que são as coisas quando você está fazendo Y?

Ken: (Capta Y comportamentalmente, a fim de responder à pergunta.) Bom, eu não... entende, me sinto assim meio fora de controle.

George: Onde em seu corpo você sente isso?

Ken: Ahn,... aqui. (Toca a barriga.)

George: Você sente alguma coisa em seu estômago? (Ken: Sim.) Agora eu poderia ancorar isso e usá-lo como captador específico para a parte responsável por Y.

Certo. George acabou de realizar uma das manobras que se pode usar para conseguir captar. Este é o passo dois do modelo de resignificação em seis passos: estabelecer comunicação com a parte responsável por Y. Assim que ele conseguir captar, irá ancorá-la. Enquanto terapeuta, eu a ancoraria simultaneamente cinestésica, visual e auditivamente, para que pudesse recaptar a parte à distância. Isto me permitira recaptar a parte, independente de o cliente conseguir ou não recaptar intencionalmente o estado desejado.

Vocês poderiam me fazer também auto-ancorar, dizendo: "E enquanto você sente isso, toque a parte de seu corpo em que o sente." Eu espontaneamente toquei meu estômago há um minuto atrás. Sem explicar-me coisa alguma, vocês podem reparar em como eu me toquei e então me levarem a repetir o movimento posteriormente, como captador. Além disso, minha postura corporal, meu padrão respiratório e a expressão facial, são todos auto-âncoras.

Todos esses análogos não-verbais que vocês acabaram de ver são sinais visuais que os farão saber exatamente quando eu estou captando a parte responsável por Y. George perguntou-me como eram as coisas quando eu fazia Y. A partir deste ponto, vocês devem saber se estou ou não realmente conseguindo captar aquela parte em mim.

Essa foi uma boa manobra. Agora vamos voltar e refazê-la. Vamos voltar para o ponto onde eu disse: "Bem, sou só um motorista de caminhão. O que você quer dizer com: 'Volte-se para dentro e pergunte a alguma parte de mim?'" De que outra maneira vocês poderiam conseguir a captação? Queremos que, em cada passo, vocês tenham muitas alternativas.

Joe: Você assistiu à partida de futebol americano no último domingo?

Ken: Sim, aquela partida foi realmente emocionante!

Joe: Eu também estava assistindo e não havia dúvidas de que o time perdedor queria ganhar o jogo. Estavam com toda a determinação do mundo, mas simplesmente não tinham as jogadas.

Ken: Sim. Parecia que o time vencedor tinha muito mais coisas que conseguia fazer.

Joe: Exatamente.

Ken: Sim. Foi um bom jogo. Você assiste bastante futebol? Eu costumava jogar na escola...

Certo. Essa manobra não me fez captar a parte desejada. Tentem alguma outra coisa.

Bill: Sabe, tenho me interessado em dirigir caminhões há bastante tempo já e uma coisa que não sei muito bem como fazer é como mudar as marchas.

Ken: Ah, sim! É isso que distingue um profissional de um amador.

Bill: Você me diria como se faz? Tem que "mudar em duplo" ou coisa parecida, não é?

Ken: Sim. Bom, temos algumas palavras especiais para falar a respeito. Acho que você não entenderia, sabe, "dupla-embreagem" e esse tipo de...

Bill: Bem, você poderia tentar me explicar isso?

Ken: Bom, não. Mas poderia te mostrar.

Bill: Bom, bom. Vá em frente.

Certo, agora eu mostro e ao final de minha demonstração, Bill, o que é que você faz a seguir?... Acho que Bill está na trilha da mesma forma de captação que Joe estava tentando, mas não usou o que conseguiu. A metáfora que ele usou captou experiências que, eu sei, podem ser usadas para responder à pergunta do motorista do caminhão: "O que vocês querem dizer com parte de mim?". Bill, como é que você poderia prosseguir para usar o que até agora você já obteve?

Bill: Bom, a razão pela qual estou perguntando isso é que às vezes eu troco as marchas do carro roncando e preciso saber...

Ken: Bom, você só tem quatro ou cinco marchas no máximo com as quais lidar. Se você fosse um motorista de caminhão saberia como trocar marchas com caixas de dezesseis marchas e coisa assim. Você não precisa saber isso tudo. O que eu sugiro para quando você trocar as marchas é que se lembre de sentir o tempo. O tempo tem que estar certo. E, na realidade, estará economizando gasolina. Quando estiver pronto para mudar as marchas, você tem que ter certeza de coordenar a ação, de modo que você aperta o pedal da embreagem, depois a gasolina, solta o pedal, faz dupla-embreagem e depois está pronto para continuar.

Rose: Certa vez viajei pelo interior com um motorista de caminhão e, enquanto andávamos, percebi que ele estava ouvindo os pneus, o som de sua carga se deslocando, o som de uma música na fita, e falando comigo, tudo junto.

Ken: Sim, você faz tudo automaticamente depois de ter dirigido um caminhão por certo tempo. Depois de algum tempo não se precisa nem pensar a respeito.

Agora vou mais uma vez sair do papel. Rose está entrando exatamente na fatia da metáfora que eu, na sua posição, iria pesquisar. Não deixe a oportunidade escapar. Agora Rose pode me dizer: "Quero que você perceba que existem em você partes que podem fazer as coisas automaticamente. Quando digo 'partes', é só uma maneira de falar. Claro que não significa coisa alguma. Existem partes de você que sabem como mudar marchas, ouvir deslocamentos na carga, escutar o ronco do motor, para que *você* não tenha conscientemente de pensar nessas coisas. É *como se* uma parte de você dirigisse automaticamente o caminhão, deixando livre o restante de você para fazer coisas como distrair-se conversando com o passageiro ou companheiro. É *como se* houvesse partes em você que podem ser incumbidas de certas responsabilidades, mas agora a parte em você que o faz realizar Y está fora de controle. Temos que restabelecer alguma espécie de contato, porque está fazendo coisas que você não gosta."

Se fizerem isso, terão relativizado seu modelo para o mundo de um motorista de caminhão sem gastar vinte e quatro horas ensinando-o a tornar-se um praticante de PNL. Simplesmente captaram uma experiência dele que é uma contrapartida da noção de "partes". Não estou dizendo que esta manobra é aquela que vocês "deverão" fazer a seguir. É *uma* maneira que têm de usar aquilo que Rose fez para superar a dificuldade que eu apresentei.

Captar a experiência de fazer bem e automaticamente alguma coisa é também uma manobra útil num outro sentido. Vocês captaram um estado no qual tenho bastante recurso e podem usá-lo mais tarde. Além do mais, este recurso auditivo em particular envolve uma mudança de sistema representacional, do cinestésico que foi o modo como descrevi o estado Y problemático.

Mulher: Então como é que o ancoramos?

Nesse ponto eu diria: "Sim, torna-se automático depois de algum tempo" e você diz: "Bom" e bate palmas de leve, ou ancora de alguma outra maneira.

Mulher: O que você está ancorando aí?

Você está ancorando meu entendimento de que existem partes em mim que são inconscientes e úteis e sobre as quais não sei muita coisa.

Homem: Neste caso, não seria mais elegante ancorar auditivamente, uma vez que você está falando sobre recursos auditivos?

Eu ancoro em todos os sistemas. Quando ensinamos ancoragem tátil alegamos que o fazemos porque âncoras táteis são muito óbvias. Na realidade, só o ensinamos porque, se a ancoragem for feita com um toque, a probabilidade é que você ancore em todos os outros sistemas simultaneamente. Quando estou ancorando, mudo a postura de meu corpo para que possa tocar no cliente. Essa é uma âncora visual se seus olhos estiverem abertos. Ao mesmo tempo, estarei falando num certo tom de voz; cria-se aí uma âncora auditiva. Recomendo que se ancore em todos os sistemas simultaneamente, a menos que vocês queiram que sua ancoragem permaneça sem dúvida fora da consciência da pessoa.

Uma outra vantagem da ancoragem tátil é que é irresistível. Existem programas de sobrevivência que irão interromper qualquer outro *input* sensorial em favor de um *input* tátil. Se vocês estiverem voltados para dentro e eu usar uma mudança de tonalidade vocal, pode ser que vocês nem mesmo a registrem, e talvez nem respondam a ela. Se suas pupilas estiverem dilatadas e eu usar uma âncora visual, pode ser que não haja em vocês responsividade para isso. Mas se vocês forem tocados, responderão.

Falando estritamente, vocês só precisam de uma âncora num dado sistema. Em geral, a ancoragem no sistema que está captado será mais precisa. Neste caso, é o sistema auditivo. No entanto, a menos que tenham alguma consideração em especial a ser feita, por que não usar todos os sistemas?

Voltemos agora ao que acabamos de fazer com a resignificação: captamos um entendimento da noção de partes inconscientes. Se a pessoa não acha que tem "partes", existem muitas abordagens que podem ser utilizadas. Certa feita, trabalhei com uma mulher que acreditava não ter uma mente inconsciente. Chegou com todos os cabelos meticulosamente penteados e achava que tudo o que fazia estava sob controle consciente. A idéia de "partes" não fazia sequer sentido para ela. Consegui o primeiro contato com o inconsciente usando espelhamento, espelhamento cruzado, comandos embutidos, metáforas e outras manobras. Ela estava desconcertada com o que eu fazia, mas continuei até que consegui algumas boas respostas inconscientes por parte dela.

Depois eu disse: "Agora vou lhe demonstrar que você é uma boba." Isso prendeu sua atenção. "Existem partes em você que são muito poderosas como aliadas e enquanto você não lhes der a devida consideração irá ter muitas e muitas dificuldades. Quero demonstrar a presença das mesmas para você. Você afirmou-me congruentemente que não acredita ter uma mente inconsciente. Você acredita que está no controle de seu comportamento. Para mim é óbvio que você não está no controle de seu comportamento problema, mas assumo que você dirige seu próprio corpo. Ou seja, eu assumo que você sabe qual é a temperatura de seu corpo, e que pode controlá-la até certo ponto." Ela disse: "Evidente." Ela não podia dar nenhuma outra resposta, porque achava que não tinha mente inconsciente.

Então eu disse: "Dentro de um minuto, irei esticar minha mão e tocar em seu braço esquerdo, deslizando do ombro até o cotovelo, e quando eu o fizer, esse braço irá ficar frio como gelo. E solicito que você resista a isso com toda a força consciente que você tiver." Esperei até receber algum sinal inconsciente do tipo: "Estou pronta." Aí estiquei minha mão e ela ficou com calafrios. Depois eu disse: "Mas observe como está quente o outro braço." O outro braço ficou instantaneamente mais quente.

Demonstrei-lhe que eu podia realmente alterar a temperatura de seu corpo e que ela não podia resistir a isso. Na realidade, quanto mais ela tentava resistir, mais dramáticas as mudanças que ocorriam. Naquela altura, eu já a convencera da realidade de pelo menos uma outra parte em si mesma.

Homem: Por que foi necessário fazer alguma coisa com algo que ela conscientemente considerava verdadeiro?

Não foi. O único valor de se dar vivas à mente consciente de vez em quando é impedir a pessoa de levantar um número excessivo de objeções. Impede-a de dizer: "Isto não está funcionando. Você não entende o que está fazendo."

Retomemos agora a resignificação. Assumam que conseguiram captar a parte em mim que me leva a fazer Y. Agora prossigam.

Bill: Sabe, quando você está dirigindo pela estrada, existe um montão de mostradores à sua frente, no painel, indicando muitas coisas. O mostrador da água é uma forma de sinalizador para o motor que diz: "Ei, preciso de água" quando o nível ficar muito baixo e a temperatura estiver subindo demais.

Ken: É uma maneira engraçada de falar a respeito

Bill: É, sim, eu sei; mas imagine, apenas. Você tem um medidor da pressão do óleo que o informa se o motor precisa ou não de óleo. (Ken: Sim). E eu sei que é meio bobagem pensar nisso, mas estou me perguntando se a parte em você que dirige Y fosse parte de um motor, que tipo de medidor você iria precisar para que essa parte lhe informasse aquilo de que ela precisa? Seria um medidor visual? Seria um som? Seria alguma sensação?

Ken: Bom, não consigo ver coisa alguma. Suponho que teria de ser uma sensação.

Bill: Tenho certeza de que você pode dizer quando seus pneus precisam de ar, sentindo o modo como o caminhão anda. Você pode saber se os pneus estão ou não calibrados só de sentir a lentidão do caminhão, certo?

Ken: Sim, você tem que ser capaz disso! Sim, estou entendendo o que você está falando.

Espero que estejam todos entendendo o que Bill está fazendo. Ele está usando a *minha* realidade perceptiva para conseguir todos os detalhes que deseja. Se vocês tiverem esse tipo de flexibilidade para trocar suas palavras e exemplos, a fim de que elas façam sentido em minha realidade, então poderão se comunicar artisticamente.

Bill: Você acha que, após todos esses anos dirigindo um caminhão, você poderia indicar a menor diferença de ar na calibragem dos pneus?

Ken: Sim, sou bom nisso.

Bill: Você é bom o suficiente para notar a menor diferença nesta sensação (Bill faz um gesto na direção do estômago de Ken) que recebe da parte que coordena Y?

Ken: Ah sim! Eu sei quando ela está acontecendo. Não há dúvidas a respeito.

Bill: Bom, gostaria que você me contasse qual tipo de diferença você sente quando ela muda?

Ken: Bom, quando estou fazendo Y... Vocês querem que simplesmente vá em frente e lhes informe do que se trata, ou querem que eu continue usando a rotina de Y e Z?

Bill: Você é quem manda. Você é um motorista de caminhão. Pode também dizer.

Ken: Sim. Certo. Quando volto de uma viagem, estou realmente cansado. (Seus ombros descaem.) Às vezes, vim de uma esticada na estrada de quatorze, dezesseis horas. A primeira coisa que acontece quando entro porta a dentro é minha esposa se aproximar e dizer: "Oi, benzinho, conte-me como foi sua viagem." (Ele fica tenso.) Mas a única coisa que eu quero fazer naquele preciso momento é cair na cama e relaxar. E quanto mais eu tento só fazer aquilo que preciso, que é cair na cama e relaxar, mais ela quer falar... sabe... porque ela está *interessada*, entendem o que quero dizer... Sabem o que aconteceu? Ela voltou para a escola. Quero dizer, educação é importante...

Bill: Vamos parar um minutinho. Gostaria realmente de ficar sabendo mais a respeito do que ela anda fazendo, mas...

Ken: Bom, vou lhe contar. Eu não...

Bill: Mas eu tenho uma pergunta antes disso.

Ken: É? E qual é?

Bill: Quando ela se aproxima e diz: "Oi, benzinho..." o que é que ela está tentando fazer? O que é que ela quer de você? Você acha que ela quer sua atenção, seu amor?

Ken: Sim, ela quer minha atenção, meu amor. Sim. Estive longe por dezesseis horas, sabe! (Volta a inclinar-se para trás em posição de orgulho e auto-satisfação.)

Bill: Você acha que tem a habilidade de mostrar a ela seu amor antes de ela sequer pedir-lhe isso? Será este um desafio para o qual você se mostra homem o suficiente?

Ken: Ora! Claro! (Ele se endireita erecto e seu corpo muda para uma postura mais "confiante".)

Bom. Aí está a resignificação de conteúdo. Bill não se importou em passar pelos seis passos oficiais do modelo de resignificação; ele simplesmente se valeu de minhas crenças a respeito de mim mesmo para ter o ponto de apoio necessário à indução de uma mudança. O que é muito elegante a respeito da seqüência que acabou de ocorrer é que Bill teve a flexibilidade de descobrir as coisas em minha realidade que ele poderia ter usado como ponto de apoio para fazer-me usar algum novo comportamento. Dei-lhe diversas indicações, tanto analógicas quanto verbais: "Bem, estive dezesseis horas afastado, sabe"; orgulho-me em ser um "homem" de verdade. Então ele diz: "Você é homem o suficiente para assumir o controle da situação?" E isso daria certo. Bill teve também a delicadeza de ser capaz de fazer-me parar de falar de minha esposa voltar à escola, que era algo irrelevante ao que ele pretendia atingir.

Homem: Não estaria este motorista hipotético de caminhão pedindo a você que modificasse o comportamento da esposa, não é mesmo?

Enquanto terapeuta, o enquadre perceptivo que você pode usar é: "Claro que você a deseja diferente, e o *modo* como isto irá acontecer é *você* ficando diferente: você ficando diferente a tornará diferente." Evidente que não se diz isso ao cliente. Vocês irão usar o ponto de apoio, do modo como Bill fez, a fim de forçar o motorista de caminhão a adotar um novo comportamento. Isto surtirá o efeito de modificar o comportamento *dela*.

Certo. Algum comentário a respeito da seqüência que acabamos de desempenhar em *role-playing* aqui? Observem que esta não foi uma resignificação-padrão em seis passos. No entanto, a maioria dos passos aconteceu; foram apenas externalizados. Após Bill ter feito a resignificação de conteúdo, eu *tornei-me* a parte que era o novo comportamento. Eu não me parecia com o modo como parecia quando falava a respeito de Y. Quando me *tornei* o novo comportamento, realmente captei a situação em todos os sistemas. Vi minha esposa, ouvi o som de sua voz e tive as sensações cinestésicas de estar em casa. Isto se incumbe do espelhamento de futuro, de modo que Bill não precisou dizer: "Esta parte irá responsabilizar-se pela ocorrência do novo comportamento nesse mesmo contexto?"

O teste ecológico ainda não veio à tona, mas presumo que iria surgir em seguida. Ou então, ele poderia usar uma segunda sessão comigo como teste ecológico. Não é preciso que vocês façam todos os passos numa mesma sessão, apesar de ser muito melhor se assim o fizerem.

Mulher: E quanto ao teste?

É uma boa pergunta. Como você iria testar?

Mulher: Você está indo para casa depois disso, ou para uma viagem para outro lugar?

Ken: Não, vou direto para casa depois disso. (Ken capta analogicamente o novo comportamento.)

Mulher: O que você fará quando chegar em casa?

Ken: Não é da sua conta! A propósito: acabou? Estou pronto para ir.
Fred: Só uma coisinha rápida antes de você ir.
Ken: O quê?
Fred: Sua esposa está em casa e vocês têm filhos, certo?
Ken: Sim, mas neste momento eles estão na escola.
Fred agora está testando considerações ecológicas.
Fred: Quando você entrar em sua casa e vir sua esposa, quero que "você baixe as armas e converse com ela".

Exercício

Agora eu quero que vocês escrevam três situações que freqüentemente acontecem em suas vidas, em termos de resignificação em seis passos, e sobre as quais querem mais escolhas com as quais enfrentá-las. Pode ser que vocês não consigam captar nenhum sistema de sinal. Pode ser que não saibam o que fazer quando o cliente fica confuso no meio do processo de resignificação e diz: "Não sei mais o que estou fazendo." Pode ser que a pessoa diga que não consegue captar sua parte criativa. Ou talvez que a parte diga que não irá assumir responsabilidade pela implementação das novas escolhas porque não tem certeza de que elas funcionem. Eis a seguir um esboço de uma resignificação em seis passos para ajudar vocês a identificar os pontos nos quais gostariam de ter mais escolhas.

Esboço de Resignificação em Seis Passos

1. Identifique o padrão (X) a ser modificado. "Quero parar de fazer X mas não consigo", ou "Quero Y, mas algo me impede de fazê-lo."

2. Estabeleça comunicação com a parte responsável pelo padrão.

    a) "Será que a minha parte X irá comunicar-se comigo conscientemente?" Preste atenção a sensações, sentimentos, imagens ou sons que ocorrerem espontaneamente em resposta à pergunta acima feita internamente.

    b) Estabeleça o significado "sim/não" para o sinal. Faça com que se intensifique em termos de luminosidade, volume ou qualquer aumento para "sim" e diminuição para "não".

3. Separe o *comportamento*, padrão X, da *intenção positiva* da parte que é responsável por X. O comportamento indesejado é só uma maneira de conseguir alguma função positiva.

   a) Peça à parte que organiza X: "Você estaria disposta a permitir-me conhecer conscientemente o que está tentando fazer por mim com o Padrão X?"

   b) Se obtiver uma resposta "sim", peça à parte que prossiga e comunique sua intenção. Se vier um "não", prossiga com a resignificação inconsciente, pressupondo uma intenção positiva.

   c) A intenção é aceitável à consciência? Você quer ter em seu interior uma parte que se encarregue daquela função?

   d) Pergunte à parte que se incumbiu de X: "Existem outras maneiras de realizar sua função positiva e que funcionariam tão bem quanto ou melhor do que X e as quais estaria você interessada em experimentar?"

4. Capte uma parte criativa e gere novos comportamentos para concretizar sua função criativa.

   a) Capte experiências de criatividade e ancore-as ou pergunte: "Você está ciente de uma parte criativa em si?"

   b) Faça a parte que organiza X comunicar sua função positiva à parte criativa; permita à parte criativa gerar mais escolhas para atingir a realização daquela função e faça aquela parte que costumava organizar X escolher três outras maneiras de fazê-lo que sejam pelo menos tão boas ou melhores do que X. Faça com que emita um sinal "sim" toda vez que escolher uma dessas alternativas.

5. Pergunte à parte: "Está disposta a assumir a responsabilidade pelo uso de três novas alternativas no contexto apropriado?" Isto fornece o espelhamento de futuro. Além disso, pode-se pedir à parte que, em nível inconsciente, identifique as pistas sensoriais que irão desencadear as novas escolhas e que experiencie ao máximo a sensação de ter estas pistas sensoriais acionando automaticamente e sem esforço uma das novas escolhas.

6. Teste ecológico. "Há em mim alguma parte que faça objeções a alguma das três novas alternativas?" Se houver um "sim" como resposta, retome o ciclo no passo 2, acima.

Sejam quais forem os "obstáculos" que vocês houverem encontrado na realização da resignificação, quero que selecionem três com que realmente vocês querem lidar com mais escolhas. Depois quero que façam um exercício em grupos de três. A pessoa A irá considerar de sua lista de "obstáculos" um para ser dramatizado num *role-playing*, fazendo-se de cliente. B, depois, fará o papel de um programador de PNL e experimentará algumas maneiras de enfrentar a situação. A pessoa C servirá de consultor, impedindo que B caia no nível do conteúdo e mantendo-o orientado.

Por exemplo, se você é A, dirá algo como: "Você fez contato comigo e determinou um sistema de sinal com a parte que organiza X. Você está no passo três: acabou de perguntar à parte se ela estava disposta a comunicar-me conscientemente sua intenção positiva. A resposta que obtive é que não experiencio mais o antigo sinal de jeito algum, mas que tenho dois sinais diferentes." Portanto, A determinará o cenário exatamente no ponto em que A deseja mais escolhas.

B irá então experimentar um método de responder à situação que possa direcionar A para o próximo passo da resignificação. C será um observador, ou meta-pessoa, e observará se a manobra de B é efetiva ou não. A seguir, quero que C peça a B que pense em *duas* outras respostas a serem apresentadas à mesma situação, e que depois experimente cada uma delas.

Vou dar-lhes um exemplo de como quero que vocês conduzam este exercício. Digamos que Beth irá fazer o papel de cliente, Scott será o programador e Irv será a meta-pessoa, o consultor. Parte de sua tarefa, Irv, será observar e ouvir a interação entre o comportamento de Scott e o de Beth. Em qualquer momento dado irei aproximar-me de você e dizer: "Diga-me a respeito do relacionamento entre a tonalidade do programador e a do cliente" ou então "Em que ponto do formato de resignificação eles estão?" Portanto, sua tarefa é saber tudo o que está se passando — o que, sendo impossível, significa que você irá fazer o melhor que puder.

A segunda coisa que Irv assume como sua responsabilidade enquanto meta-pessoa é mais específica. Em qualquer momento em que o programador hesitar ou se tornar confuso, você interrompe e diz: "Espera um pouco. Em qual passo da resignificação você está?" "Passo dois." "Qual é o resultado específico que você está tentando alcançar? Qual é o próximo pequeno pedaço de resultado que você está tentando atingir?"

Scott deverá ser capaz de responder especificamente, por exemplo: "Quero estabelecer um sistema de sinalização inconsciente, involuntário, robusto, com a parte responsável pelo comportamento." Então Irv dirá: "E como é que você irá fazê-lo, especificamente?" Scott dirá em resposta: "Vou captá-la comportamentalmente, fingindo que eu mesmo faço o comportamento X e assim induzo-o nela. Ou então posso pedir-lhe que faça o comportamento X. Ou posso pedir-lhe que se volte para seu interior e pergunte à parte se irá comunicar-se, certificando-se de que o sistema de sinal que retorna seja involuntário."

Toda vez que a meta-pessoa interrompe, quero que ela tenha não apenas uma escolha, mas *três* opções para prosseguir. Primeiro, você verificará qual é o resultado específico atrás do qual está o programador e, depois, organizará três formas de poder alcançá-lo. Estas formas não irão necessariamente todas dar certo, mas elaborar pelo menos três opções em todo ponto de escolha tornará seu trabalho muito mais eficiente. Se você tiver só uma escolha, você é um robô. Se você tiver só duas, encontra-se num dilema. Porém, se arrumar três, começa a ter flexibilidade comportamental.

Era isto que eu estava pedindo a vocês que fizessem, antes, quando estava fazendo o papel de cliente. Vocês conseguiram entrar em contato com a parte de uma certa forma, então eu disse: "Agora voltem atrás até o ponto de escolha e façam de algum outro jeito."

Meta-pessoa, a terceira coisa que quero que você faça é interromper, caso não entenda o que está acontecendo. Se Scott é o programador e, sob pressão, vale-se de algum programa antigo tipo "Como se sente a respeito?", então você pode interromper e perguntar as mesmas três coisas: 1) "Em qual passo você está?" 2) "Qual é o resultado específico atrás do qual caminha?" 3) "Como é que isso que você acabou de fazer irá atingir o resultado desejado?"

Se, na realidade, aquele comportamento não atingir o resultado, então, na qualidade de meta-pessoa, você pergunta: "Como é que você poderá atingir o resultado?" Quando ele lhe informar uma maneira, pergunte: "De que outra maneira você pode obtê-lo?" Quando o programador tiver três maneiras, faça com que prossiga e escolha uma delas para experimentar.

Se o programador se mostrar incongruente na apresentação do método, você novamente o interrompe. Desta feita, forneça-lhe um *feedback* mais específico a respeito do que o programador poderia fazer para ser mais congrente. "Mude o tom de sua voz e o andamento, desta maneira", ou "Mude sua postura corporal e seus gestos deste jeito". Todos vocês estão aqui com o fim de se tornarem comunicadores mais elegantes do que já são. Se houver alguma incongruência em seu comportamento, acredito que desejarão saber disso, porque ser incongruente significa autoderrotar-se. Quando vocês são os programadores, seus 7 ± 2 pedaços de atenção consciente estarão envolvidos na comunicação com o cliente e na obtenção de respostas. A meta-pessoa terá mais atenção livre para observar o que está acontecendo. Portanto, usem a informação que ela lhes comunicar.

Na qualidade de meta-pessoa, a coisa mais certa que podem fazer para auxiliar o programador é interromper toda vez que não entenderem o que está se passando, que o programador hesitar, ou que ele for incongruente em seu comportamento.

Rose: Portanto, quando a meta-pessoa interromper, ao invés de tratá-la como um mosquito e enxotá-la, irei tratá-la como uma meta-pessoa geradora de novos comportamentos especialmente elaborados para mim?

A meta-pessoa será geradora de novos comportamentos *apenas* no sentido de que irá desafiá-la fazendo-lhe perguntas. Você deverá elaborar suas próprias soluções. Ela não está aí para fornecer-lhe diretamente as soluções.

Mulher: Antes, quando estávamos fazendo um exercício, a meta-pessoa ficava o tempo todo se intrometendo e interrompendo o que o programador estava fazendo. Parecia que o programador estava pronto para partir para o próximo passo mas a meta-pessoa pulava dentro da situação no momento exato em que o programador poderia ter avançado. Eu poderia pedir à meta-pessoa que fosse mais devagar?

Negocie com sua meta-pessoa a respeito das intervenções que lhe são apropriadas. Tenha sempre em mente que é difícil interromper excessivamente numa situação artificial como esta, criada exclusivamente com o propósito de aprender a ter mais escolhas. Contudo, vocês são seres humanos com suas próprias necessidades. Se acontecer um número excessivo de interrupções, a ponto de você ficar desorientada, diga: "Ei! Eu preciso pelo menos de um minuto e meio por vez antes de você novamente se meter no meio, a menos que haja alguma coisa realmente importante." Portanto, negocie isso com sua meta-pessoa. E você pode também resignificar-se com o propósito de considerar cada interrupção em termos do que você poderá aprender com ela.

Quando vocês forem desempenhar papéis, quero que façam o papel de seus clientes mais difíceis. Não entrem nos seus objetivos pessoais de mudança. Vocês mudarão de um jeito ou de outro, pela metáfora. Não se preocupem com isso.

Farei o exercício mais uma vez, desempenhando um papel, para torná-lo realmente claro. Dóris, você será a programadora. Vou fazer o seguinte: vou pensar comigo "Ah, sim. Tenho um cliente que realmente é difícil para eu resignificar. Toda vez que faço a resignificação, a coisa começa realmente bem, mas lá pela altura do passo três ou quatro os sinais começam todos a trocar de lugar e não sei mais o que está acontecendo. Não sei o que fazer com isso." Portanto, vou dizer a Dóris: "Você está com um bom contato comigo. Ajudou-me a identificar um comportamento para resignificar e estabeleceu comunicação com a parte. O sinal que estou recebendo é um aumento de calor em minha mão para 'sim' e uma diminuição do mesmo para 'não'. Agora você está no passo três e está prestes a perguntar-me se a parte irá permitir-me, conscientemente, saber o que está fazendo por mim de positivo. É aí que as dificuldades surgem. Portanto, vamos começar daí."

Não quero que passem por todo o formato de resignificação e pratiquem aqueles trechos sobre os quais não precisam de prática alguma. Vocês não estão realizando trechos completos de terapia; estão só praticando pequenos pedaços, que são aqueles para os quais a pessoa no papel de cliente quer ter mais escolhas. Essa pessoa irá valer-se de vocês como recurso, fazendo com que respondam à dificuldade.

Certo. Dóris, você é a programadora. Você sabe em que ponto estamos?

Dóris: A temperatura de sua mão aumenta para "sim"?

Sim, senhora. Acabou de acontecer.

Dóris: Então vamos experimentar isto de novo e verificar se realmente é "sim". Verifique de novo e veja se aumenta.

Verificar de novo? Você quer que eu diga algo a mim mesmo, ou o quê?

Dóris: Sim. Volte-se para seu interior. Pergunte à parte se é "sim".

A parte que faz X acontecer?

Dóris: Sim.

Certo. Então o que é que eu tenho que perguntar agora?

Dóris: Diga-lhe que, se for "sim", diga "sim" de modo mais enfático, para fazer você realmente saber, com certeza.

Você quer dizer só voltar-me para dentro e dizer isso?...

Vejam, fingindo-me confuso, estou fazendo com que Dóris seja muito explícita em seu comportamento verbal. Usar verbalizações imprecisas é uma das melhores formas de confundir tudo da técnica de vocês e ficar entalado. Dóris disse: "Vamos tentar isso de novo", mas não me disse exatamente o que tentar. Ela me disse para "verificar e *ver* se aquilo aumenta" quando eu tenho que *sentir* o sinal do calor da mão. Ela disse: "Pergunte à parte se é 'sim' ", sem especificar o que é que é "sim". Se vocês usarem estas formas de verbalizações imprecisas com seus clientes, ou eles ficarão confusos, ou poderão voltar-se para dentro de si mesmos e fazer alguma coisa *muito* diferente daquilo que vocês pretendiam.

Minhas perguntas exigem que ela esclareça suas instruções: A melhor coisa que vocês podem fazer pelos colegas é exigir um desempenho de alto nível. Se o programador for impreciso em suas verbalizações, sejam confusos. Deixem que *eles* escolham melhor, com a ajuda do consultor. Se Dóris hesitar nesse ponto, então a meta-pessoa deverá perguntar: "Em qual passo você está e o que é que você está tentando especificamente atingir?" "Estou tentando validar a força e a ênfase do sistema involuntário de sinalização. Estou especificamente tentando validar um aumento de temperatura da mão direita que significa 'sim' ". Então a meta-pessoa diz: "E como é que você vai conseguir isso, Dóris?" Ela responde: "Certo. Volte-se para seu interior. Agradeça à parte pela resposta. Diga-lhe que aqueça de novo a mão, se de fato o aquecimento da mesma é uma resposta 'sim'." Portanto, eu fecho meus olhos e faço o que ela disse. Depois volto para fora e digo: "Sim! Aconteceu a mesma coisa de novo. É realmente estranho!"

Certo. Dóris, o que você faz em seguida?

Dóris: Agora você tem um "sim" bastante forte. Não é uma beleza você ter algo que lhe diga "sim"? Provavelmente quando você era um menininho...

É aí que a meta-pessoa se intromete de novo e diz: "Espera aí! A regressão etária hipnótica é um instrumento importante, mas agora é inapropriado".

Dóris: Acho que preciso verificar qual é o próximo passo.

Ótimo. Isto é um treinamento, de modo que vocês podem dizer: "Espera aí um minuto!" Ou podem se virar para a meta-pessoa e perguntar: "Qual é mesmo o próximo passo?" Então ela lhe dirá: "Fazer uma distinção entre o comportamento e a intenção".

Certo. Eis-me aqui no passo três. Qualquer outro pode assumir o papel de programador.

Joe: Essa sua parte sabe qual é a intenção de X?

Não sei.

Joe: Pergunte-lhe e veja o que acontece em sua mão.

Ver o que acontece em minha mão? Certo, vou olhar para ela. O que é exatamente que você me pede para perguntar?

Joe: Não, sinta-a.

(Ele passa a mão para o outro lado para sentir a outra.) Mais uma vez: se vocês insistirem na clareza, seus colegas serão forçados a fazer o melhor uso desta situação. Aí o programador diz: "Pergunte à parte que dirige X se conhece qual é sua intenção positiva. Se a resposta for 'sim', sua mão ficará aquecida. Se for 'não', o calor diminuirá. Portanto, repare na sensação em sua mão." Agora irei voltar para o meu papel na dramatização.

Ah, acho que ela se aqueceu, mas o que foi realmente estranho foi que quando fiz a pergunta aconteceu um movimento em meu ombro quase como se alguém me empurrasse. Não sei o que isso possa ser! E houve de repente um zumbido forte em meus ouvidos... Não sei que coisa é essa!

Joe: E você sentiu uma mudança de temperatura em sua mão?

Sim, houve uma mudança.

Joe: E qual foi a mudança?

Está mais quente do que antes. Mas eu não entendo estas outras coisas que estão acontecendo.

Joe: Gostaria que você perguntasse à parte que empurrou seu ombro se poderia aumentar essa sensação caso signifique "Sim, tenho algo a ver com o processo." (Seu ombro esquerdo treme de novo.) Obrigado.

Certo. Bom. Lembrem-se, sou o sujeito que quero ter escolhas com as quais enfrentar as respostas de sinal múltiplo. Ele acabou de me dar uma escolha, a saber, pedir uma resposta direta daquela parte que emitiu um dos outros sinais. De que outra forma vocês poderiam lidar com estes outros sinais?

Al: Parece existir uma outra parte em você que deseja comunicar-se.

É isso que está acontecendo?

Al: Pode ser. Você não gostaria de descobrir? Vamos perguntar-lhe. Parece-me que aí você está relatando duas outras coisas. A parte que empurra seu ombro está querendo formar um sinal com esse movimento em empurrar? Se for isso, você poderia empurrar de novo o seu ombro? (O ombro sacode de novo.) Sim, obrigado.

Mas isso é muito estranho.

Al: Sim. E existe uma parte em você...

O quê?

Al: E pode existir uma outra parte em você que talvez esteja causando aquele zumbido que você escutava nos ouvidos.

O quê?

Al: À medida que o zumbido fica mais fraco, você pode...

Certo. Agora está lidando com o outro evento interno. Alguém aqui sabe o que se pode fazer com estas coisas assim que vocês as tiverem transformado em sinais?

Jan: Volte-se para dentro e pergunte a estas duas partes se elas estariam dispostas a sair de cena apenas por um instante, sabendo que depois as deixarei voltar, e que não iremos fazer mudança alguma a menos que sejam consultadas.

Excelente. Uma escolha é pô-las de lado até o teste ecológico.

Rick: E que tal esquecer o aquecimento da mão, usando apenas um destes sinais novos para sim/não?

Se fizer isso, você estará correndo um risco. Neste momento, você não sabe se a parte responsável pelos novos sinais é a mesma parte que apresentou antes o sinal de aquecimento da mão. Sua sugestão pressupõe que é apenas uma. A parte que zumbiu e a que sacudiu o ombro podem ser outras, que objetam ao que você está fazendo. Você não sabe quais as partes que estão emitindo os novos sinais e não sabe qual a função que desempenham. Há alguma outra escolha?

Sue: Poderia fazer com que as duas partes que estão objetando arranjassem uma parte porta-voz para representá-las temporariamente.

Certo. E estou aqui parecendo confuso porque não sei coisa alguma a respeito de ninguém que esteja objetando. Tudo que sei é que meu ombro se mexeu e que eu ouvi um zumbido. Está me dizendo que isto são objeções?

Sue: Creio que não sabemos.

Absolutamente correto. Você não sabe.

Rick: Poderíamos estabelecer um sinal de sim/não no ombro e depois perguntar a ele se estaria disposto a permitir que a mão continuasse como sinal de sim/não?

Isto é muito parecido com o que Jan sugeriu há um instante.

Vou representar o papel da meta-pessoa por um minuto e perguntar-lhes em que pé estão e qual o objetivo específico que estão pretendendo atingir.

Rick: Estou tentando descobrir se estes sinais são ou não todos oriundos da mesma parte e qual é o propósito deles todos.

Bom. Observem que, no entanto, usando a manobra de Jan, vocês não precisam descobrir isto até o teste ecológico, e poderão eventualmente não precisar disso de jeito nenhum. Se conseguirem que o zumbido e o tremor do ombro fiquem esperando até o teste ecológico, poderão descobrir neste momento se ainda opõem algum obstáculo. Se estes sinais surgirem como objeções naquele momento, vocês saberão que se tratam de partes diferentes. Se não surgirem, saberão que ou são sinais da mesma parte ou que as escolhas que satisfazem a parte que aquece minhas mãos também satisfazem as demais partes.

A incerteza é: "Seriam estes apenas outros sinais da mesma parte, ou são sinais de outras partes que devem ser levadas em consideração?" Podem descobrir dizendo: "Se o ombro tremer é um outro sinal da mesma parte que está fazendo sua mão se aquecer. Poderia então o ombro fazer aquele movimento de novo?" Se o movimento acontecer, vocês dizem: "Bom. Agora se o zumbido também for um sinal da mesma parte que está fazendo sua mão se aquecer, seria possível ao zumbido aumentar de volume?" Se puderem ter um aumento, digam: "Excelente. Gostaria que você agradecesse a esta parte em você, tão poderosa, por ser capaz de usar múltiplos sinais. Tendo em vista você manter-se calmo e haver um mútuo entendimento do que está se passando aqui, gostaria de pedir que ela inibisse tais sinais em favor de continuar a usar a mudança de temperatura em sua mão direita."

Nesta manobra, torno o tremor do ombro e o zumbido no ouvido sinais de sim/não e depois pergunto se são da mesma parte ou não. Se eu receber uma resposta "não", posso partir para a manobra que Jan sugeriu.

A sugestão de Jan é boa em termos de eficiência. Ela sugeriu que primeiro se fizesse a pessoa agradecer ao tremor do ombro e ao zumbido no ouvido, a fim de validar as respostas. Isto é sempre um bom ato de espelhamento. Depois, pode-se reassegurar àquelas partes que nenhuma mudança comportamental irá ocorrer a menos que sejam consultadas no final do procedimento, para se ter certeza de que concordam com o que ocorreu. Se acontecer desacordo ou se aparecerem necessidades adicionais nesse momento, receberão a mesma assistência respeitosa que presentemente está sendo destinada à parte que aquece as mãos.

Mulher: Se todos os sinais vêm da mesma parte, seria apropriado eu usar o tremor do ombro como sistema de sinal, uma vez que para mim é mais fácil ver isso do que o aquecimento da mão?

Certamente. Se ambos os sinais forem igualmente involuntários, mas um for mais fácil para você ler, peça uma mudança. Em geral, pode-se tornar a resignificação uma oportunidade para meta-sintonizar-se consigo mesmo, a fim de perceber as muitas mudanças sutis que acompanham os sinais sim/não. Se você não vir nada do que se passa com o relato que o cliente faz do seu sinal, esta não é uma situação ecológica sólida. Quero ter um sinal observável para que possa ter um teste do relato de meu cliente. O cliente pode mentir para mim por querer demais uma mudança.

Uma coisa que faria seria dizer: "Minhas desculpas à sua mente inconsciente. Dado o estado de acuidade de meus olhos neste momento, fui incapaz de observar a resposta. Gostaria de ter um acesso direto a um sinal, a fim de ficar completamente seguro de que estou me comunicando com a parte inconsciente adequada. Irei perguntar de novo a você se pode voltar-se para seu interior. Agradeço à parte em você que lhe deu o sinal, e é tudo o que foi necessário. Mas peço, por mim mesmo — para poder ser instruído de modo útil por seu inconsciente —, que se mostre a mim como alguma coisa exagerada o bastante para eu poder notá-la. Eu apreciaria isto muitíssimo." Alio-me à parte e depois peço-lhe que manifeste um sinal mais observável.

Homem: Você poderia perguntar à parte do ombro: "Você está disposta a trabalhar com a outra parte e fazer mudanças?"

O problema com esta escolha é que pressupõe o movimento do ombro ser um sinal de uma parte diferente, e você não tem uma base sobre a qual fazer essa pressuposição. Se você fizer essa pergunta, poderá causar uma confusão total. Se os sinais fossem todos manifestações da mesma parte, de que modo se poderia responder a essa pergunta? Você só criou sinais sim/não de modo que a parte não tem meios de indicar "erro de pressuposto", e você entrará em estado confusional. Existem momentos em que se quer excluir possibilidades usando pressupostos, mas este não é um deles.

Fiquem praticando isto mais ou menos uma hora, trocando as posições depois da dramatização de cada papel. Façam quantas situações o tempo permitir. Ao fazerem o papel de clientes difíceis, recalcitrantes, vocês terão a experiência ao vivo de lidar com tais tipos de situação.

Este é um formato excelente para alcançar sofisticação com *qualquer* técnica. Façam com que alguém desempenhe o papel do cliente mais difícil que se possa imaginar e, depois, experimentem diversas formas de obter as respostas que vocês desejam. Se, em algum momento, vocês não foram capazes de gerar três escolhas para prosseguir, e sua meta-pessoa não puder fornecer escolhas adicionais, não deixem de nos pedir ajuda.

Discussão

Todos vocês estiveram praticando o formato denominado resignificação em seis passos, com variações e com *feedback* por parte do observador. Quero ter certeza de que vocês praticam a resignificação com uma compreensão de nosso objetivo a longo prazo. Nosso resultado final é tais formatos desaparecerem de seu comportamento. Qualquer formato é uma bengala e não substitui: 1) a posse de uma completa flexibilidade comportamental, 2) experiências sensoriais, 3) o conhecimento do resultado que se está buscando. Se vocês tiverem estas três características do comunicador profissional, é tudo o de que precisam. As modelagens todas que realizamos com pessoas tais como Milton Erickson, Virginia Satir ou bem-sucedidos homens de negócios capacitaram-nos a desenvolver formatos pedagógicos específicos. Formatos são muletas, ou desculpas, ou truques, para fazerem vocês notar o que está acontecendo a nível sensorial e para variar seu comportamento a fim de alcançarem um resultado específico.

Neste ponto, não faço resignificações como trecho distinto da técnica, exceto tendo em vista propósitos de demonstração, em seminários. Elas estão integradas a tudo mais que faço; não faço trabalho algum sem resignificar. Todo pedacinho de trabalho que realizo tem como parte componente a resignificação. Somente em seminários é que coloco em categorias aquilo que faço.

Saberão que são profissionais quando passarem por uma sessão e, ao final, descobrirem que não há incerteza alguma: sabem que atingiram as mudanças que vocês almejaram. Contudo, vocês não sabem *como* as realizaram até que pararem e se perguntarem o que foi que fizeram sistematicamente. Isto será um resultado natural de despender tempo e energia para usar tais formatos explicitamente até que se tornem tão arredondados e utilizados que fiquem automáticos como o cumprimento de mãos ou o dirigir um carro; terão então passado a ser respostas reflexas a pistas contextuais adequadas, de tal sorte que seu comportamento será sempre apropriado e conduzirá efetivamente aos resultados desejados por vocês.

Alguma pergunta?

Homem: Digamos que você pede a uma cliente que se volte para seu interior e pergunte à sua parte encarregada de organizar o comportamento X se se comunicaria consigo a nível consciente. Ela faz isso e depois diz: "Não aconteceu coisa alguma." O que é que você faz?

Uma possibilidade é dizer: "Descreva quais são seus sentimentos e sensações neste preciso momento — de que maneira você está se sentindo cinestesicamente." Após a descrição que ela oferecer, você pode dizer: "Agora comece a fazer o comportamento X." Ou ela se levanta e começa a fazê-lo, ou começa a se sentir do jeito que fica quando faz X. Assim que você perceber uma mudança que possa detectar, diz: "Pare. Agora, descreva novamente suas sensações." Haverá diferenças entre as duas descrições. Qualquer uma das diferenças poderá ser usada como sistema de sinal.

O formato de resignificação difere radicalmente das técnicas usuais na psicoterapia, porque neste formato sou um consultor; o cliente é seu próprio terapeuta e hipnotizador. Sob circunstâncias normais, eu sou o terapeuta e o hipnotizador e assumo a responsabilidade por captar e eliciar respostas. Neste caso, o cliente assume a responsabilidade de fazer isso. Eu funciono como seu consultor consciente. Se o paciente não consegue detectar nenhuma comunicação, peço-lhe que comece a tornar-se aquela parte em seu interior que faz X. As difrenças fisiológicas entre seu estado usual e o começo de fazer X envolverão exatamente as mudanças fisiológicas que ela pode usar como sistema de sinal. Quando as pessoas se envolvem com comportamentos dos quais não gostam, em geral experimentam grandes modificações em termos de tônus muscular, temperatura de pele etc. Qualquer uma destas alterações lhes servirá muito bem como sistema de sinal e será experienciada quando vocês pedirem à pessoa que faça o comportamento X.

Às vezes, basta simplesmente ensinar à pessoa como fazer distinções em sua experiência interna. Pede-se-lhe que descreva seu estado interno presente. Depois pede-se-lhe que fique pulando durante dois minutos e que observe os detalhes de sua experiência interna alterada.

Por vezes, o indivíduo está tão auto-ancorado num estado em particular que é difícil obter qualquer mudança. Ficar pulando ou realizar qualquer outro comportamento que seja significativamente diferente de seu estado no momento pode descontraí-lo um pouco.

Herb: A primeira vez que aprendi resignificação em seminários, ficávamos fazendo cada padrão durante meia hora ou no máximo uma. Descobri, na prática, que fazer um padrão por completo com um cliente leva, às vezes, várias sessões.

Ótimo. Este *feedback* não é tão incomum. Já o ouvi de outros colegas. A delonga é uma função de seu grau de intimidade e de fluência com a organização seqüencial e tem também muito a ver com sua sensibilidade relativa às necessidades de seus clientes. Às vezes, a resignificação é uma reorganização de tais proporções na pessoa que, apropriadamente, consome três ou quatro sessões para chegar à sua conclusão.

Alego que posso realizar uma resignificação com qualquer pessoa em três minutos, mas não se eu envolver sua consciência. Portanto, assumo que você pediu à consciência do cliente que detectasse os sinais e oferecesse as respostas. Sem envolver a consciência da pessoa,

141

preciso de mais ou menos 1/10 do tempo para realizar as mesmas alterações. Porém, também considero que envolver a consciência do cliente é uma característica desejável deste modelo, porque ensina-o a tornar-se autônomo após um certo período de tempo. O cliente esteve envolvido de modo positivo e participante a nível consciente para a realização indubitável de tais alterações, de modo que lhe será mais fácil usar o mesmo processo depois, por sua própria conta.

A resignificação de si mesmo é uma tarefa relativamente complexa. A resignificação já envolve uma dissociação entre a mente consciente do cliente e a parte responsável pelo comportamento problema. Se vocês resignificam a si mesmos, uma terceira parte em vocês tem que ser o programador que mantém o processo em mira, que o torna uma tarefa de três níveis. Se vocês conseguem fazer bem feita uma resignificação externa, primeiro com os outros, podem tornar o *processo* da resignificação automático. Depois, então, a auto-resignificação fica reduzida a um processo em dois níveis, o que é algo com que a maioria das pessoas consegue lidar.

Se vocês forem bons em alucinações, podem ainda tornar a tarefa mais fácil para si mesmos, vendo-se ali na cadeira em frente. Então vocês se fazem as perguntas e observam as respostas dadas. Esta espécie de dissociação visual explícita entre a parte em vocês que é o cliente e a outra, atuando como programador, pode ajudá-los a manter seu comportamento enquadrado em certas categorias.

A auto-resignificação pode ainda envolver um outro problema. Vocês estarão usando suas próprias limitações para lidar com as mesmas limitações em questão, o que poderá levar a alguns becos sem saída. Como dizem em *Catch 22*: "Se você está com areia nos olhos, não pode ver a areia em seus olhos." Ao resignificar outras pessoas que possuem limitações diferentes das suas, vocês aumentam sua flexibilidade para enfrentar suas limitações e tornam-se melhor preparados para lidar com as próprias, posteriormente.

Apesar dos problemas que levantei, conheço várias pessoas que se auto-resignificaram e realizaram com isso mudanças bastante penetrantes. Se vocês fazem resignificação de modo bem-sucedido, durante um mês, mais ou menos, usando outras pessoas, é provável que acabem percebendo que estão fazendo isso consigo mesmos, de um jeito ou de outro. Se vocês estiverem realmente ávidos por mudanças pessoais, funcionará com vocês.

Homem: Um de meus clientes é muito verbal e conceitual e queria realmente seguir o procedimento, e por isso eu agi com ele de modo inteiramente não-verbal e inconsciente.

Excelente. Foi uma escolha realmente bela.

Homem: As pistas mínimas que obtemos quando pedimos um sinal deverão ser sempre consistentes, ao largo de todo o procedimento?

Sim. A única exceção em que consigo pensar é quando o sinal que você recebe no início é muito desagradável. Aí você quererá ajustar ou modificar imediatamente o sinal, mas manterá o novo sinal consistente.

Jim: Com um de meus clientes, não consegui fazer nada com o primeiro sinal que ele detectou — uma sensação cinestésica em sua perna. Procurei um outro sinal e recebi uma resposta fácil muito intensa.

Minha suposição é que ambos os sinais estavam lá desde o começo e que você poderia ter usado qualquer um deles como sinal. Você tem que levar em conta seu próprio grau de acuidade e também que seu cliente poderá ter maneiras idiossincráticas de abordar o processo da resignificação. Certos tipos de sinais podem parecer mais apropriados a um cliente em particular ou a suas partes.

Mulher: Alguma vez você se vê frente a alguém que diz: "Não consigo produzir quaisquer novas alternativas?"

Sim. Nesse caso, você pode empregar todas as técnicas do "não sei". "Bem, então se você soubesse, qual seria uma?" "Adivinhe o que ela poderia ser." "Sonhe com ela hoje à noite e amanhã você me conta." "Pense em alguém que se comporta de maneira realmente eficaz nesse contexto. Agora veja e ouça o que ela faz."

A maioria de vocês vive sob determinadas imposições de tempo e espaço; só podem despender uma hora, mais ou menos, para atender cada cliente. Se chegarem ao ponto de estar quase acabando a hora e ainda se encontrarem nesse passo, então podem fazer diversas coisas. Soltem o cliente no mundo, para que encontre o modelo real. "Vá encontrar alguém que saiba como comportar-se de modo eficiente nesta área. Veja e ouça o que essa pessoa faz." Milton Erickson costumava fazer isto com muitos de seus clientes. Se vocês conhecerem algum livro ou filme relevante que contenha uma situação isomórfica, podem passar uma lição de casa para o cliente. Ou podem fazer com que ele pergunte a algum amigo o que ele deveria fazer.

O sonho programado é uma outra escolha. "Volte-se para seu interior e pergunte à parte em você que é responsável pela criação de soluções criativas se poderia responsabilizar-se, durante os sonhos desta noite, pelo desenvolvimento de comportamentos alternativos e pela apresentação dos mesmos em seus sonhos." Consiga um "sim" e depois pergunte: "Essa parte em você que costumava organizar X poderia assumir a responsabilidade de escolher dentre tais alternativas três ou mais maneiras melhores, empregando-as depois no contexto ao qual pertencem?". Aí a pessoa vai embora com um sonho programado, tem seus sonhos e incorpora os comportamentos. Depois de duas semanas, quando voltar, será capaz de informar-lhes quais os ajustamentos específicos que ocorreram.

Jill: Descobri que muitas pessoas respondem negativamente à palavra "responsabilidade", no passo cinco. Mas se eu digo: "Pergunte àquela parte se está *disposta* a escolher alguma dentre as alternativas?", então tudo prossegue suavemente.

Excelente. Mantenha em mente seu resultado e use as palavras que couberem para chegar a ele.

Skip: Quando chegamos ao teste ecológico e existe um sinal, verificamos se se trata ou não de uma objeção. Se for mesmo uma objeção, por que, eu me pergunto com espanto, não voltamos só até o passo quatro, e sim retomamos tudo desde o dois?

Você pode fazer isso. Skip está propondo que, se vocês encontrarem uma objeção no teste ecológico, ao invés de darem à parte que está objetando novas maneiras de fazer o que quer, voltem para encontrar outras alternativas para a primeira parte e às quais a segunda parte não levante objeções. Esta é uma variação excelente e, às vezes, será melhor usá-la, por exemplo, se a primeira parte escolher alternativas tais como o suicídio.

Homem: Uma mulher com quem estava trabalhando queria avaliar cada uma das três alternativas em separado. Pareceu-me que estava tudo bem, então ela fez isso.

Ótimo. É realmente um pouco mais preciso e explícito fazer cada alternativa por sua vez do que amontoá-las todas de uma vez. Algumas pessoas precisam de muita exatidão quando processam informações. É preciso que vocês sejam muito explícitos com tais pessoas e os pedaços de informação precisam ser menores do que aqueles que usamos em geral. Neste caso, a variação que você usou seria não só desejável como talvez necessária para acomodar o estilo pessoal daquele indivíduo.

Mulher: Sempre fiz o teste ecológico *antes* do espelhamento do futuro. Por que você coloca primeiro o espelhamento do futuro quando pode ser que aconteçam mudanças ou revisões nos novos comportamentos, tendo depois que espelhar no futuro tudo de novo?

Você pode fazê-lo desse modo, e freqüentemente sair-se bem desta forma. Mas existe um motivo importante para espelharmos no futuro primeiro. O espelhamento de futuro contextualiza o comportamento, testando-o em sua imaginação. As partes talvez só percebam que apresentam objeções quando você espelha no futuro e contextualiza os novos comportamentos. Se vocês deixarem o espelhamento de futuro por último, poderão então emergir objeções e vocês não tomarão conhecimento disso, a menos que estiverem alertados para sinais de incongruência neste momento.

Mulher: O que é que você faz se um cliente diz: "Não, não é isso o que eu quero" (e abana a cabeça em assentimento)?

O modo como se lida com incongruências é um tema por si mesmo. Minha resposta típica é: "Sim, acho mesmo que é" (sacode a cabeça de um lado para o outro). Nesse momento, a pessoa entrará em curto circuito e num estado absolutamente confusional e então poderei muito bem fazer o que eu bem entender.

Ou então, posso simplesmente utilizar a resposta dada e retroalimentá-la. "Não pensei que fosse" (assentindo com a cabeça). "Contudo, vamos fingir que seja." Fazendo isso, validei tanto a comunicação consciente quanto a inconsciente, como se estivesse dizendo: "Admito que estão aí as duas."

Depois, passo a instalar o comportamento com o qual o inconsciente concorda. A estratégia geral que tenho quando recebo mensagens conflitantes como essa é sempre acompanhar aquela que escapa à consciência, porque sempre terei vitórias nesse caminho: é o inconsciente da pessoa que está dirigindo o espetáculo, de qualquer modo. Simplesmente, ela não é capaz de reconhecê-lo e nem há necessidade de que o faça.

Este é o problema que os Simontons tiveram que enfrentar em seu trabalho para pacientes cancerosos. Só aceitam pacientes que estejam conscientemente dispostos a aceitar a crença de que estão criando seus próprios cânceres. Isto elimina uma larga fatia da população que tem câncer. De fato, a maioria destes pacientes tem um sistema de crenças que *impossibilita* tomarem consciência da responsabilidade de sua doença. A maioria dos pacientes acredita que não deveriam pedir ostensivamente ajuda ou atenção, ou qualquer outro ganho secundário que conseguem pelo fato de terem câncer. É essa crença que torna a própria doença uma necessidade.

Tanto a insanidade quanto a doença, nesta cultura, são consideradas "respostas involuntárias", de modo que não se é responsável por elas. Portanto, uma maneira de se obter ajuda e atenção é fazer com que aconteça alguma que seja involuntária e pela qual não seja possível assumir responsabilidade. A insanidade e a doença são ambas maneiras muito poderosas de fazer as outras pessoas responderem a vocês, sem que vocês se responsabilizem por isso.

Os Simontons insistem com seus clientes para que assumam inteiramente a responsabilidade consciente pela criação de seus próprios cânceres, o que se constitui numa forma admirável de tratar do assunto. A única grande desvantagem desta abordagem é que, assim, apenas uma porcentagem muito pequena da população pode ter acesso a este trabalho para cancerosos.

Mulher: Mas seria possível trabalhar com a população que conscientemente acredita não ser responsável e pedir-lhe que temporariamente deixe essa descrença de lado.

Certo. Peça a estas pessoas que façam de conta. Você pode até mesmo concordar que *não* são responsáveis, mas você descobriu que, através de certos passos "psicológicos", as pessoas conseguem, em muitas ocasiões, exercer um impacto curativo sobre problemas que, claramente, são de origem física. Depois, prosseguindo, faz-se a resignificação em seis passos, do mesmo modo que se faria com alguém que dissesse: "Acredito que provoquei isto."

Não sei sequer quem está "certo" quanto a seu sistema de crenças. Mas sei que a resignificação pode ter efeito sobre sintomas físicos.

Homem: Você está sugerindo que se poderia usar o sistema dos Simontons — sua abordagem toda — a nível inconsciente?

Sim. Só seria preciso usar o modelo da resignificação em seis passos inteiramente a nível inconsciente. A intenção positiva e as novas escolhas podem ser todas mantidas inconscientes.

Quando a mente inconsciente se recusa a informar à consciência sua intenção positiva, o mais comum é eu voltar-me para o indivíduo e dizer: "Você estaria disposto a confiar que seu inconsciente é bem-intencionado, mesmo que ele não lhe diga o que está tentando fazer por você com este padrão de comportamento?" Se estou mantendo um bom contato, ele concorda. "Certo, estou disposto a experimentar isto." Se a resposta que recebo é "não", pergunto se teria disposição para fazer de conta. Ou então pode-se dizer: "Olhe, você realmente tem escolha? Você já fez o melhor que sabia, conscientemente, para modificar este comportamento. Quando pressupôs que esta era uma parte má, fracassou por completo. Vamos experimentar inverter este pressuposto por um período de duas semanas e depois você me conta, ao final desse período, se esta é uma forma mais eficiente de fingir."

Mulher: Numa recente conferência ouvi os Simontons mencionarem quanto aprenderam com você. Deram o exemplo de adicionar a sobreposição de sistemas representacionais às suas técnicas de visualização.

Sim. Eles chegaram a bons resultados, fazendo apenas os pacientes visualizarem as células brancas do sangue devorando as células cancerosas. Se vocês sobrepuserem a esta visualização sons e sensações congruentes, torna-se tudo mais poderoso. Mencionaram alguma coisa a respeito de sistemas de crença consciente e inconsciente?

Mulher: Mencionaram que perceberam a diferença, mas que não sabem como lidar com ela.

Foi exatamente aí que os deixamos em suspenso. Fiquei com eles tempo suficiente para sentir que tinham um entendimento bom, nítido, sólido e fundamentado das noções de sistema representacional e de sobreposição. Acharam fácil fazê-lo e ficaram encantados com isso.

Também reconheceram que a resignificação apresenta vantagens, só em termos da variedade necessária, mas não tinham experiências suficientes para incorporá-la a seu sistema. Se usassem a resignificação inconsciente em seis passos, seriam capazes de trabalhar com o volumoso contingente de pacientes cancerosos não dispostos a adotar conscientemente a crença de serem responsáveis por sua doença.

Mulher: Você consegue trabalhar com mais do que duas partes simultaneamente, na resignificação?

Sim. Já trabalhei com doze a quinze partes num mesmo momento.

Mulher: Então você poderia ter seis objeções sendo formuladas por partes umas às outras e à parte responsável pelo comportamento?

Sim, ponho todas elas numa conferência. Mas nunca falo com mais de uma por vez, a menos que primeiro as tenha posto todas juntas e conseguido que elejam um porta-voz que irá comunicar-se com todas as demais.

Digo: "Agora, todas vocês aí esperem um minuto; iremos nos dirigir agora à parte A, aqui presente, para descobrir blá, blá, blá." E, depois disso: "E agora, alguma de vocês outras cinco blá, blá, blá." O tempo nunca é realmente uma limitação porque sempre se pode dizer: "Muito bem, iremos fazer uma pausa agora e nos encontraremos aqui, de novo, amanhã às oito." A única verdadeira limitação é o número de partes que o programador consegue manter em mira. Tenho boa facilidade para manter contato com um grande número de coisas acontecendo ao mesmo tempo. Pratiquei isso bastante. Vocês precisarão descobrir de quantas conseguem se lembrar. Se começarem a dizer: "Ah, sim, não foi isso... foi... ahn... a outra... han... han..." então é provável que venham a confundir a outra pessoa.

Homem: Tive uma cliente que costumava dar nomes às partes. Havia uma deusa do sexo, e uma senhora com luvas brancas com uma má-formação congênita — suas pernas estavam permanentemente cruzadas — e várias outras que ela podia identificar e com as quais conversava; ela as fazia conversarem comigo.

Sim, algumas delas têm nomes e, no caso de não os terem, sempre se pode dar-lhes nomes. Existem muitas coisas que vocês podem fazer para ajudar a mantê-las em mira. Mas é preciso que vocês também sigam a linha de quem disse o que, e quem está falando agora. Com algumas pessoas, todas as partes têm a mesma tonalidade de voz, enquanto com outras, todas as partes têm vozes diferentes. É apenas uma questão de quantas partes *vocês* conseguem acompanhar bem.

Homem: De que modo posso usar a resignificação para o autocrescimento?

A primeira resignificação que eu faria seria usar qualquer outro predicado, menos "crescimento". Existem alguns perigos na descrição que envolvem a pessoa, mascarados de "crescimento". O pessoal do movimento pró-potencial humano realmente ligados em "crescimento" tem a tendência de formar verrugas, tumores e outras coisas. Enquanto hipnotizadores, vocês podem entender como isto acontece com a linguagem orgânica.

Vocês sempre podem fazer simplesmente a resignificação consciente consigo mesmos. Mas uma das melhores formas de fazê-lo é construir uma parte inconsciente que chamaremos de "meta-parte" e cuja tarefa é, toda noite, fazer uma revisão do que se passou naquele dia, bem no momento em que estão prestes a adormecer, para escolher as duas coisas importantes que deverão ser resignificadas em termos da totalidade de sua conduta, e fazer a resignificação toda noite, imediatamente antes de adormecer. Costumávamos fazer isso com todo mundo em nossos primeiros grupos e os tipos de mudança que as pessoas realizaram foram fantásticos.

Mulher: Você nem sequer programa as duas coisas? Deixa isso para o inconsciente?

Sim. Pomos a pessoa em transe profundo e ensinamos à sua mente inconsciente — ou a alguma parte inconsciente — o modelo da resignificação. Diremos: "Certo, inconsciente, o que vamos fazer hoje é construir esta parte e ela irá fazer resignificação. Quero que você, inconsciente, escolha alguma coisa da qual não gosta em especial a respeito do comportamento de sua mente consciente hoje. Primeiro identifique o que é e depois..." Passamos muito sistematicamente por todos os seis passos. Não é uma questão de dizer apenas: "Faça-o"; fazemos cada passo muito criteriosamente. A mente consciente da pessoa está apagada; ela está simplesmente em transe, respondendo. Vocês podem fazê-lo com sinais de dedos, ou com qualquer outro sinal de sim/não, ou então verbalmente, se acontecer

148

de o cliente ser um bom comunicador verbal inconsciente. Eu passo tudo em revista sistematicamente e depois faço com que a mente inconsciente escolha alguma outra coisa e a experimente, notificando-me se ficar entalada. Eu literalmente educo seu inconsciente segundo o modelo dos seis passos até que ele consiga praticá-lo umas duas vezes sem problemas. Então direi: "Olhe, toda noite, imediatamente antes de adormecer, identifique e remodele duas coisas que você considera importantes, segundo as experiências desse dia."

Um mês depois, voltei e testei com todos, a nível inconsciente, para verificar que tipos de coisas tinham feito. Estas pessoas estavam se modificando alucinadamente. O inconsciente de um estudante relatou que toda noite ele se via ante um quadro-negro, fazendo a relação de todas as coisas que não tinham acontecido, durante o dia, do jeito que ele queria; a seguir, todas as suas partes descreviam as possibilidades de cada uma; votavam e escolhiam duas; a seguir, o inconsciente prosseguiria resignificando aquelas duas coisas. Depois, suas partes faziam uma revisão de resignificações passadas, lendo as minutas do último encontro — este sujeito era um cara muito organizado.

Pareceu funcionar muito bem durante três meses mais ou menos, com todo mundo, e depois todos precisavam de mais uma dose de trabalho. As pessoas mudaram tanto que o processo não se acionava mais automaticamente depois de mais ou menos três meses.

Mulher: Por que você teve que ensinar os seis passos ao inconsciente? Se você resignificou outras, o inconsciente sabe a esse respeito ainda mais do que o consciente, não é mesmo?

O importante é ter certeza de que o inconsciente o faz explícita e metodicamente. Dizer que "o inconsciente sabe o que é" é pressupor mais do que estou disposto. As mentes inconscientes de algumas pessoas não o sabem, enquanto as de outras sabem. Mas não estou disposto a arriscar. Quero construir uma parte cuja tarefa seja pular em cena todas as noites e dizer: "Hora de resignificar!" Sempre se pode resignificar conscientemente consigo mesmo; no entanto, é muito mais conveniente que seu inconsciente o faça depois de vocês terem pegado no sono. Deixem que suas partes o façam. É duro instalar isto em si mesmo; é melhor fazer com que uma outra pessoa hipnotize vocês até ficarem em transe e fazê-lo por vocês.

Bill: Existe um aspecto que fica me importunando a respeito de qual espécie de sinal usar quando estou resignificando. Algumas pessoas dizem para só usar sinais com respostas inconscientes sim/não definidas. Outras falam apenas de voltar-se para o próprio interior e fazer uma questão aberta, vendo então o que surge. Ontem à tarde você estava me fazendo entrar numa resignificação de negociação sem gastar tempo com a determinação de sinais específicos...

Oh, *eu* tive sinais sim/não, porém. Você estava respondendo de maneira tal que eu pude perceber.

Bill: Certo, você teve sinais sim/não. Mas em nossa própria experiência de resignificarmos a nós mesmos, pensei que a única coisa que podíamos usar como sinal fosse uma resposta inconsciente da qual tivéssemos consciência. A resposta que recebi foi em sistema representacional predileto — a pequena e antiga voz interna que sempre escuto — e que aprendi a não confiar nem em mim, nem nos meus clientes. De que modo podemos confiar nos sinais que recebemos de nós mesmos, ou de nossos clientes, quando ocorre em nosso sistema representacional mais querido?

Isto é uma contradição. Você perguntou: "Que sinal pode aparecer no sistema predileto que posso confiar como sinal inconsciente?" O sistema representacional mais querido é aquele que está *na* consciência. É melhor ter um sinal fora do controle consciente. Se o seu sinal é um diálogo interno e você não confia nele, então a única forma de ter um sinal em que você possa confiar é ter uma resposta involuntária cinestésica ou visual, que intensifique ou diminua. Você receberia um sinal involuntário sim/não que não é um dedo se levantando ou qualquer outra coisa que você possa conscientemente controlar.

Bill: Fico na mesma confusão quando se fala de dedo se levantando. Todos falam de hipnotizar pessoas e de usar sinais com os dedos. A maioria das pessoas com as quais trabalhei pode fazer isso bastante voluntariamente. Qual é o sentido de se fazer uma pessoa dar um sinal que possa estar sob controle consciente voluntário?

As pessoas podem mover conscientemente seus dedos, mas não podem fazê-lo com *movimento inconsciente*. Você pode discernir entre movimento consciente e inconsciente?

Bill: Sim. O que me incomoda é o seguinte: a pessoa pode estar apresentando toda espécie de sinais de estar em transe profundo e estou presenciando muitas modificações involuntárias. E o sinal com dedo parece um movimento consciente. É necessário que eu o interprete como um movimento inconsciente?

Não, não necessariamente, mas eu sempre o faço. Eu diria "ESSA MENTE NÃO!". Algo sutil assim. Quero verificação. Pessoalmente, em geral, não uso sinais com dedos como sinais. Uso-os para distrair o cliente e como maneira de determinar algum *outro* sistema de sinal.

Bill: Especificamente, como é que você usa esses outros sinais?

Uma coisa que faço é calibrar. Digo: "Sua mente inconsciente pode erguer este dedo para responder 'sim'." Aí fico observando para ver o que *mais* ocorre naturalmente. "E pode usar este dedo para responder 'não'." Observo as diferenças não-verbais entre as duas. Se não tiver certeza, faço isso dez vezes, até ter certeza.

Uma outra coisa que vocês podem fazer é a seguinte: antes de o cliente entrar em transe, pode-se às vezes determinar sinais excelentes dizendo-se: "Olhe, você vai entrar em transe. O que vamos fazer é estabelecer um sistema de comunicação 'sim' (inclina a cabeça para a esquerda) e 'não' (inclina a cabeça para a direita)." Depois, quando a pessoa entra em transe, será freqüente você receber estes ótimos sinais — a cabeça da pessoa mudando para a direita e para a esquerda. Claro que é possível instalar um sinal usando qualquer movimento — sobrancelhas erguidas, narinas frementes, ou qualquer outro sinal que inconscientemente ela possa detectar. Se ela não sinalizar do modo que vocês estabeleceram, então vocês podem fazer outras coisas. Por exemplo, dizer: "E quando as coisas não acontecem do jeito que eu quero, eu *levanto uma sobrancelha* por puro desprezo." Usem ordens embutidas para terem certeza de que a sobrancelha irá erguer-se. Vocês podem fazer coisas realmente óbvias e a mente consciente do indivíduo não irá notar. Eventualmente, determino sinais sim/não com os pés da pessoa, um serve para "sim" e o outro para "não". Digo: "Quando você estiver realmente atrás de alguma coisa, com firmeza, vai pôr para a frente seu melhor pé... e você sabe qual é o pé *direito* para isso, não sabe?" A pessoa fará uma demonstração não-verbal. O importante é que eu sempre verifico, fazendo perguntas inócuas. Ao invés de ir imediatamente em busca do material no qual estou interessado, começo a fazer perguntas para as quais eu sei a resposta, a fim de ter certeza de que o sinal certo está no lugar certo. Digo, por exemplo: "Agora, seu nome é Bill e você sabe que isto é verdade, não sabe?". Se eu recebo uma resposta "não", então digo: "Aha! Com *quem* então estou falando?" No livro *Atravessando — Passagens em Psicoterapia* [*], poderão encontrar mais informações a respeito disso.

Mulher: Quando você está trabalhando consigo mesmo e existe alguma parte em você que você realmente não consegue identificar, ou então uma que simplesmente se recuse a vir efetivamente à tona e dizer qual é, e então você não consegue mesmo atingir essa parte...

Isso é como dizer: "Bom, existe uma pessoa da família com quem eu realmente não consigo conversar". Isto sempre é uma função de sua comunicação. Às vezes, uma pessoa volta-se para seu interior e diz: "Bom, nada acontece." Existem diversas coisas que vocês poderão fazer. Uma que quase sempre funciona é dizer: "Bom, eu

---
[*] Título do original em inglês: *Trance-formations*. Publicado em português pela Summus Editorial, SP, 1984. (Dos mesmos autores.) (NT)

sei que durante muitos e muitos anos você não se deu muito bem com essa parte. Você a insultou e discutiu com ela e eu também não falaria com você se você tivesse me tratado assim. Portanto, recomendo que você se volte para seu interior e *peça desculpas*, diga-lhe que não entendeu direito quais eram as intenções dela e que agora você gostaria de verdade de comunicar-se com ela." Depois que a pessoa se volta para seu interior e pede desculpas, nove vezes em dez haverá uma resposta.

Às vezes, uma pessoa volta-se para dentro a fim de resignificar e diz: "Muito bem, sua parte fedorenta e horrorosa." E é claro que a parte dirá: "Se você quer uma resposta, então tome esta! *Slapt!* Você quer que intensifique *aquilo?*" A comunicação com suas próprias partes tem que ser *tão* suave e elegante, ou *mais* ainda, do que a que vocês mantêm com as outras pessoas.

Mulher: Ontem você mencionou encontrar uma parte que parecesse não ter função. E daí, você faz o quê?

Em princípio, o que você faz é realmente simples. Uma vez que a parte não tem uma função, você pode simplesmente dar-lhe uma função positiva com a qual ela concorde. Na prática, fazer isto pode ser, às vezes, um pouco confuso.

Há cerca de quatro anos trabalhei com uma mulher que me disse que, quando ficava sozinha, não conseguia decidir o que fazer. Ficava nervosa e angustiada e começava a dar voltar na sala. Quando seu marido estava em casa, ela sentava-se e lia uma revista, ou então saía. Mas quando ficava a sós, não conseguia sentar-se para ler uma revista.

Então eu lhe disse: "Bom, parece que você tem muito trabalho para ficar nervosa quando as pessoas não estão por perto. Como é que você se lembra de fazê-lo, a cada vez?"

Ela ficou assim olhando fixo para a frente porque essa pergunta era muito estranha. "Não sei. Nunca pensei nisso desse jeito."

"Bem, é evidente que alguma parte em você deve estar levando você a fazer isto, e parece-me tolice que essa parte fosse fazer isso sem motivo nenhum. Ela deve estar tentando fazer por você alguma coisa útil, e precisamos descobrir do que se trata."

Portanto, partimos para uma resignificação em seis passos. Passamos por uma fase durante a qual os sinais desapareceram e depois voltaram seis ou sete vezes. Por fim, uma vez que eu não conseguia passar para o passo seguinte, tive que pedir-lhe que novamente se voltasse para seu interior. "Pergunte a essa parte se ela sabe o que está tentando fazer de útil por você." Ela não obteve resposta. Portanto, eu disse: "Se ela não sabe se é útil ou não o que ela está fazendo por você, peça-lhe que responda sim-não-sim-não" ida e volta, repetidamente, assim mesmo. Ela parecia meio confusa, porque num determinado nível estava recebendo tais respostas não-verbais e, num outro, não sabia do que se tratava.

Depois eu disse para aquela parte: "Você estaria disposta a dizer-lhe qual é sua função para que ela possa dizer-me? No caso de ela dizer-me qual é sua função, prometo-lhe que serei eu a decidir se o que você está fazendo é útil ou não, e não ela, está bem assim?" Recebi de volta um imediato e enfático "sim", sem sequer ter-lhe pedido que se voltasse para seu interior. Depois, de repente, ela bateu com as palmas das mãos sobre as orelhas e ficou com uma estranha expressão em seu rosto.

"O que foi que ela lhe disse?"

"Bem, não quero dizer."

"Ora, você tem que dizer. Eu prometi, entende. E eu mantenho minhas promessas." A lógica desta sentença estava bastante distorcida, mas a enredou o suficiente para que ela me dissesse.

A parte disse-lhe algo muito metafórico. "Você está sempre sozinha, a sós consigo mesma, com outras pessoas e numa multidão." Pensei nisso por um minuto e não me fez muito sentido, mas parecia estar levando-a a fazer algo melhor com seu tempo quando ela estava junto com os outros. Portanto, fiz algumas perguntas. "É que, quando está com outras pessoas, ela não fala com eles, só fica ali sentada perto, sentindo-se segura? E quando não tem ninguém, ela gasta o tempo todo imaginando com quem poderia estar e o que poderia fazer? Então você está tentando fazê-la utilizar recursos quando eles estão mais disponíveis? É isso?" Mais uma vez, obtive um imediato e enfático "não". Portanto, tive que fazê-la voltar-se para seu interior e perguntar se havia mais alguma coisa. A parte disse: "Não quero responder a esta pergunta. O que você acabou de dizer antes, foi bom de ouvir. Aquilo parece uma coisa boa de se fazer. Eu fico tão aborrecida quando não sei o que fazer."

"De que maneira é útil ficar aborrecida? Qual é a intenção disso?"

"'Não sei."

"Bem, então, qual é o sentido de ficar aborrecida?"

"Bem, todo mundo fica aborrecido quando eu não sei o que fazer."

"Assim, quando não tem ninguém por perto, você fica aborrecida por eles?"

"Acho que sim, não sei." Aquilo ainda parecia duvidoso, porém soava bem.

153

"Você preferiria fazer alguma outra coisa?"

"Sim, isso me daria algo para fazer, assim não teria que ficar aborrecida e ansiosa."

Portanto, apenas instalei na parte algumas formas de decidir o que seria útil fazer. Aquela parte não parecia saber qual era o seu propósito. O mais perto que consegui chegar de um entendimento foi que, quando se encontrava junto de outras pessoas, estas se aborreciam se ela não fazia alguma coisa. Portanto, ela estava sempre fazendo alguma coisa. Quando não havia ninguém por perto, então ficava aborrecida e ansiosa, mas não fazia coisa alguma. Era sistemático, mas não parecia existir alguma função útil que eu pudesse detectar. Era como um elemento motivador que não levava a lugar algum.

Mary: Estou pensando numa pessoa com quem mais ou menos dez de nós estão trabalhando...

Dez de vocês estão trabalhando com alguém? *Essa* é a primeira coisa que eu pararia de fazer. Isso deixaria qualquer um louco!

Mary: Esta mulher tem muita náusea, que não encontra motivos médicos para acontecer. Eu conheço várias razões pelas quais ela está mantendo sua náusea...

Bem, pense nisso simplesmente, se ela desistir da náusea, perderá dez amigos. Essa é a primeira coisa que me ocorre!

Mary: Se essa mulher não tivesse náusea, ela teria que fazer sexo com o marido, e ela tem uma série de outros benefícios com a náusea. Tentei resignificar tudo. Ela continua reaparecendo a cada dois meses e dizendo: "Ei! Voltou!" portanto, estou pensando...

Lidar com a náusea, em minha opinião, é inadequado. A única coisa que lhe torna possível ter a náusea é que ela *não* mantém relacionamentos sexuais concretos com o marido e que ela *não* tem todos aqueles outros benefícios. Portanto, não vou nem *tocar* na náusea. Eu iria atrás de todas aquelas outras coisas que a fazem aparecer. Se ela tivesse um bom relacionamento sexual e se tivesse tudo que está perdendo em sua vida, agora, então a náusea não aconteceria. É isso que aborda a resignificação: descobrir o que *mais* precisa acontecer para que o cliente não precise mais do sintoma.

Mary: Ela resistiu a todas as coisas que fizemos. Fizemos com que o marido viesse junto e ela resistiu o tempo todo. Ela não vai deixá-lo, apesar de odiá-lo, porque ele lhe fornece segurança.

Os clientes não resistem, Mary. É *muito* importante que você entenda isso. *Os clientes demonstram que você não entende.*

Mary: As partes resistem, eu acho...

Não, as partes não resistem. Nenhuma parte de um ser humano resiste a um terapeuta. O que fazem é só demonstrar que você está na trilha errada. É só isso que fazem. Nunca encontrei um cliente que resistisse. O que o cliente faz é dizer: "Ei! Aí não! Lá adiante!" Você disse: "Eu a resignifiquei." É impossível que você resignifique alguém e não lide com a base daquilo que você está denominando resistência. O modelo da resignificação está construído de tal modo que não se buscam mudanças e sim as partes que objetam. Todos os modelos de resignificação fazem isso.

Homem: Tenho um filho de quatorze anos que sofre de enxaquecas. Posso usar a resignificação com esse problema?

As enxaquecas são bastante fáceis. Aqueles de vocês com alguma experiência clínica em tratar de enxaquecas digam-me qual é o sistema representacional em que são tipicamente especializados os pacientes enxaquecosos. Quero que pensem em clientes específicos que vieram realmente procurar vocês com uma queixa de enxaqueca. Qual é o sistema representacional que usam, basicamente?...

Os pacientes de enxaqueca são muito orientados visualmente. Verifiquem em sua própria experiência clínica. Tal como com qualquer outro sintoma físico, pressuponho que uma enxaqueca é uma forma de certa parte chamar a atenção da pessoa. O sintoma é uma maneira de levá-la a fazer alguma coisa de um jeito diferente, de levá-la a cuidar de alguma coisa que precisa de cuidado.

Pensem na dor. Todos nós temos circuitos neurológicos em nossos corpos que nos permitem saber quando aconteceu alguma lesão. Se não os tivéssemos, nos cortaríamos e sangraríamos até morrer, antes de observar visualmente o que aconteceu. A dor nada mais é do que uma resposta neurológica saudável que diz: "Ei, preste atenção! É preciso fazer alguma coisa aqui; alguma coisa tem que ser objeto de atenção agora." Pode-se interpretar sintomas como a dor de cabeça enxaquecosa como sinais e, a seguir, usar a resignificação para descobrir ao que a enxaqueca é resposta, de modo que possa oferecer àquela parte da pessoa uma outra forma de responder. Em todos os casos de enxaqueca por mim tratados, a pessoa apresentava um estado visual de consciência altamente especializado. A única forma de seu corpo poder passar-lhe alguma informação no sentido de que algo precisa receber atenção e cuidado é fazendo-o sofrer dores de cabeça lancinantes. As enxaquecas cedem rapidamente e é fácil resignificá-las.

Mulher: Lembro-me de algo a respeito do elemento tempo. Acho que você disse algo como testá-lo durante seis semanas e depois, no caso de alguma parte objetar, renegociar.

Bem, isso sempre acontece, de um jeito ou de outro. Isto é só o espelhamento.

Mulher: Então, por que a necessidade de dizer algo a respeito, já que acontece automaticamente?

Porque se você não diz, então não funciona. A mente consciente da pessoa não sabe que pode renegociar e chama aquilo de "fracasso". Eu olho para o cliente e digo: "Olha, quero que suas partes experimentem isto durante seis semanas e, se funcionar, ótimo, então você está no seu caminho certo. Se alguma de suas partes descobrir que não dá certo, ela deverá informá-la, levando-o a ter o comportamento que você não quer ter. Isso é uma indicação de que está na hora de sentar-se de novo e voltar à mesa de negociações." Isto significa que não há no mundo meio de o cliente fracassar. Acho que os clientes têm direito a isso. A propósito, isto é tanto uma resignificação quanto um espelhamento de futuro.

Um dos desserviços que os terapeutas prestam a seus clientes é não usar esta resignificação em particular, de algum modo. Sempre faço do sintoma o barômetro da mudança. Se o sintoma recorre, depois, o cliente não fica pensando: "Ora, toda aquela terapia e não deu em nada." Em vez disso, ele pensa: "Ah, isto quer dizer que eu tenho que resignificar de novo." O estigma do sintoma dissolve-se com o passar do tempo, porque o cliente começa a prestar-lhe atenção na categoria de *mensagem*. É possível que sempre tenha sido, mas nunca ele pensou como tal a respeito do mesmo. O cliente começa a ter um mecanismo de *feedback*; mesmo que a resignificação não dê certo, ele descobre que só recebe o sinal em determinados momentos.

Por exemplo, chega alguém com enxaqueca e eu resignifico deixando todas as suas partes felizes. O cliente vai indo bem por mais ou menos duas semanas e tudo parece uma gracinha, quando de repente passa a ter dores de cabeça num contexto em particular. Aquela dor de cabeça aciona a instrução de que a negociação não foi adequada. Então ele se volta para seu interior e pergunta: "Quem está infeliz? O que isto significa?" A parte diz: "Você não está se virando às próprias custas, do jeito que prometeu." Então, o cliente fica frente à opção de ter uma enxaqueca ou virar-se às próprias custas.

Homem: Portanto, com aquele homem, você instalou uma parte que lhe dava alguma outra coisa a fazer em vez de ter uma enxaqueca.

Exatamente. Todos os modelos de resignificação fazem a mesma coisa: *todos mudam uma resposta interna*. Uma outra maneira de falar a respeito disso é que eu instalei uma parte cuja função é *recordá-lo* de fazer uma nova resposta. Não importa o modo como você fala a respeito disso.

Homem: Tenho uma pergunta a respeito de resignificação e fobias, e das partes que funcionam com fobias. Digamos que estou trabalhando com uma fobia e fazendo a técnica da dissociação visual-cinestésica. Como posso saber que eu não estou interferindo com alguma parte que funcionaria em outros contextos da vida da pessoa? Não pode. Sou um tipo muito prático de pessoa. Se alguém sofre de uma fobia realmente séria, imagino que seja melhor ir em frente e arriscar confundi-la um pouco, em algum outro setor de sua vida e depois consertar isso mais tarde, se for o caso. Admito que isso não é tão elegante quanto eu gostaria que fosse, mas a maior parte do tempo é isso mesmo que acabo fazendo.

Vou dar-lhes um exemplo de uma coisa a cujo respeito precisam tomar cuidado. Certa vez curamos uma fobia de alturas em uma mulher. Para testá-la, enviamo-la ao balcão no topo de um hotel. Ela voltou até lá embaixo com um grande sorriso e as pessoas perguntaram: "Então, como foi que você se sentiu quando chegou lá em cima?". Ela respondeu: "Senti vontade de subir no gradil e dançar."

Bom, o fato mais significativo disso é que *não* chegou de fato a dançar no gradil! No entanto, isso nos informa uma coisa muito importante a respeito de como ela supergeneralizou, inicialmente. É importante entender que uma estratégia fóbica é um exemplo de estratégia operando para proteger a pessoa de alguma coisa, mas que se encontra supergeneralizada. Quando vocês mudam a resposta ao estímulo fóbico, certifiquem-se de que a nova resposta é útil, de modo que a pessoa não saia por aí dançando sobre gradis ou fazendo alguma outra coisa perigosa.

Curei uma senhora de uma fobia de pássaros — em Chicago, que é a terra dos pombos! Depois de terminar, disse-lhe: "Bem, como é que você se sentiria se segurasse uma águia pousada em seu braço direito agora?" Ela disse: "Bom, acho que eu não gostaria disso." Eu respondi: "Bom." A dissociação cinestésico-visual elimina as supergeneralizações. Mas é preciso tomar cuidado para que não sejam eliminadas *todas* as precauções.

A resignificação está incorporada na técnica da fobia, no início, quando dizemos algo como: "Eu sei que essa sua parte que o vem atemorizando está protegendo-o de maneira importante." Sempre existe algo importante sendo ganho por ter-se uma fobia: aquilo que os psiquiatras chamam de "ganho secundário" ou o que nós chamamos de resultado. É por isso que vocês dizem: "Você irá aprender algo importante" quando fazem a dissociação cinestésico-visual. Esperamos que os clientes percebam por si sós do que se trata. Caso não o percebam, vocês descobrirão qual é a aprendizagem, especialmente se os inquirirem um pouco.

No final, sugiro sempre que parte da energia que foi liberada durante o processo da fobia pode ser usada para salvaguardá-los à medida que forem explorando os novos comportamentos que estão atualmente à sua disposição. Uma pessoa que tenha sido fóbica com relação a alturas não tem experiência do que é o comportamento adequado e seguro neste contexto. Uma pessoa que não se deu sexualmente a ninguém, por ter sido estuprada ou sofrido abuso sexual enquanto criança, não tem idéia do que seja um comportamento sexual apropriado. Quando empregamos estas técnicas de mudança, subitamente todas essas barreiras são removidas e vocês devem ter certeza de que seus clientes serão e estarão protegidos

Existe um exemplo realmente belo no trabalho de Erickson com uma jovem que queria se casar. Devido a seu histórico religioso e familiar, não tinha nenhum entendimento do comportamento sexual. Era muito atraída pelo noivo mas sabia que, devido a suas restritas e limitadas experiências passadas, ocorreriam problemas sexuais se ela se casasse. Erickson resignificou-a essencialmente, removendo todas as barreiras que ela levantava contra a completa responsividade e assertividade sexuais. Depois, ela foi alertada por Erickson de que só poderia ver seu noivo na presença de seu irmão ou membros da família até o casamento. Logo depois de casar-se, telefonou a Erickson agradecendo-lhe. Conforme o disse na ocasião, fora esperta o suficiente para admitir que ficara prestes a sair correndo do consultório, agarrar o sujeito e rasgar-lhe as roupas, indo direto ao assunto. Dado seu longo relacionamento com o rapaz e seu apreço por si mesma, era mais apropriado que ela procedesse de maneira mais cautelosa e respeitosa quanto à atividade sexual propriamente dita.

A PNL é um conjunto vigoroso de instrumentos. Até mesmo as simples técnicas de ancoragem são muito poderosas. Dado tal poder, é importante enquadrar o que vocês fazem, de tal modo que vocês procedam com cuidado e respeito por si mesmos e pelas demais pessoas envolvidas. Se agirem assim, vocês não sofrerão com flutuações alucinantes de comportamento, destituídas de fundamentos ecológicos. Isto geralmente se dá em treinamentos de assertividade, quando o "João Bobão" é transformado no "Kid Trovão". Quaisquer flutuações exorbitantes como esta são indicações de fracasso na contextualização ou no enquadramento do novo comportamento.

Homem: Então, essencialmente, quando você faz a dissociação cinestésico-visual você está resignificando a intenção protetora útil e mantendo-a intacta.

Independente do que você fizer, você está sempre resignificando, no sentido de estar sempre mudando uma resposta. Entretanto, quando você usar o modelo padronizado de resignificação numa fobia é muito difícil conseguir que ele dê certo; quando a pessoa entra em contato com a parte que lhe fornece a fobia, ela geralmente recebe como sinal uma resposta fóbica. E quando uma pessoa passa por sensações insuportavelmente desagradáveis, ela simplesmente não funciona bem.

A resignificação é um belo modelo e funciona para muitos problemas. Contudo, existem outras coisas que precisam ser levadas em conta: sensações fortemente insuportáveis é uma delas; outra, as partes múltiplas ou as incongruências seqüenciais. Quando vocês trabalham com uma múltipla personalidade, vocês podem curar uma fobia em Susie, mas a Marta logo ali ainda a terá. Iremos ensinar a vocês algo a esse respeito amanhã de tarde.

Existem certos elementos em terapia que estarão sempre presentes. Outras coisas poderão ver-se envolvidas, mas não são necessárias. O ganho secundário irá sempre evidenciar-se na mudança terapêutica em algum ponto do caminho. A manipulação de partes também irá evidenciar-se em todas as mudanças terapêuticas. Das três, uma: ou vocês mudam o comportamento da parte, ou criam uma, ou negociam entre elas. E haverá ainda sempre alguma forma de alteração no processo de generalização. Uma generalização será feita ou dissolvida, ou será feita uma combinação entre duas delas, ou uma delas será dividida em duas. Estes três processos — ganho secundário, manipulação de partes, e alteração na generalização — estarão sempre agindo em todas as mudanças.

V

Resignificação Sistemas: Casais, Famílias, Organizações

O cerne da resignificação é reconhecer que o comportamento pode tornar-se desvinculado do resultado que supostamente será atingido pelo mesmo. Os psicólogos identificaram este fato há anos atrás e inventaram o termo "autonomia funcional" para descrever comportamentos que permanecem muito tempo depois de terem tido alguma função aproveitável para a pessoa. Os psicólogos não sabiam o que *fazer* a este respeito, mas de fato o reconheceram. Não perceberam que podiam identificar diretamente os resultados e depois selecionar ou projetar outros comportamentos passíveis de serem vinculados a estes resultados.

O outro aspecto da resignificação que a torna tão fácil de funcionar é que se trata de algo explicitamente ecológico. Tomamos todas as precauções para que os novos comportamentos não interfiram com nenhum outro aspecto do funcionamento da pessoa. Todas as partes que objetam tornam-se aliadas na escolha de novos comportamentos, de modo que estes se encaixam harmoniosamente com todas as outras necessidades da pessoa e seus comportamentos.

Isto responde pela ecologia interna da pessoa, mas não aborda diretamente a ecologia do sistema interpessoal dentro do qual a pessoa vive. Às vezes, quando vocês mudam a pessoa, ela fica individualmente ótima, mas o resto da família de repente apresenta problemas. Quando fazemos a resignificação, as partes geralmente objetam porque elas reconhecem que determinados comportamentos novos terão sobre as pessoas um impacto vindo em formas indesejáveis. Contudo, isto pressupõe que a pessoa tem partes que são capazes de observar como os demais respondem a ela, e isso nem sempre é verdade.

O único meio de termos certeza de que estamos lidando apropriadamente com a ecologia do sistema maior é sermos capazes de observá-lo. Este é um dos valores de se fazer terapia de casal ou de família, ao invés de fazê-la individualmente. O que queremos fazer a seguir é a demonstração de como aplicar a resignificação a situações nas quais se pode observar o sistema em que a pessoa está, e explicitamente lidar com a ecologia de todo ele. As mudanças que são grandes para uma pessoa podem, às vezes, ser desastrosas para a família ou para a organização profissional em que ela existe.

Um de nossos alunos ensinou o Meta-Modelo para a equipe de enfermagem de um hospital. O resultado imediato foi que os pacientes melhoraram depressa e a estadia média hospitalar foi reduzida para pouco mais de um dia. Contudo, a tarefa da administração hospitalar é manter o hospital tão lotado quanto possível para maximizar a renda. Em breve estavam com leitos vagos e depois com uma ala vaga.

Quando a administração começou a pensar em cortes de pessoal e as enfermeiras viram o anúncio sobre as paredes, a estadia média hospitalar voltou ao nível que era antes. A mudança que era boa para os pacientes não era boa para o sistema hospitalar como um todo. A fim de torná-la ecológica para o hospital, deveria ter havido alguma forma de manter a economia do hospital — gerar mais pacientes para ocupar os leitos vagos, reduzir lentamente os funcionários por desgaste, etc.

Muitas pessoas vão para a terapia, começam a mudar e terminam divorciando-se. Em geral, isto acontece porque as mudanças que efetuam não levam os cônjuges em conta. Claro que, depois, pode-se dizer "elas amadureceram mais do que o casamento" ou que os parceiros "não estavam dispostos a mudar", no caso de vocês quererem encobrir sua incompetência. Mas se vocês conseguirem empregar a resignificação com todos os integrantes da família, podem fazer um trabalho realmente bem feito. Será muito mais fácil fazê-lo e durará muito mais tempo porque as outras pessoas da família não tentarão desfazer aquilo que vocês se esforçaram para alcançar.

A fim de resignificar com êxito um sistema, vocês têm que levar em conta as necessidades e desejos de todos os membros que o compõem. Esta é a base para aquilo que freqüentemente chamamos de "terapia do resultado". Acho que vocês podem fazer tudo que precisam numa terapia de casal, familiar ou numa conferência de trabalho, apenas usando este único padrão. A primeira coisa que irão fazer é observar qualquer mensagem que elicie uma resposta negativa em uma outra pessoa — sejam eles membros de um casal, de uma família, de uma reunião da corporação ou de consultoria. Depois, descobre-se simplesmente na fonte emissora da mensagem se a resposta que ela conseguiu eliciar foi de fato uma resposta que ela *pretendeu* eliciar inicialmente. Em outras palavras, é a velha fórmula: "Mensagem pretendida nem sempre é mensagem recebida."

Vou demonstrar-lhes um exemplo de "terapia de resultado" — o que denominamos de resignificação de casal. Beth e Tom, poderiam vir aqui por favor? Gostaria que fizessem o papel de um casal. Irei arbitrariamente pedir que interajam da seguinte maneira: Beth, você diz ou faz alguma coisa; Tom, você age como deprimido.

Beth: Olá, Tom, como está?

Tom: Ah, sei lá (começa a se curvar e falar em tom monótono).

Certo. Não sei exatamente que porção do comportamento de Beth é aquela a que Tom está reagindo, mas, seja qual for, posso ver que está obtendo uma resposta que não é útil, de modo que interrompo a interação e ancoro a resposta de Tom. Se Beth houvesse feito a mim a pergunta, eu a teria simplesmente respondido; parece-me, porém, que tem um impacto realmente profundo e superdeterminado sobre Tom, de modo que sei que algo importante está se passando.

Meu próximo passo é voltar-me para Tom e dizer: "Estes sentimentos e sensações são familiares?", enquanto pressiono a âncora que determinei há um minuto.

Tom: Ah, sim.

Qual é o nome da mensagem que você recebe de Beth quando ela diz: "Olá, Tom, como está?" daquele jeito?

Tom: "Vá embora."

"Vá embora." Certo, agora espera aí um minutinho. Beth, sua intenção foi a de passar-lhe essa mensagem "vá embora"?

Beth: Não.

Qual era sua intenção?

Beth: Eu só queria saber como ele está se sentindo.

Certo. Era apenas uma questão direta. Você está interessada em descobrir como ele está.

Agora volto-me para Tom e digo: "Você ouviu o que Beth acabou de dizer?"

Tom: Sim.

Então, eu percebo que você recebeu uma mensagem diferente da que ela pretendeu passar. Você compreende que ela não tinha a intenção de dizer o que você entendeu?

Tom: Sim.

Certo. Agora, Beth, você está realmente decidida a transmitir a mensagem que tinha em mente?

Beth: Sim.

Este passo do comprometer-se é realmente necessário. Estou formando a base de apoio que posso eventualmente precisar mais tarde, se ela objetar a modificar seu comportamento a fim de obter a resposta que deseja.

Agora eu pergunto a Beth: "Alguma vez você já conseguiu aproximar-se deste homem e perguntar-lhe como ele está, sem exercer nele este efeito profundamente depressivo?" (Sim.) "Volte atrás em sua história pessoal e recorde-se do que fez no passado, e que funcionou no sentido de obter a resposta que você desejou."

Se Beth conseguir encontrar um exemplo de ocasião passada em que teve êxito para conseguir transmitir a mensagem por ela pretendida, então irei pedir-lhe que a execute aqui e que observe se ela dá certo ou não.

Beth estende a mão à frente, toca Tom delicadamente e pergunta com suavidade: "Como vai?" Tom responde positivamente.

Neste caso, a coisa funcionou bem. Se ela não conseguir encontrar, em sua história pessoal, um exemplo que dê certo, posso fazê-la pensar numa mulher que ela respeite e pedir-lhe que me diga como essa mulher faz a mesma coisa. Ela pode usar a mulher como modelo, tentando seu comportamento.

Se eu não conseguir encontrar com facilidade uma nova resposta, dentro da experiência de Beth, então irei obtê-la em Tom. Volto-me para Tom e digo: "Alguma vez você recebeu a mensagem 'Olá, como vai você?' e a entendeu simplesmente como mensagem de interesse e cuidado?"

Tom: Sim.

Seria possível você demonstrar para Beth exatamente de que modo essa mensagem foi dada, para que ela saiba com exatidão como transmitir a mensagem que se comprometeu a lhe passar.

Tom: Bem, ela chegou perto de mim, pôs a mão em meu ombro desse jeito e...

Bom, obrigado. Portanto, agora eu faço Beth tentar isso e me sento de novo para observar e certifico-me de que funciona.

Se não der certo, posso pedir que Tom indique especificamente o que ela poderia fazer de diferente em seu comportamento para que este se torne eficiente, ou então pedir a Tom que retome seu passado e ali procure algum outro comportamento que funcionou. Certo, então. Obrigado a vocês, Beth e Tom.

Homem: Este exemplo não parece muito realista. Não me parece provável que Tom ficaria deprimido quando tudo o que Beth fez foi dizer: "Olá, como está?"

Realmente, com casais de verdade é muito diferente; aquilo que parece um comportamento inócuo desencadeia uma resposta intensa. O estímulo pode não ser óbvio mas a resposta de Tom *é* óbvia e me permite saber que algo significativo está acontecendo. Pode ser que o tom de voz de Beth ou o modo como ela relanceia seu olhar para Tom esteja associado a outras experiências em seu passado sobre as quais nada sei.

O estímulo que elicia uma resposta desagradável em alguém pode ser difícil de detectarmos porque parece trivial ou inócuo. Certa vez trabalhei com um adolescente esquizofrênico e sua mãe. O que para mim era observável consistia somente em que, toda vez que o filho começava a desorganizar-se, no momento anterior a mãe tinha apontado para o braço dela. Acabou surgindo que a mãe sobrevivera aos campos de concentração nazistas. Toda vez que a mãe desejava uma determinada resposta de seu filho, ela apontava para a parte do braço dela onde o número de identificação tinha sido tatuado. Não sei como ela consolidara essa âncora para que tivesse um tal impacto sobre seu filho, mas era algo tão rápido quanto o reflexo patelar. O garoto começava imediatamente a comportar-se de modo psicótico, mas o estímulo era tal que a maioria das pessoas não o teria notado.

Quando vocês usarem este formato, estarão assumindo que as pessoas querem comunicar-se de tal modo que obtêm o que desejam *e* que querem respeitar a integridade e os interesses das demais pessoas envolvidas. Esse pressuposto pode não ser verdadeiro, mas é um pressuposto operacional muito útil porque lhes dá algo que fazer dotado de muita eficiência. Se vocês assumirem esse pressuposto, é sempre possível descobrir uma outra solução — não um acordo — que satisfaça a ambas as partes.

Toda vez que existir uma diferença entre a mensagem pretendida e a resposta eliciada, é primeiro preciso treinar a pessoa que enviou a mensagem no sentido de reconhecer que não obteve a resposta por ela pretendida. Vocês deixam muito claro à pessoa que a intenção de sua mensagem era diferente da resposta recebida. "Que resposta sua comunicação eliciou? Descreva-a. Você percebeu que a recebeu? Bom." Isto forma uma estratégia perceptiva dentro da pessoa que enviou originalmente a mensagem e torna-a muito mais sensível às respostas que está recebendo. A próxima pergunta: "Esta resposta é a que você queria? É isso que você tinha em mente?" No setor das comunicações ineficazes ainda não me deparei com algo que fosse a resposta pretendida. A seguir, vocês treinam o emissor da mensagem para que reúna informações úteis à variação de seu comportamento, a fim de chegar à resposta que deseja.

Este é o formato mais simples para a resignificação de casais. Quero que todos vocês o exercitem, em grupos de quatro, usando o seguinte esboço. Dois farão os papéis de um casal com uma interação problemática. Um será o programador e a quarta pessoa será a meta-pessoa que irá acompanhá-los no processo, apresentando *feedback* para o programador.

Esboço

1. Identifique e interrompa um laço estímulo-resposta (X → Y).
2. Pergunte à pessoa que deu a resposta:
    a) "Estes sentimentos e sensações (Y) são familiares?"
    b) "Qual é a mensagem que você recebe quando a pessoa faz X?"
3. Pergunte à pessoa-estímulo:
    a) "É (Y) o que você pretendia fazendo X?"
    b) "Qual era sua intenção?"
4. Pergunte à pessoa-estímulo: "Você se compromete a obter a transmissão de sua mensagem?"
5. Descubra uma maneira de fazer com que a mensagem recebida se iguale à mensagem pretendida:
    a) Descubra-a na experiência da pessoa-estímulo. "Alguma vez você já obteve a resposta que deseja? O que foi que você fez então?"
    b) Descubra-a na experiência da pessoa-resposta. "Que comportamento funcionaria para obter de você essa resposta?"
    c) Escolha um modelo, ou finja que você sabe como obter aquela resposta.
6. Faça com que a pessoa-estímulo experimente o novo comportamento para descobrir se funciona satisfatoriamente.

Agora que vocês todos já tiveram um pouco de experiência com o uso deste formato simples, gostaria de demonstrar algumas variações. Façamos um outro *role-playing*. Rita e Joe, façam este para mim. Começa assim: Rita, quero que você ataque verbalmente Joe. Joe, você responde ficando mal.

Rita: "Verme!" (Joe se enrijece.)

Eu interrompo este laço e ancoro a resposta de Joe. Pergunto: "Ei, esses sentimentos e sensações são familiares, Joe?" (Sim.) "Certo, que mensagem você recebeu?"

165

Joe: Ela está zangada comigo.

Rita, você tinha a intenção de fazê-lo saber que está zangada?

Rita: Exatamente!

Portanto, desta vez, a mensagem recebida é a mensagem pretendida. Eu digo: "Muito bem feito, parabéns, vocês estão se comunicando com muita eficiência." Isto valida a eficácia de suas comunicações e intenções, pelo menos no nível em que as estão descrevendo comigo. Contudo, ambos estão em estados desagradáveis e provavelmente esses estados não são úteis para se chegar a uma solução satisfatória para suas dificuldades.

Uma vez que a mensagem recebida é a mesma que a mensagem pretendida, mas não é satisfatória, preciso usar uma variação do formato anterior. Posso descobrir a "meta-mensagem" de Rita e adquirir mais flexibilidade. "Rita, o que adianta fazê-lo saber que você está zangada? O que é que você está tentando conseguir com isso?"

Rita: Quero que ele me ouça realmente, que me dê atenção.

Certo. E que lhe adianta fazer com que ele preste atenção em você?

Rita: Então sinto que ele se importa comigo.

Certo. Portanto, quando você levanta a voz e começa a gritar, está dizendo: "Droga! Estou zangada porque você não está prestando atenção. Se estamos num relacionamento como este, quero que você preste atenção em mim porque quero saber que você se importa."

Portanto, Joe, isto pode parecer muito contraditório para você, especialmente se você sente todas essas coisas desagradáveis, mas o que ela está tentando dizer é: "Ei, demonstre para mim que você se importa, prestando atenção, porque para mim faz diferença." Está interessado nessa mensagem?

Joe: Sim.

Rita, você está comprometida com a idéia de transmitir sua mensagem, certo?

Rita: Sim.

Agora eu simplesmente passo à busca de comportamentos alternativos que sejam apropriados e aceitáveis para os dois.

Vocês podem usar esta variação toda vez que a mensagem pretendida não produzir resultados produtivos. E daí, se Joe fica a par de que Rita está fula de raiva? Isso, em si, não é provável que conclua esta interação de maneira satisfatória para nenhum dos dois. Portanto, pergunto: "O que é que lhe adianta fazê-lo saber que você está com raiva?" "O que é que você consegue com isso?" "Você fica satisfeita se a coisa parar por aqui ou haverá algum outro objetivo que você está procurando atingir?" E Rita encontrará outro objetivo. Se no começo ela não sabia que o tinha, então irá inventar um que seja mais proveitoso.

Observem que, quando eu faço tais perguntas, obtenho o resultado do resultado, ou a intenção da intenção. Talvez eu precise repetir essa pergunta quatro ou cinco vezes, até encontrar um resultado que interesse *aos dois*. Estou realmente procurando uma mensagem ou resultado que atraia efetivamente o interesse dos dois em alcançá-lo. Quando eu o tiver descoberto, terei feito mais ou menos 75% do trabalho de negociações. Assim que eu tiver montado um referencial para resultado com o qual os dois concordem congruentemente, é só uma questão de variar seus comportamentos até que eles encontrem uma maneira específica de lá chegarem juntos.

Certo. Rita, aqui, quer enviar a mensagem: "Quero que você demonstre que se importa", e Joe está interessado em recebê-la. Agora estou no momento de escolha. Posso conseguir tanto dela quanto dele um comportamento alternativo. Se eu usar Rita para criar um novo comportamento, posso perguntar a ela: "Rita, em todo esse tempo que estão juntos, você se lembra de alguma vez em que foi capaz de conseguir esse tipo de atenção e cuidado que quer de Joe e que atualmente você não está recebendo? Você se lembra de ter sido algum dia capaz de fazê-lo?" Isto é o mesmo que o passo quatro da resignificação em seis passos: criar alternativas. Ela agora procura em sua história pessoal e encotnra uma ocasião em que conseguiu fazê-lo com êxito. "Veja-se fazendo isto muito claramente; ouça como o faz, etc. Depois de ter visto e ouvido detalhadamente o que você fez, experimente tal comportamento com Joe e iremos verificar se funciona aqui e agora."

Se Rita disser: "Nunca consegui fazê-lo do jeito que quero", peço que crie um modelo. "Quem recebe a atenção e o cuidado de Joe? O que é que essa pessoa faz? Agora você experimenta o que ela faz."

Posso inclusive dizer: "Bom, invente. Finja que você sabe como e experimente." Se eu tiver alguma idéia, posso instruí-la. "Por que você não experimenta X, Y e Z, da seguinte maneira?" Todos estes são métodos para fazê-la gerar novos trechos de comportamento e depois testá-los bem na situação, para ter certeza de que funcionam: de que a mensagem pretendida iguala-se à mensagem recebida.

A vantagem específica que há em se fazer com que Rita busque, em sua própria história pessoal, uma forma de gerar novos comportamentos é que se fica sabendo então que deu certo no passado e que é congruente com o estilo pessoal dela. Se vocês sugerirem alguma coisa, será congruente com *seu* estilo pessoal, mas pode ser que seja ou que não seja compatível com o estilo do cliente.

Janet: Quando Rita pensa num novo comportamento, você o ancora?

Não preciso fazê-lo, mas geralmente, em seminários, eu "exagero". Todas as oportunidades que tenho para usar uma outra âncora, uso-a. Janet sugeriu que eu poderia usar esta aqui e ela está absolutamente certa. Enquanto Rita procura e encontra um exemplo, posso ancorá-lo e depois dizer: "Certo, agora vamos experimentá-lo." Mantenho a âncora para estabilizar o estado no qual ela gerou o comportamento que antes deu certo.

A outra possibilidade é valer-me de Joe como recurso criativo para encontrar maneiras alternativas de levar Rita a satisfazer sua intenção. Em qualquer dos casos, é muito importante obter primeiro um compromisso de sua parte no sentido de que o que ela quer é importante o suficiente para ela estar disposta a alterar seu comportamento a fim de consegui-lo.

"Rita, você está falando a sério sobre realmente transmitir essa mensagem? Você quer mesmo a atenção dele? Isto é importante para você?" (Sim.) É muito importante observar se o tom de sua voz e os comportamentos análogos são realmente congruentes. Neste caso, temos um compromisso realmente congruente da parte dela.

Rita, sei que você está realmente decidida a esse respeito. É algo muito importante para você como mulher. Então, Rita, seria isto importante o *suficiente* para que você estivesse disposta a modificar seu comportamento, a fim de conseguir a resposta que você deseja? (Sim.)

Agora, volto-me para Joe e digo: "E entendo que isto seja um elogio para você, Joe. Ela quer mesmo a sua atenção. Agora você sabe qual é a intenção que a anima. Ela está dizendo: 'Joe, quero sua atenção!' Você entende isso? Isto não é a mensagem que você recebeu antes, mas agora você pode compreender o que ela pretende. A questão é: você poderia instruí-la quanto ao que ela poderia especificamente fazer para que você pudesse reconhecer e responder à *intenção* dela? O que é que ela pode fazer para chamar sua atenção de maneira positiva? Pense em algum momento do passado em que ela tenha feito algo que lhe deu vontade de prestar atenção nela. O que foi que ela fez então?"

Agora, levo-o a especificar o comportamento dela para que se coadune com o que ele será capaz de reconhecer e responder. Rita já está comprometida a ajustar adequadamente seu comportamento. Ela está comprometida a ser instruída por ele no sentido de aprender como obter a atenção desejada. Quem melhor do que ele mesmo sabe como se obter a atenção dele?

Quero assinalar que esta *seqüência* é muito importante. Preciso *primeiro* conseguir o comprometimento dela. Se eu não fizer isso, ela provavelmente levantará uma montanha de objeções a qualquer mudança que ele sugira: "Ele está me controlando. Ele simplesmente quer ficar no controle." Primeiro, preciso obter dela o compromisso de que seus desejos são importantes — *tão* importantes que ela fica disposta a mudar seu próprio comportamento a fim de satisfazer a ambos. Isto enquadra as mudanças em termos dos desejos *dela*, de tal sorte que ela estará disposta a ceder às mudanças. Para ele, posso enquadrar diversamente a situação. Dir-lhe-ei que suas respostas são importantes para ela — *tão* importantes que ela se dispõe a ajustar seu próprio comportamento para que lhe seja fácil responder do modo como ela o deseja.

Mulher: Poderia dizer mais alguma coisa a respeito da seqüência? Creio que é uma coisa extremamente importante e quero saber mais a respeito.

Somos gente da sintática. Se vocês fossem nos descrever dentro de alguma espécie de academicismo, é isto que seríamos. Sintaxe significa "o que vai onde e em que ordem". O que torna a dissociação visual-cinestésica uma maneira tão boa de trabalhar com fobias é sua ordem. Um certo homem a quem a ensinamos decidiu usá-la "criativamente" porque não queria ser um andróide. Portanto, ele primeiro fazia as pessoas reviverem completamente o trauma e *depois* fazia-os dissociarem. Se vocês fazem a coisa nessa ordem, a pessoa tem que enfrentar muita dor e isto torna o procedimento difícil. Se primeiro se fizer a dissociação e *depois* viver a experiência, os clientes não terão que passar pelo desconforto, o que torna o trabalho muito mais fácil e elegante. O que torna tão rápida a eficiência da PNL é que tomamos decisões muito práticas a respeito da ordem em que fazemos as coisas, ao invés de dizer: "Oh, eu poderia fazer X!" e apressar-se para fazê-lo.

Todos os livros que já publicamos dizem *"Reúnam informações!... Elaborem o sistema... Consolidem a mudança."* Este é o modelo geral. A ênfase recai sobre reunir informações porque é a parte que praticamente todo mundo deixa de lado. A maioria dos comunicadores entra em seu transe de fazer aquilo que fazem e quando entra alguém eles simplesmente põem sua técnica em ação. Muitas vezes, a mesma técnica *daria* certo se eles primeiro tivessem feito alguma outra coisa.

Mulher: Foi por isso que fiz a pergunta. Digamos que você tem informações. Como é que você decide o que fazer e em que seqüência fazê-lo? O que se passa em sua cabeça antes de você começar a fazer alguma coisa?

Bem, eu me pergunto uma coisa. Volto-me para mim mesmo e digo: "Ei, eu aí dentro. Qual é o resultado que quero; como posso chegar até ele?" Trabalho de trás para frente, a partir do resultado.

169

Por exemplo: trabalhei com uma família em que a mãe era uma profissional em ajudar pessoas. Ela *sabia* o que era bom para sua filha porque era uma especialista. Sua filha estava dizendo: "Cai fora do meu caso!". A mãe dizia: "Olhem, sou a única pessoa desta família qualificada para saber dessas coisas. Muito embora minha filha não me ouça e esteja tendo crises histéricas, eu sei o que é melhor para ela." Bem, uma forma de fazer alguma mudança seria atacar sua crença de que sabe mais que todo mundo. Porém, isso seria o caminho mais difícil. Se vocês o adotarem, terão que lutar com a mulher.

Meu resultado a ser atingido: fazê-los comunicarem-se novamente. Portanto, disse para a mãe: "Você realmente crê nisso? Quero dizer, seriamente, não de modo sarcástico em absoluto. Você *realmente* acredita que tem boas informações que sejam úteis para sua filha?" e a mãe disse: *"Certamente!"*

"Quero acreditar nisto porque, se você está falando a sério e não simplesmente dizendo por dizer, eu sei de uma coisa realmente útil que podemos fazer aqui. Você está mesmo falando a sério?"

"Certamente. Estou sendo literal. Sou uma pessoa muito honesta."

"Certo. Agora, se eu puder encontrar uma forma de você se comunicar com ela e passar-lhe esta informação, sem que ela tenha uma crise histérica, ela obterá a informação. Seria possível a você utilizar uma maneira diferente de comunicar-se, mesmo que não seja sua forma natural de fazê-lo? A informação que você tem para dar a ela é *importante o suficiente* para que você se disponha a fazer algo assim?"

"Certamente."

Naquele momento ela era minha presa, não podia mais voltar atrás. As realidades que eu construíra eram congruentes com o sistema de crença da mãe.

Depois virei-me para a filha e perguntei-lhe: "De que maneira sua mãe tem que falar com você para que você realmente a ouça e leve em consideração aquilo que ela diz? Talvez você não queira fazer o que sua mãe deseja, mas pelo menos você estará em condições de ouvir o que ela tem para lhe dizer." A filha apresentou um sorriso à toa e disse: "Bem, ela teria que me tratar como gente."

"De que maneira ela a está tratando — como a um lápis?" Essa foi uma maneira de fazê-la especificar o que queria dizer com "ser tratada como gente". Se você apresenta uma resposta que sabe ser completamente errada, a pessoa terá que corrigi-la.

"Bom, ela não ficaria gritando, não ficaria..."

"Não, não. Não quero saber o que ela *não* iria fazer. O que é que ela *iria* fazer? Qual seria sua aparência? Qual seria o som de sua manifestação?"

Em seguida, a filha demonstrou um tom particular de voz que queria que a mãe usasse e eu disse: "Certo, vamos tentar. E se não der certo, você sabe o que isto vai significar? Que você é uma mentirosa e que sua mãe tem razão quando diz que você não a ouve!"

Então virei-me para a mãe e disse: "Escolha uma das coisas que você considera importante sua filha saber e tente dizer-lhe do modo como ela o demonstrou." Após umas duas sentenças, interrompi e perguntei à filha: "Ela está dizendo do jeito que você quer?"

"Bem, a voz dela ainda está um pouquinho choramingueira." Então, ajudamos a mãe a ajustar sua voz e ela começou de novo. A filha estava lá sentada, ouvindo e então disse: "Vou fazer isso." A mãe ficou *chocada*! "Você *vai*?" Anteriormente, a filha, na maior parte do tempo, não tinha sequer escutado o que a mãe estivera dizendo porque reagia ao tom da voz dela.

O importante é que, dentro do contexto por mim criado, não havia meios de nenhuma das duas responder de alguma outra maneira. A filha não ia deixar que a mãe tivesse razão não escutando-a. E a mãe certamente não iria dizer: "Estas coisas *são* importantes mas não o suficiente para que eu mude o tom de minha voz" — não depois de ter jurado sobre uma pilha de Bíblias que transmitir a informação era a coisa mais importante do mundo. Ter ido em busca de sua *disposição* para se comunicarem *antes* de ir em busca da reestruturação na comunicação foi uma escolha sintática *muito* importante. Fazê-lo numa outra ordem iria criar conflito. Vocês, com o modelo dos seis passos, fazem o mesmo: pedem à parte o consentimento para se comunicar e determinar a intenção da mesma, antes de partirem para as modificações na conduta.

A pergunta central é: "O que é que tornará possível a mim efetuar as modificações que desejo?" "Qual é o pré-requisito da mudança que quero?" Se vocês partem direto para as mudanças em si, irão acontecer duas coisas que não são proveitosas. Uma, vai ser como cavar trincheiras. Vai ser um trabalho pesado porque vocês terão que lutar contra as partes da pessoa. Outra, se vocês partirem muito incisivamente para a mudança, poderão interferir com as estratégias da pessoa.

Teri é um bom exemplo desta possível interferência. Digamos que eu sou um terapeuta bem-intencionado com um sistema de crença que afirmava: "Todo mundo tem que ter uma forma de ser capaz de gerar experiência." Portanto, quando eu digo: "Agora é hora de todo mundo mentir de modo congruente", ao invés de deixar Teri sair da sala, eu diria: "Você tem que ficar e aprender isto!"

Se eu fizesse isso, iria criar confusão em suas estratégias e deixá-la louca. Ela ficaria sentada ali dizendo: "Se eu fizer isso, vou ficar louca!" e sua queixa seria *completamente exata*. Face às estratégias que ela tem, isso seria absolutamente verdadeiro. Portanto, em seu caso, tive que descobrir quais pré-requisitos tornar-lhe-iam possível fazer o que eu lhe pedira.

Vale o mesmo para a rígida mamãe-sabe-tudo de quem falamos, ou para o sujeito com um sistema de crença segundo o qual todas as mulheres pretendem controlá-lo. Vale o mesmo para todas as mudanças que vocês fizerem. Quero saber a *seqüência apropriada* para ir em busca do que quero, ao invés de decidir que sou tão sabe-tudo que sei o caminho certo para chegar lá. Existe uma elegância na forma como as pessoas objetam. No que me diz respeito, as objeções delas são *sempre* válidas e informam vocês exatamente do que precisam saber. Existem perigos reais para seus clientes, no caso de suas objeções serem ignoradas. Se vocês não conseguem comunicar uma idéia para outra pessoa, é por causa do modo como está organizada. O modo como a pessoa está estruturada neste exato momento não lhe permite fazer determinadas coisas, *a menos que* antes vocês façam outras coisas.

Assim que delineio bem nitidamente um resultado a atingir, sempre dou uns passos atrás perguntando: "O que possibilitaria a ele cair direitinho nessa?". Se eu experimento alguma coisa que não dá certo, sempre retomo o processo e pergunto; "Bem, se a pessoa não conseguiu fazer isso, o que então será verdade?". Quando respondo a esta pergunta, tenho mais informações para prosseguir.

Mulher: Tenho visto um grande número de casais para quem o resultado da mulher, aquilo que ela quer, é perturbadoramente agravante para o marido. De que maneira você enfrenta isso?

Em geral, o pomo da discórdia é mais um comportamento específico do que o resultado. Se o resultado é passível de objeções, então passa-se para os *meta*-resultados. Descobre-se qual é a intenção que está por trás da intenção que ela acabou de mencionar. Rita, o que significa para você receber a atenção dele?

Rita: Faz com que eu me sinta bem, como uma mulher desejável.

Bom. Que outras maneiras você tem para sentir-se bem e desejável?

Mulher: Digamos que sua intenção é desejar receber a atenção dele e ele diz que o modo como isso poderia acontecer é realizando sexo de maneira estranha, fazendo coisas que ela não se dispõe a fazer.

Primeiro quero assinalar que isto é um exemplo do comportamento específico que para ela é inaceitável, não o resultado. Se isto acontecer, posso lhe dizer: "De que outra forma você conseguiria receber sua atenção? Que outras maneiras você poderia usar?"

Mulher: Não tenho tido muito êxito com a descoberta de outras formas.

Certo. Então tente a resignificação. "Você conseguiria pensar numa meia dúzia de mulheres que parecem ser capazes de obter a atenção dos maridos e prestar atenção nas maneiras — públicas, pelo menos — com que parecem bem-sucedidas nesse sentido?" Se ela não conhecer mulheres assim, mande-a embora para procurar.

Uma outra alternativa é induzir um transe profundo para usar uma técnica denominada "pseudo-orientação no tempo". Você a faz viver três meses à frente, no futuro. "Lembra-se de três meses atrás, quando você e eu nos encontramos pela primeira vez? Eu estava assim falando com uma mulher na mesma posição que você estava há três meses atrás, e eu lembrei de como você não conseguia de jeito nenhum fazer com que seu marido prestasse atenção em você, exceto com atividades sexuais bizarras, inaceitáveis. Uma vez que eram inaceitáveis a você, tanto moral quanto eticamente, lembro-me de que você criou algumas alternativas tão eficientes que chegaram a surpreendê-lo tanto quanto surpreenderam você. Mas não consigo recordar-me exatamente quais eram elas. Você se importaria de descrevê-las em detalhes agora?"

Existem muitas alternativas, naquele momento de escolha, mas é preciso que respeitemos a ecologia do sistema. Vocês também poderiam descobrir se seria possível tornar as práticas sexuais bizarras algo aceitável para ela. "Se você entrasse nessas atividades sexuais bizarras, o que seria inaceitável como conseqüência, de seu ponto de vista?" Pode ser que se possa lidar com as objeções que ela levanta. Existem muitas maneiras de se poder fazer uma mudança satisfatória. É preciso respeitar tanto a integridade dele quanto a dela, descobrir a intenção de ambos em suas comunicações e descobrir maneiras eficientes para que fiquem juntos.

Mulher: Certo. Pensei que você estava agindo no sentido de descobrir as intenção *dele*, de descobrir o que *ele* conseguia com as atividades sexuais bizarras.

Você também pode ir por esse caminho. (Volta-se para Joe.) "Se ela topasse estas atividades sexuais bizarras, o que é que elas lhe dariam de bom?"

Joe: Fariam sentir excitação e intensidade.

Certo. Há alguma outra forma de sexo que você já tenha praticado e que lhe tenha permitido sentir-se excitado de modo igualmente intenso?

Joe: No começo de nosso relacionamento eu me sentia desse modo.

Então, nesse momento, eu poderia captar o que foram tais experiências e qual era a diferença entre elas e as que estão acontecendo no momento.

Vocês podem ir em busca de seu objetivo com um ou com ambos os elementos do casal. Pensem aqui no modelo básico de resignificação. Existe um desequilíbrio entre o consciente e o inconsciente, de modo que se pode sempre ir atrás do inconsciente para se ter flexibilidade para novas escolhas. Quando vocês estiverem fazendo resignificação entre pessoas, podem pressupor que são igualmente flexíveis. Nesse caso, podem ir em qualquer direção, em qualquer momento. Quando ele faz a ela uma exigência à qual ela se recusa, vocês podem descobrir o que é que isso traria para ele, ou podem descobrir o que é que a recusa irá trazer para ela.

Já me deparei com casos em que o homem quer se envolver em mais comportamentos sexuais. Ele não está satisfeito com a vida sexual do casal. Ela também não está satisfeita com o comportamento sexual deles, mas está recusando-o com o objetivo de alcançar uma outra coisa. Por exemplo, se ela se tornasse sexualmente responsiva a ele, acha que isso significaria que ele a estaria dominando em todos os aspectos da vida dela. Ela se torna sexualmente não-responsiva, a fim de afirmar sua autonomia. Já vi a coisa acontecer do outro lado também. O marido às vezes está na mesma posição. A proteção da autonomia é o resultado ou o que geralmente se chama de "ganho secundário".

A pergunta agora se torna: "Ela consegue encontrar *outros* modos de comportar-se que assegurem que ela tenha sua autonomia e independência e que mereça o respeito dele?". Quando ela os tiver, então poderá permitir o que os dois desejam, ou seja, mais satisfação de seu comportamento sexual. A fim de fazer isso, vocês precisam separar a noção de independência e autonomia da mulher, do comportamento sexual em si. Ela tem que contar com alguma outra forma de saber que é senhora de si e pode exercer seu direito de escolha que é, pelo menos para ela, tão pessoalmente convincente quanto ser irresponsiva sexualmente. Assim que ela estiver nesse ponto, vocês destacaram o resultado "independência ou autonomia" do comportamento específico "ser sexualmente irresponsiva". Se ela quer mais atividade sexual e ele também, então estarão livres para envolver-se na mesma, enquanto a autonomia dela continuará preservada.

Vocês terão liberdade de mover-se pelo comportamento sempre que se orientarem pelo contexto, pelo enquadre, pelo resultado. Se forem direto em cima do comportamento, ele poderá ser ecologicamente destituído de bases para eles, enquanto casal. Primeiro obtenho a intenção e a valido de modo que ambos concordem com a mesma; *depois*, posso começar a variar o comportamento.

Deivem-me dar-lhes um outro exemplo. Digamos que um pai acabou de dizer à filha: "Se você não me escutar e não chegar em casa às dez horas da noite, vai ficar de castigo uma semana e blá, blá, blá..."

"Sam, você reparou no que acontecia enquanto você falava estas coisas para sua filha?" "Martha, como é que você estava se sentindo naquele momento?"

"Ora, senti-me como uma garotinha, entende, que precisa que lhe digam tudo que tem que fazer, e blá, blá, blá."

"Bem, Sam, era essa a sua intenção, passar para Martha a mensagem de que ela é ainda uma menininha e que você tem que controlar a vida dela por completo, com punho de ferro?"

"Bem, não. Não era isso que eu pretendia."

"Qual era a sua intenção?"

"Bem, eu me importo. Não quero que ela fique por aí com cafajestes. Não a quero por aí pelas ruas. Há drogas em toda parte. Quero que ela fique em casa, segura. Ela é minha menina e quero ter certeza de que tenha o tipo de experiências que precisa para crescer do modo como eu quero que ela cresça." A filha diz: "Mas a vida é *minha!*"

"Certo, Sam. Isso é parte daquela imagem que você tem de sua filha crescendo para ser independente? Você quer que ela seja uma mulher que sabe onde tem a própria cabeça, que pode sustentar-se sobre seus pés e tomar decisões sozinha, baseando-se nas realidades do mundo? Ou quer que ela seja empurrada de um lado para o outro pelas opiniões dos outros?"

O que fiz com isto foi relacionar sua queixa a respeito da filha — que ela não faz o que ele lhe diz que faça — ao resultado final de desejar vê-la crescer para ser independente.

Mulher: É como ter lentes intercambiáveis numa câmara: você só pôs uma grande angular para que o enquadre fique maior.

Certo, eis aí uma bela metáfora visual para a resignificação. Um comportamento que, isolado, parece ser um problema, ou inapropriado, faz sentido quando situado num contexto maior. Isto é realmente um exemplo de uma resignificação de contexto. Eu desloco o comportamento do qual o pai se queixa, para o contexto do crescimento da filha e de sua progressiva independência.

A investigação das intenções do pai desentrava os caminhos que ele pode adotar para expressar a mensagem que pretendia transmitir originalmente. "Lembre-se, esteja aqui de volta às dez" não é a mensagem recebida. De que outro modo ele poderia transmitir a ela a mensagem de que a deseja protegida e, não obstante, permitir-lhe crescer para ser independente? De que modo poderia ele ser assegurado — de um modo que não ofenda sua filha — de que ela está crescendo adequadamente? O comportamento específico "chegar em casa às dez" pode ser totalmente irrelevante para conquistar isso.

Este é o mesmo tipo de situação de negociação que se tem com uma dupla de executivos de uma organização, os quais discordam de como atingir um objetivo em particular. Primeiro devem ser recordados do enquadre geral comum no qual estão funcionando e com o qual ambos concordam. Por exemplo, são lembrados de que quaisquer políticas específicas que cheguem eventualmente a adotar têm por objetivo aumentar os lucros e manter ou melhorar a qualidade dos serviços ou produtos que oferecem. Entraremos na aplicação para os negócios com maiores detalhes, no final da manhã.

Mulher: Se você não especificou com exatidão o enquadre geral — qual é a intenção positiva — obterá uma resposta de polaridade retardada?

Sim, de maneira típica. Toda vez que se lida com conteúdo, corre-se o risco de ele não ser apropriado para as pessoas. Mesmo se o conteúdo não for apropriado, pode-se obter acordo no momento, com base no vínculo e no poder pessoal. Mas, posteriormente virá o ricochete, um ato de polaridade.

Existem três maneiras de se evitar isso. Uma é usar um processo puro de resignificação com o modelo de seis passos, no qual não haja oportunidade de impor qualquer conteúdo inadequado.

Outra é usar tempo para reunir muitas informações. "Bem, o que é que você pretende especificamente fazer exigindo com essa veemência que ela esteja de volta às dez?" "Bem, quero..." e então você tem um conjunto qualquer de palavras que são as apropriadas para aquele ser humano peculiar e específico. Então, se você usar o *mesmo* conjunto de nominalizações, expressões e verbos inespecíficos para descrever o novo caminho que ele deverá adotar para transmitir a informação, estará acompanhando o que ele tenta fazer a nível inconsciente, bem como a nível consciente. Isso evitará o problema da polaridade.

O terceiro e realmente indispensável caminho, para ter certeza de que sua resignificação é apropriada, é contar com experiência sensorial suficiente para observar as respostas que você está obtendo e verificar se seu cliente está respondendo congruentemente.

Homem: Até aqui você mencionou exemplos de incongruência entre a intenção e o comportamento. Alguma vez você teve um caso em que o casal está com conflito de relacionamento porque ambos têm intenções diferentes? Ele quer mais e ela quer menos da mesma coisa.

Se existir uma base para negociações, sempre haverá um enquadre dentro do qual ambos podem concordar com um resultado comum. Dê-me um exemplo do que você considera uma situação em que provavelmente não existe um enquadre comum.

Homem: Ela quer a monogamia e ele não.

Certo. Vamos para o *role-playing*. Jean, você quer um relacionamento sexual exclusivo com ele e George não está disposto a comprometer-se com isso. Primeiro eu peço um meta-resultado do que cada um deseja. Pergunto a Jean: "Qual é sua intenção ao exigir uma exclusividade monogâmica sexual com este sujeito? O que é que isso lhe trará?"

Jean: Oh, me dará uma sensação de segurança, provando que sou a mulher mais desejável para este homem.

A seguir, descubro o meta-resultado de George. "Em que se baseia sua recusa de ser monogâmico? O que lhe trará não ser monogâmico e envolver-se com outras mulheres?"

George: Faz-me sentir que ainda sou desejável para outras mulheres e isso faz-me sentir importante.

Toda vez que lhes faço uma pergunta para resultado, descongestiono o contexto em que o comportamento ocorre. Isso me dá mais liberdade para movimento. George provavelmente não objetará à sensação de segurança de Jean e ela não oporá obstáculos a ele sentir-se importante e desejável. Os dois estão objetando ao comportamento específico, não ao resultado.

A seguir, uso esta informação para formular um resultado comum com o qual ambos possam concordar. "Portanto, estou certo quando digo que ambos gostariam de encontrar algum acordo mutuamente interessante, por meio do qual Jean possa ter um senso de segurança e de ser desejável e George possa também sentir-se importante e desejável."

Se tanto Jean quanto George concordarem com isso, consegui um acordo comum para enquadrá-los e a partir do qual dar início às negociações. Agora posso trabalhar no sentido de encontrar uma solução específica. Posso perguntar a Jean: "Quais são as outras maneiras pelas quais ele poderia sem sombra de dúvida demonstrar-lhe que você tem este tipo de segurança que você deseja?" E posso perguntar a George: "Que outras maneiras existem de você sentir-se desejável e importante?"

Homem: Suponha que ela diga: "Não, este é o único meio" e que ele também diga que aquela é a única maneira.

Duvido. Acredito que sempre exista alguma outra coisa atrás do comportamento e outras maneiras de chegar a isso. Mas, se os dois acreditarem firmemente que não há alternativas, irei pesquisar o enquadre em torno de nossa interação.

"Olhem, não estou percebendo nenhuma base para negociações neste exato momento. Existe alguma base para que vocês dois continuem juntos? Vamos ser explícitos a este respeito. Não quero perder o meu tempo, e não quero que vocês percam seu tempo e dinheiro. Vocês estão interessados em dedicar um certo tempo e uma certa energia para descobrir se as coisas podem ser modificadas de tal modo que se tornem excitantes e interessantes para os dois voltarem a se unir? Ou já estão comprometidos com alguma outra situação além desta?"

Se não existem intenções positivas que eles estejam dispostos a revelar, pode ser que não haja base alguma para negociações. Suponhamos que ela esteja loucamente apaixonada por um outro sujeito e tendo um romance com ele. É somente uma questão de livrar-se deste chato e partir para a próxima. Isso é o que geralmente se chama de "agenda oculta". Explicitar as bases para uma negociação e para uma resignificação do processo geral irá desfazer agendas ocultas e isso é um favor para todos!

Mulher: Se for este o caso, já que seu compromisso não é mantê-los juntos, não se torna ainda necessário para ela trabalhar com você a separação? Não seria preciso para ela elaborar como deixá-lo e ir com o outro?

Sim, se ela estiver pronta. É preciso ajudar o marido a recuperar aquelas partes de si mesmo que tenha investido no relacionamento com ela.

Desafiar o modelo da negociação é algo que geralmente amedronta e motiva os dois para se esforçarem ainda mais no sentido de encontrarem soluções mutuamente aceitáveis. Depois, pode-se ir buscar resultados ou meta-resultados — o resultado dos resultados.

"Jean, o que é que você ganha sabendo que está segura?" "George, o que é que lhe adianta saber que é atraente para outras fêmeas?" Na realidade, é provável que ambos digam: "Bem, sentiria que tenho valor pessoal a meus próprios olhos, algo que agora não sinto." Aí eu terei conseguido soltar ainda mais o enquadre. A fim de descongestioná-lo, posso partir para resultados, meta-resultados, ou meta-meta-resultados. "Jean, existem outras formas de obter esse valor pessoal?" É típico que, ao se aprofundarem as intenções a esse ponto, existam *muitos* comportamentos que satisfaçam aquela necessidade. Quando se atinge tal nível de generalidade, tem-se que fazer muitos testes de experiência porque, nesse ponto, eles não saberão se os comportamentos alternativos serão aceitáveis.

Uma das primeiras coisas que faço é envolver-nos numa negociação a fim de estabelecer uma moratória de três meses sobre as atividades sexuais, fora deste relacionamento, período em que ele terá uma oportunidade de experimentar alguns dos novos comportamentos que satisfarão as necessidades que ele tem e que a monogamia lhe nega nesse ponto. Isso também dará a ela três meses para envolver todos os recursos de que dispõe para encontrar maneiras pelas quais possa desenvolver segurança para si mesma e neste relacionamento, para que a noção de ele estar envolvido com outra mulher não a ameace do modo como atualmente acontece.

Como mencionamos antes, podemos enviá-los ao mundo em busca de modelos. No caso da esposa, eu pediria: "Você conhece algumas mulheres que respeite realmente, numa relação *não* monógama? De que maneira elas cuidam de seu senso de segurança?" Ao marido, diria: "Você conhece homens a quem respeite e admire de fato, que sejam monógamos e perfeitamente satisfeitos com sua própria desejabilidade? Bom, quero que você fique por perto deles um pouco e descubra como é que eles fazem."

A busca por comportamentos alternativos pode ser levada a cabo internamente com os recursos inconscientes das pessoas e também externamente, usando-se modelos à volta delas. Não tenham receio de passar-lhes lição de casa. Façam com que eles vão ao mundo para encontrar modelos apropriados para serem observados e ouvidos.

Mulher: Você disse que se existe uma base para negociação, então sempre existe um enquadre dentro do qual é possível uma mudança.

Estas duas coisas são sinônimas. Com enquadre ou base para negociação quero dizer o seguinte: "Existe algum resultado comum com o qual ambos possam concordar? Por exemplo, você está comprometido em ficar com essa mulher? Você está comprometida em ficar com este homem?". Pode ser que este seja o único referencial com o qual os dois concordem e, claro, os dois poderão apresentar condições.

Assim que tiverem os dois concordado com um enquadre de resultado, então pode-se negociar a respeito de como atingi-lo. "George, existe um conjunto de comportamentos que satisfaça suas necessidades e ainda faça parte do enquadre: ficar com esta mulher." "Jean, existem determinados comportamentos que iremos revelar e que lhe permitirão, ao mesmo tempo, ficar com este homem e ainda ter a sensação de segurança que você deseja. Nossa tarefa agora é descobrir quais são estes comportamentos."

Homem: Quando se faz a pergunta do enquadre, e a pessoa responde: "Não sei se quero continuar junto ou não", como é que você prossegue desse ponto em diante?

Então negocio um período experimental para provar novas escolhas. "George, você está disposto a gastar três meses aceitando este limite de ser monógamo, que você considera artificial?" Ou "Jean, você está disposta a passar três meses não aceitando o limite que deseja para sua segurança, a fim de descobrir se existem ou não comportamentos que podem ser descobertos e que a satisfarão nesse referencial?"

Neste ponto, torna-se muito importante ser muito explícito. Toda vez que existe um desentendimento frontal a respeito de determinados trechos de comportamento, dentro do relacionamento, então passem rapidamente para o referencial do resultado e verifiquem se existe algum que seja aceitável. Se existir algum, pode-se prosseguir. Se não existir, pode-se igualmente ser explícito a esse respeito, e poupar o tempo de todo mundo.

Encontrar um resultado comum ou acordo geral entre membros de uma família, num casal, dentro de uma organização, é um passo muito importante que muitos terapeutas e consultores deixam de dar. Em geral, tentam encontrar soluções específicas cedo demais, e aí deparam-se com objeções. Gostaria que vocês fizessem um exercício, no qual a tarefa básica de vocês consiste em encontrar um resultado comum. Se também tiverem tempo para identificar uma solução operacional, ótimo. Façam isto num grupo de quatro. A e B são membros de um casal ou organização. C é o programador. D será a meta-pessoa. Quero que C especifique o contexto — setor comercial ou terapia. A e B então gerarão algum conflito; C, o programador, fará o seguinte:

Exercício de Referencial para Acordo

1. Pergunte a A e B o que desejam especificamente e depois recoloque as mesmas vontades de modo que os satisfaçam, como espelhamento.
2. Pergunte tanto a A quanto a B qual é o benefício daquele resultado específico (seu meta-resultado) e depois recoloque para eles o que disseram.
3. Encontre um resultado comum de tal tipo que, quando você o apresentar, A e B concordem com ele, como aquilo que desejam. "Portanto, o que vocês dois desejam é..."

Quando vocês forem programadores, quero que sejam tão gerais quanto for necessário, a fim de encontrar um resultado com o qual os dois parceiros concordem. Às vezes, o máximo de acordo que obterão será algo como "Portanto, os dois estão aqui a fim de descobrir alguma maneira de continuarem com seu relacionamento para benefício e satisfação dos dois."

Determinar um enquadre de acordo também significa uma maneira de selecionar comportamentos relevantes durante o processo de negociação em si. Isto é particularmente importante nos encontros de negócios e nas negociações comerciais. Falando-se conservadoramente, 80% de todo o tempo gasto com reuniões é tempo jogado fora, porque o que é dito não é relevante para o resultado. É mais ou menos assim: estamos falando sobre a campanha X para o produto Y e Jim diz: "Ah, sabem o que se poderia fazer aqui com o produto Z?". Na realidade, pode ser uma grande idéia. Maravilhosamente criativa e absolutamente *irrelevante* no contexto.

A menos que se detenha o primeiro comentário irrelevante, desencadeia-se uma avalanche de associações livres, mais apropriada ao divã do psiquiatra do que à reunião da diretoria. Depois, vai ser preciso gastar dez minutos para reorientar as pessoas para o referencial dentro do qual estão trabalhando. Se, desde o começo, o referencial do resultado se torna explícito, vocês terão uma base, explícita e de comum acordo, para a escolha do que é relevante e do que não é. Denominamos a isto "desafio da relevância". Quando alguém se torna irrelevante, pode-se dizer: "Jim, não entendi seu comentário quanto ao que já concordamos fazer aqui, nesta reunião. Por que é que você não retoma isto na sexta-feira, na nossa reunião de desenvolvimento de produtos?" Da próxima vez que ele fizer algum comentário irrelevante, direi: "Bem não estou muito seguro de como isto se relaciona com o que estamos fazendo aqui" e aponto para o painel móvel onde está anotada a agenda. Se ele começar alguma outra vez a fazer comentários irrelevantes, é provável que eu só precise dar uma rápida olhada para o painel e isso bastará para ancorá-lo em parar.

Nas companhias em que instalamos esse programa, após umas poucas reuniões, o tempo total para reuniões caiu em cerca de 4/5. As pessoas aguardavam com vontade as reuniões porque os critérios para relevância eram muito explícitos e as coisas eram feitas. O desafio da relevância não faz parte do comportamento organizacional da maior parte das organizações comerciais mas deveria fazer, tendo em vista sua eficiência.

Pode-se ver o mesmo processo, mais nitidamente, numa situação de arbitragem. Há dois grupos, frontalmente opostos, aprisionados juntos e completamente esquecidos do contexto. O referencial do resultado foi absolutamente olvidado e a maior parte de seus comportamentos é irrelevante com respeito a ele. A maioria dos negociadores lhes dirá que são sempre convocados no pior momento possível — frente ao impasse. Pessoalmente, considero-o o *melhor* momento possível, pois todos os temas já foram nitidamente definidos e as diferenças são claramente ventiladas. Sabe-se com exatidão quais as necessidades a serem atendidas.

Minha primeira providência é fazer com que os dois grupos se distanciem e depois eu descongestiono o referencial. Tenho que redeterminar um referencial mais largo para resultados — que é a noção tradicional da base de negociações. Assim que o referencial de resultado estiver determinado, então conto com uma base para desafios de relevância. Posso descartar certas coisas improdutivas, pois os dois lados já se comprometeram publicamente com o referencial do resultado.

Nesse momento, o atrito diminuiu o suficiente para que eu possa encontrar maneiras de equilibrar as duas propostas e criar uma relação de dar-e-receber. Insistirei em que o referencial de resultado contenha aquilo que os dois contendores deveriam ter posto ali, desde o começo: itens não essenciais, "restos" em termos da barganha. Preciso ter uma quantidade igual de ambos, dos dois lados. Preciso criar espaço para primeiro me movimentar. Se eu não tiver espaço de manobra, então estou entalado.

Homem: Às vezes, no meu trabalho, tenho dificuldades em estabelecer um referencial de resultado que seja bastante explícito, com as pessoas. Quando tento, geralmente elas resistem.

Bem, vou dar-lhe meu referencial para estabelecer um referencial: "Olhem, sou um profissional. Recuso-me a adotar aqui comportamentos aleatórios. Tenho determinados critérios para meu próprio desempenho e enquanto não soubermos se existe alguma base para podermos prosseguir aqui, não estou disposto a gastar meu tempo e esforço." Só fiz esse desafio uma vez, quando um homem disse: "Bem, não vou fazer nada disso!" e eu disse "Ótimo, Adeus." Reservo-me o direito de cair fora de qualquer transação, inclusive de transações psicoterapêuticas.

A propósito, se há alguma categoria de cliente com o qual vocês tenham dificuldade, então vão em busca deles. Trabalhar com eles dará a vocês a oportunidade de desenvolver a própria flexibilidade. No entanto, assim que vocês houverem demonstrado para sua satisfação pessoal que são competentes para lidar com esse tipo de cliente, e se ainda não gostarem dele, não o assumam. O profissional deve ter a opção de entrar ou não numa transação comercial, baseando-se em seus próprios critérios pessoais.

Contudo, no contexto da ajuda psicoterapêutica profissional, recomendo que, se forem exercer a opção de recusar um paciente ou cliente, contem com uma relação de pessoas a quem possam encaminhá-lo de modo que tenham algum lugar onde possam ir. Isto faz parte de sua responsabilidade profissional. Mas não há necessidade de se torturar. Trabalhei com viciados em heroína por um certo tempo, até ficar satisfeito comigo por ter sido bem-sucedido com eles. Não trabalho mais com eles, porque não gosto de jeito nenhum de estar em sua companhia.

Mulher: Estou interessada em dar uma afinada em mim para que possa ver e ouvir os padrões que acontecem entre duas ou mais pessoas ao mesmo tempo. Estou tentando tomar consciência de como é interconectado um sistema familiar, mas acho que se trata de um pedaço grande demais de informação. Quero ampliar minha habilidade nesse sentido. Você teria algumas sugestões úteis?

Toda vez que você estiver absorvendo experiência sensorial, tem que reparti-la em pedacinhos pequenos o suficiente para que possa lidar com eles. O lugar onde mais aprendo a respeito de sistemas multipessoais é nos restaurantes. Sente-se perto de uma família, num restaurante, e nunca olhe para a pessoa que está falando. Deste modo você poderá ver como os outros respondem ao orador.

Mulher: Minha pergunta é a respeito de validação. De que modo diferencio entre o que estou realmente vendo e ouvindo e quando alucino? Quando você pensa que pode estar alucinando, você usa uma outra pessoa para verificar o que você vê?

Não. Posso induzir qualquer sistema de crença em praticamente qualquer um, de modo que isso não adiantaria de nada. E que tal se eu conseguir convencer alguém de minha alucinação? É deste modo que muitos terapeutas operam atualmente. Dizem: "Bem, sabe, o que estou sentindo agora é X. Você está sentindo isso, agora?" A pessoa diz: "Não tinha reparado, mas agora que você mencionou, sim." Então, no momento em que se tem uma alucinação em comum, agiremos como se existisse base para escolhas. Não vai dar certo.

Vocês têm que aprender a fazer distinções e o melhor é provavelmente começar com casais. Vocês têm que descobrir o que está acontecendo em termos de seqüências ancoradas e de ocorrência natural. Digamos que toda vez que ele começa a usar um certo tom de voz, vocês reparam que ele começa a captar cinesicamente, mas se ele usa um outro tom de voz, ela capta visualmente. Quando vocês notam que este relacionamento existe, então a tarefa é serem capazes de testá-lo comportamentalmente. Sempre derão fazer isso entre aspas, claro. Podem dizer: "Bem, se Jes dissesse..." e depois vocês podem tornar-se Jane. Enquantas fazem isso, observam Ralph e verificam se as respostas desta ocorrem. Depois, podem ser Ralph e testar uma outra podem testar para ter a Ralph dissesse..." Assim, vocês são explícitos. Ou então podem calibragem, usando citações, e se dem simplesmente adotar encobertamente o comportamento análogo calibrado e ver o que acontece.

Um amigo que tenho é mímico. Uma de suas grandes habilidades é fazer a mímica de uma outra pessoa, tanto em seu tom de voz quanto visualmente. Quando estamos conversando, Lennie diz: "Ah, sim, vi Jimmy um dia destes" e ele então *se tornará* Jimmy. Se a esposa de Jimmy estiver lá, começará a responder a Lennie como se ela estivesse casada com ele. Todos os sistemas que operam entre Jimmy e sua esposa irão então entrar em funcionamento entre Lennie e ela. Depois ele se torna uma outra pessoa e ela emitirá respostas diferentes.

Uma das coisas com que Lennie gosta de brincar ocorre quando meus alunos chegam e ele quer que eles façam alguma coisa. Ele simplesmente torna-se eu e eles respondem de imediato, porque estão programados a responder a mim.

Também faço este tipo de *role-playing* com pessoas. Torno-me uma de suas partes e funciona do mesmo jeito. Descubro de que modo é que respondem à parte. O teste comportamental é a única forma que conheço e na qual se pode confiar para validar a experiência sensorial em relacionamentos sistêmicos. Pode ser que eu, você e Linda lá atrás tenhamos a mesma alucinação, mas isto não é base para se fazer uma distinção.

Homem: Você poderia dar-nos uma ilustração de tornar-se uma parte?

Estive fazendo isso por dois dias agora!

Homem: Você poderia rotular uma de modo que minha mente consciente ficasse sabendo?

Sou capaz de fazê-lo, mas não irei fazê-lo. Vou lhe contar a estória de uma família com a qual eu trabalhei, para lhe dar um exemplo de como determino e utilizo o sistema familiar. Nesta família, a mãe era uma matriarca. E a mãe *dela* tinha sido uma matriarca. A avó dela fundara uma igreja e havia nomes de· rua dados em sua homenagem, em cidades do meio-oeste. Esta mulher conhecia o nome da avó já falecida mas não conseguia lembrar-se do nome do avô embora este estivesse *vivo*!

Uma coisa que era realmente notória era que *todo mundo* na família respondia à mãe. Ela só precisava olhar para eles e todos adotavam uma postura servil. Todos os machos ficavam tremendo de medo. O marido estava alcoólatra, o filho mais velho um arruaceiro e o mais novo ia mal na escola, começando a ir pelo mesmo caminho do irmão mais velho. O padrão é típico. Contudo, havia uma menina de cinco anos de idade na família, muito engraçadinha e expressiva. Ela conseguia que a mãe respondesse positivamente toda vez que faiza alguma coisa.

A fim de intervir efetivamente nesta família, precisava descobrir como é que a família funcionava enquanto sistema. Queria conhecer qual era a seqüência natural de interação. A melhor maneira de fazer isso é criar uma crise, algo que a maioria das famílias evita. Se eu tornasse tudo ótimo, gostoso e afetivo, então não chegaria ao podre todo que estava por baixo. Geralmente, portanto, menciono as coisas mais tabu do mundo para a família.

Virginia Satir ensinou-me isso. Muitas pessoas acham que Virginia não o faz, porque ela o diz num tom ótimo de voz. Virginia, porém, fala a respeito de tudo o que a família *não* quer mencionar. Meu estilo pode ser um pouco mais próximo do de Frank Farrelley, no modo como o pratico, mas tem por objetivo alcançar a mesma coisa.

Então vem a família e eu digo: "Bem, o que estão fazendo aqui? O que deu *errado*?" Imediatamente diz a mãe: "Este moleque desastrado tem feito muita bagunça." Posso virar-me para o filho e dizer: "Filho da puta!". Depois pergunto para a mãe:: "O que é que ele tem feito de errado, xingar?". Imediatamente a família entra na terra da loucura e o sistema começa a operar. Posso dizer: "Bem, o que é que você faz se ele diz isso? Provavelmente você não o repreende, nem nada." Imediatamente ela começa a fazer citações: "Bom eu lhe digo blá, blá, blá" e em seguida o menino esquece das citações e diz direto: "Olha aqui, droga, cai fora do meu pescoço!" Aí o pai entra: "Onde é que eu posso conseguir um gole d'água por aqui?". Assim que o sistema familiar começa a operar, sento-me para observar, porque quero saber como é que o sistema familiar funciona sem mim. Se começa a apaziguar, então interfiro, dou um epurrãozinho e novamente ele se engrena. Descubro quais são as áreas realmente sensíveis de modo que posso ficar mencionando-as para manter a família em funcionamento.

Isto também os deixa extenuados, o que é útil de fato. Essa é uma das coisas que torna tão fácil o meu trabalho. Tenho tentado durante longos períodos treinar meus alunos para fazerem isso, mas eles acabam ficando presos no conteúdo do que a família está fazendo, ao invés de darem um passo atrás e deixar que a família brigue até acabar, de modo que assim possam descobrir como é que o sistema opera.

O programa nesta família em particular era muito interessante mesmo. Quando a mãe falava, o marido respondia como um louco. Ficava num estado que os psicólogos chamam de "negação maciça". Ficava agarrado nas costas da cadeira e escondia-se nas almofadas. O irmão mais velho era uma cópia perfeita da mãe e devolvia-lhe o ataque direto: "Rrrrrrgh!" E quanto mais ele revidava, mais a mãe atacava. Se eu interrompia o comportamento da mãe, então o filho continuava atacando, mas o pai relaxava. Isso é importante saber: o pai não estava respondendo ao filho; ele só respondia ao que a mãe fazia.

Mulher: O que é que você fazia, de modo que o pai relaxava?

Eu desligava a mãe por um tempinho. Quando a briga começava a ficar feia, eu ficava em pé em frente da mãe e o filho ficava gritando bem atrás de mim. Assim que eu eliminava a mãe visualmente, o pai suspirava e relaxava, mesmo que o filho ainda estivesse gritando no máximo de sua força. Quando eu desobstruía o caminho, o pai ficava imediatamente tenso de novo. Você não consegue fazer esse tipo de teste se estiver com a bunda colada na cadeira, do modo como ficam tantos terapeutas.

Nesta família, o filho mais novo respondia positivamente ao irmão mai velho. E quando a mãe ia atrás do irmão mais velho, ela também ia no encalço do mais novo, porque ele respondia como se a mãe estivesse atrás dele. Era um ser humano completamente aleatório. Se você falava direto com ele, ele sempre olhava por trás dele mesmo, independente de onde estivesse sentado. Ele realmente fazia isso. Eu perguntava para ele: "O que você acha disso?" e ele olhava atrás dele e dizia: "Han, bem, han... Não sei." Era como se ele não estivesse todo ali. Mas realmente respondia ao que a mãe fazia, mesmo quando ela o fazia para o pai e para o irmão mais velho.

A mãe me enfrentou com todas as garras e quase que ela me calibrou. Ela conseguia ficar imune a mim e não existem assim tantas pessoas que o consigam. Mas eu conto com algumas formas realmente sorrateiras de lutar. Posso trocar de níveis de lógica tão rápido que me mantive um pouquinho à frente dela, mas me esforcei bastante para isso. Havia dois alunos do sexo masculino e um do sexo feminino, na sala comigo, e toda vez que a aluna falava com a mãe o comportamento desta modificava-se por completo. A moça dizia coisas como "Você é tão injusta para com seu filho." A mãe virava-se para ela e dizia delicadamente: "Bem, querida, agora, algum dia você vai ficar um pouquinho mais velha e estará numa posição como a minha..." Era um programa *completamente* diferente. Se um dos alunos houvesse dito isto para ela, ela lhe teria arrancado as orelhas aos socos!

Os programas da mãe para se comunicar com homens e mulheres eram totalmente diferentes. A menininha fazia coisas impossíveis na sessão, tais como levantar-se e derramar papéis que estavam em cima da mesa, interromper, fazer barulho. Se o filho sequer desviasse os olhos do que estava se passando ela gritava: "Preste atenção!" Mas a menininha estava a salvo disso tudo.

Mulher: E você não fez nenhum comentário direto sobre isso tudo? Você ficou só observando?

Que bem faria falar a esse respeito? Se eu lhes dissesse todas as coisas que distingui, isso lhes tornaria mais fácil permanecerem iguais.

A fim de testar o que eu observara, só precisava ficar trocando de papéis, agindo como o filho, o pai, a menininha, alternadamente, observando as respostas diferentes que obtinha da mãe. Consegui realmente obter respostas diferentes por parte da mãe, adotando os análogos da menininha. Ela começou a me responder misturando os modos como ela geralmente respondia a homens e mulheres.

Não havia absolutamente modo algum no mundo que conseguisse levar a mãe a atacar a menininha. Perguntei: "Qual foi a *pior* coisa que a menininha já fez?" E ela respondeu com doçura: "Oh, uma vez em que ela derramou blá, blá, blá." Quando a mãe falava com a menininha a família inteira *adorava*. Eles queriam que as duas fugissem juntas! Todos respondiam positivamente, porque a menininha conseguia ser tratada do modo como todas as pessoas daquela família desejavam ser tratadas. Se a menininha se comunicava com a mãe, a mãe respondia positivamente; mas se ela se comunicasse com uma das demais pessoas, a mãe não respondia. Isto é muito importante. Se ela o fizesse, eu poderia ter realizado umas intervenções ardilosas. Poderia ter feito com que a menininha e o irmão se dessem bem e fazer a mãe responder a isso. Mas a mãe não respondia positivamente a ninguém da família, *exceto* à menininha quando esta se comunicava diretamente com ela. Todos na família respondiam à mãe.

Portanto, eu tinha que imaginar o que é que essa garotinha poderia fazer para conseguir que a mãe respondesse de um jeito tal que levasse os outros elementos da família a fazer as mudanças que eles desejavam. Quando comecei a estudar terapia familiar, disseram-me que tudo funciona em tríades — que quando três pessoas se comunicam, se a pessoa um se comunica com a pessoa dois, a pessoa três sempre irá responder a essa comunicação. Não é verdade. Você pode *conseguir* que eles o façam, mas não necessariamente isso já está acontecendo.

O que quero saber em cada família é o que eles *já* estão fazendo, porque então posso *usar* o que está se passando a fim de modificar o sistema. Este é um princípio muito importante: *De que modo posso introduzir uma pequena modificação que venha a canalizar todas as interações do sistema familiar, de tal modo que o sistema seja forçado a se modificar?* Quando vocês puderem fazer isso, o sistema familiar fará a maior parte do trabalho por vocês. Se quero, neste sistema familiar em particular, que todos se modifiquem, então vou modificar a filha. Ela alterará o comportamento da mãe e em última instância o de todos os demais, no sistema, em resposta à mãe. Contudo, não dará certo do outro jeito. Se eu tivesse modificado o filho mais novo, não teria afetado ninguém mais, porque ninguém na família respondia a ele. Ele estava tão próximo de ser inexistente quanto se é possível chegar. Era "ser ou não ser" e ele não era.

Ao colocar padrões assim tão elevados, a mãe tornava fácil que os homens conseguissem fracassar. Queria que ela rebaixasse seus padrões e respondesse de alguma forma que fosse mais suave com eles. O que fiz parece realmente muito direto, mas às vezes a abordagem direta é a melhor. Puxei a menininha de lado e disse a ela: "Olha, preciso da sua ajuda. Quero que jogue um jogo comigo, e que vai ser *nosso* segredo. Se você fizer esse jogo comigo vai acontecer alguma coisa *mágica* quando vocês voltarem aqui da próxima vez." Anteriormente, a menininha sempre fugia e escondia-se toda vez que a mãe começava a criticar um dos irmãos. Eu lhe disse: "Você não precisa fazer isso. Quero testar seus poderes, porque estou sempre dando poderes a você e você não sabia que os tinha, que os tem agora. Se ela começar a gritar com Billy, quero que você vá até ela, pegue a mão de sua mãe assim e pergunte-lhe o seguinte: 'Mãe, você ama o Billy?' e continue fazendo isso até você ficar convencida de que ela está dizendo a verdade."

Claro que a menininha teve o maior sucesso com isso. Ela começava: "Mãe, você ama o Billy?" E a mãe respondia (com raiva) "SIM!" Quando ela perguntava de novo: "Mãe, você ama o Billy?" a mãe dizia (com suavidade), "Sim, sim, amo." "De verdade, mãe?" A menina ficava um tempão fazendo isso.

O que irá acontecer nesse sistema, como resultado de tal intervenção? A família inteira ficou convencida de que a mãe era a Bruxa Malvada do Norte! E provavelmente vocês concordariam com eles! Mas é muito difícil ser a Bruxa Malvada do Norte quando uma gracinha de menininha fica perguntando: "Mãe, você ama o Billy?" Bom, no meio de "Olha aqui, seu inútil, você esqueceu de levar o lixo para fora!" Billy vai escutar coisas como: "Sim, eu amo." Isso vai mudar todo o jogo.

Homem: Então ele recebeu tanto a chateação negativa quanto o "Sim, mamãe me ama."

Sim. Mas receber mensagens negativas tornou-se uma oportunidade para então ter sensações positivas.

Homem: "Ter mensagens negativas torna-se a oportunidade para ter boas sensações" parece muito uma maneira de programar alguém para passar a ter comportamentos a fim de gerar mensagens negativas para poder então sentir-se bem.

188

Mas *essas* pessoas não faziam nada de errado para serem criticadas. E quando a mãe respondia à pergunta da menininha, ela de modo geral começava a dar uma explicação do que estava fazendo. "O único motivo de eu estar dizendo a ele isto é porque receio que, se não conseguir motivá-lo para ir bem na escola, ele terá então que ser um trabalhador de serviços pesados, como o pai, e trabalhar em minas de carvão. Não quero que ele tenha que trabalhar em minas de carvão. Quero que ele tenha um serviço que seja limpo." Ela começou a comunicar o que estava tentando fazer — a intenção por trás do comportamento. Basicamente, a menininha conseguiu efetuar uma resignificação do comportamento da mãe.

Homem: A menina deve ter tido alguma forma de lidar com a mãe, caso esta se voltasse para ela e dissesse: "Pare de me fazer essa maldita pergunta."

A mãe *nunca* faria isso. Sabia disso antes de ter intervindo. A mãe *não conseguia* esbravejar com ela, nem com qualquer outra mulher.

Mulher: A menininha ancorou alguma coisa para a mãe.

A menininha *tornou-se* uma âncora. Todo mundo queria ficar perto dela o tempo todo, desde então. Não era seguro estar em nenhum outro lugar! Antes, essa menininha tinha sido sempre ignorada. Ser ignorado acontece muito freqüentemente com as crianças do meio e com os nascidos depois do quarto filho. Se você decide que isso não é útil, descubra alguma maneira de tornar a criança uma âncora para todos os tipos de comportamentos positivos. Essa intervenção é muito poderosa.

Quando a família veio na semana seguinte, a diferença no modo como agiam e interagiam era imensa. Enquanto esse novo sistema familiar se desenvolve, as pessoas irão em última instância responder ao filho mais novo porque essa menininha está determinando que assim o façam, e isso acontecerá através da mãe. A tarefa da menininha então será prestar atenção em todas essas pessoas porque eu lhe disse que fizesse isso.

Mulher: É fascinante, porque você se valeu da pessoa menos problemática. Outros terapeutas diriam que não há problema com esta menina e sua mãe.

Bom, não existem *problemas* com ninguém. Não acredito em problemas. O ponto importante é o seguinte: eu não apenas utilizo o sistema que existe, *eu uso o sistema existente para criar um novo sistema.* A fim de fazer isso, tenho que determinar quem é a única pessoa do sistema que será capaz de mudar todas as outras. Com grande freqüência, não é a agressiva nem ostensiva a que será capaz de fazê-lo. Em geral, as pessoas acham que a persuasão vem com

189

barulho, quando não acontece assim. Pessoas muito expressivas também são muito mutáveis. Qualquer pessoa que tenha explosões de raiva também apresentará intensas respostas de polaridade, em sentido inverso.

Com excessiva freqüência, os terapeutas, em terapia familiar, trabalham com pessoas que são fáceis de mudar, o que evidentemente significa que a família irá conseguir modificá-la de volta ao que era, com igual facilidade. Se você muda alguém que é sintomático, alguém que está "pirando", alguém que já está respondendo maciçamente à família, essa será uma pessoa *realmente* fácil para a família mudar para o que era. A pessoa com os sintomas será a última com quem você deverá desejar trabalhar. O próprio fato de o sistema familiar conseguir produzir esquizofrenia, anorexia, ou qualquer uma dessas coisas, significa que a pessoa sintomática é fácil de ser influenciada. Se vocês conseguem influir nela para que seja normal, a família conseguirá modificá-la direitinho ao que era. Portanto, vocês deverão abordá-la de um outro ângulo. O membro da família a quem vocês deverão se dirigir é o que se mostra efetivamente *tenaz*. Se vocês efetuarem uma mudança numa pessoa realmen tenaz, todos ficarão meio abobados por um tempo, mas depois irão se ajustando ao modo como essa pessoa se modificou.

Homem: Você pode recontextualizar a resignificação de um sistema familiar em termos do problema que ocorre em organizações de trabalho?

Certamente. Em muitos sentidos, um negócio é como uma família ampliada e muito do que discutimos pode ser aplicado ali diretamente. No entanto, é preciso modificar parte dos comportamentos verbais e não-verbais para tornar-se aceitável no mundo dos negócios. Por exemplo, não se fala a respeito de "mente inconsciente", fala-se de "hábitos"; pode ser que seja preciso usar um terno ao invés de uma camisa esporte. É preciso mudar também uma parte dos pressupostos básicos.

Por exemplo, em PNL pressupomos que a escolha é sempre melhor do que a não-escolha. Isto geralmente é válido nos negócios. Existem alguns contextos nos quais é desejável muita variabilidade e criatividade mas, com freqüência, muito esforço é despendido na padronização e na rotinização dos seres humanos, a fim de torná-los dignos de confiança. Não é desejável que operários da linha de montagem estejam sempre experimentando novas maneiras de realizar suas tarefas, ou que as façam de olhos vendados para sentir a diversidade de resultados.

Uma outra coisa da qual vocês precisam tomar consciência no contexto dos negócios é que existe um determinado montante de segredo e de paranóia, toda vez que se lida com alguma coisa que os envolvidos no negócio acreditam lhes dê uma vantagem competitiva. No contexto terapêutico não existe algo como um "segredo comercial". Assim que alguém tem uma nova idéia, tenta passá-la para *todo mundo*, de modo a receber algum reconhecimento. Os negócios em geral gastam muito dinheiro desenvolvendo novas técnicas e quando elas são bem-sucedidas tentam escondê-las por tanto tempo quanto puderem.

Existe ainda muito conservadorismo nas pessoas ligadas aos negócios, fato que se fundamenta em dois pilares: 1) não têm bom entendimento de como funciona uma organização comercial; 2) descobriram pelo meio mais difícil que freqüentemente, quando tentam algo de novo, isso desorganiza o sistema.

Vocês vêem isso acontecer com freqüência toda vez que uma posição de destaque numa área gerencial ou executiva fica vaga por promoção, dispensa ou aposentadoria do funcionário. Quase sempre a organização decidirá procurar alguém *fora* de seus quadros para substituição. Existe uma afirmação comportamental segundo a qual o pessoal dos negócios não tem idéia de quais qualidades caracterizam um bom gerente ou executivo. Já que não sabem, não têm base para treinar nem escolher uma pessoa, exceto através de seu currículo. É típico que não queiram pegar um outro funcionário dentro de sua organização, detentor de outra posição. Se tivessem critérios explícitos para o que é exigido pela posição de executivo, seria muito mais eficiente quanto aos custos treinar pessoas dentro da organização.

Mesmo após uma bem-sucedida busca fora da instituição, quando o novo executivo adentra a organização é típico que, dentro desta, as coisas todas se deteriorem durante um determinado período de tempo. Se o novo executivo for eficiente de fato, acabará reorganizando os departamentos e é comum que venha a despedir ou transferir diversos elementos, neste processo.

Pelo menos em parte, o que se passa é que cada gerente tem um estilo pessoal de manipular informações, que lhe é peculiar. Uma vez que não existe um modelo explícito de como as informações devem ser ventiladas, as pessoas governam-se pelo sabor do vento, nos negócios, *pelo menos* tanto quanto o fazem em terapia. Um aspecto do estilo gerencial é a quantidade de especificidade ou de detalhes que um gerente exige nos relatórios dos relacionamentos.

Após alguns anos, a equipe do gerente aprende qual o nível de detalhes que lhe será exigido e ajustam seus próprios procedimentos relatoriais para levá-lo em conta. Em pouco tempo, os relatórios estão sendo confeccionados com aquele nível de detalhes exigido pelo gerente ao qual se reportam. Após esse relacionamento ter sido estabelecido por qualquer lapso de tempo, a pessoa da equipe que faz os relatórios ficará transtornada se o gerente passar a pedir mais ou menos detalhes.

Pedir mais detalhes será algo que o pessoa da equipe perceberá — principalmente a nível inconsciente — como um desafio de sua competência. "Por que é que agora ele está pedindo mais detalhes do que os que eu tinha que dar antes? Será que isto quer dizer que ele não confia em meu julgamento sobre os relatórios deste setor?" Os relacionamentos interpessoais negativos resultantes podem ser muito problemáticos.

Pedir menos detalhes pode também causar problemas. A pessoa que faz os relatórios apresenta um determinado nível de informações detalhadas mas o novo gerente abandona isso e pede um julgamento mais global. Tudo que quer não passa de uma decisão "vai/não-vai". É quando a pessoa que apresenta os relatórios sente-se incompleta e é como se ela e seu trabalho não fossem valorizados. Sente que a informação que deu tanto duro para reunir não está sendo utilizada. Fica também preocupada pelo fato de agora ter a responsabilidade de tomar decisões, ao invés de ter somente a de reunir e apresentar informações. Pode ficar nervoso por ter que guardar informações que antes passava para o gerente e, portanto, sobre a qual não tinha então mais nenhuma responsabilidade.

Uma das intervenções mais poderosas e imediatas a ser dada ao gerente ou executivo recém-chegado é instruí-lo quanto à noção do controle de qualidade da informação. Isto permite a vocês fazerem com a informação verbal o mesmo que a tecnologia do *blow-up* faz com a fotografia aérea. Permite o controle da informação a nível de seus detalhes. Pode-se ter a mais detalhada e elevada qualidade possível de informação, ou pode-se reduzi-la a uma decisão simples: um sinal "vai/não-vai".

Assim que o gerente aprende isso, então adquire a sensação de ser capaz de exercer controle de qualidade sobre a rede de informaçõs que leva de sua mesa de trabalho até o ponto da produção ou serviço. Se o gerente não tiver confiança alguma em que o que decide e planeja pode ser transmitido — mantendo uma representação de alta qualidade através de toda a rede funcional que irá ter que responder à mudança — então ele não provocará tumulto. Deixará que as coisas corram adequadamente e é assim que se chega à mediocridade e ao conservadorismo tradicionais nos negócios. Qualquer mudança corre o risco de ser mal representada ou mal interpretada em algum ponto da corrente. Portanto, faz sentido ser muito conservador.

Com esse tipo de entendimento, o gerente pode praticar controle completo da qualidade da informação em trânsito, dentro de sua rede funcional. A pessoa da gerência pode fazer mudanças com a certeza de que suas representações serão comunicadas com alto nível de qualidade e detalhes. É aí que se lhe torna possível determinar padrões de excelência, em oposição a padrões de mediocridade.

Assim que o gerente tiver uma apreciação justa da noção de prática do controle sobre a qualidade das informações, tornar-se-á muito sensível às mesmas quando assumir uma nova posição. Perceberá que as pessoas que lhe trazem os relatórios, seus colegas, e aquelas a quem ele se reporta têm todas determinados pré-requisitos típicos de qualidade para as informações que processam. Em muitas circunstâncias, ensinamos a gerentes que estão assumindo novas posições como determinar um referencial positivo, dizendo à sua equipe: "Entendo que estou me unindo a uma equipe bem engraxada e em bom funcionamento..." A seguir, ele explicita claramente a noção de qualidade da informação e que determinados ajustamentos serão necessários.

"Todos vocês tiveram relacionamentos importantes e significativos com meu predecessor. Este apresentava seu próprio estilo pessoal, e todos vocês aprenderam — consciente, deliberadamente, e pelo hábito — como apresentar-lhe as informações. Sou diferente. Não sei nem como especificamente é que sou diferente mas, nas próximas semanas ou num mês, que sejam especialmente sensíveis — como também eu o serei — ao fato de que existem algumas ocasiões nas quais precisarei ser muito específico e ter informações de alta qualidade e muito detalhadas. Em outros momentos, irei simplesmente pedir uma opinião do tipo "vai/não-vai".

Esta forma de enquadrar a situação é tanto uma resignificação quanto um espelhamento de futuro. Especifica o resultado: desenvolver um nível adequado de fluxo informativo. Alerta a equipe de que haverá necessidade de certos ajustamentos, porque irão existir diferenças. O novo gerente não é Deus e não conhece as diferenças futuras em detalhes, pois nunca se viu exposto a medidas de controle de qualidade tais como as usadas pelo antigo gerente. Isto permite à equipe dar um profundo suspiro de alívio e dizer:: "OK. Ele está dizendo que reconhece o fato de que existirão ajustamentos e que deseja minha cooperação para atingir o resultado — encontrar um nível apropriado de especificidade na apresentação de informação."

Homem: Portanto, uma generalização que você poderia fazer com base nesse exemplo é que você precisa tomar cuidado para modelar qualquer mudança de tal modo que as pessoas afetadas pelo processo venham a responder-lhe de maneira positiva.

Sim, exatamente. E isto significa eventualmente modelar as mudanças diversamente para diferentes níveis de departamentos, dentro de uma organização. Toda manobra dentro de uma organização comercial tem que ser feita de tal modo que faça sentido dentro do quadro perceptivo das pessoas que são afetadas pela mesma. Um plano de cinco anos, se fosse transmitido por completo aos operários da linha de montagem, não faria absolutamente nenhum sentido. Para estes, um plano de cinco anos tem que ser apresentado em termos do que lhe acontece pessoalmente e a nível de seu trabalho. Mencionar o enquadre referencial financeiro e coisas do gênero simplesmente o confundiria. Literalmente, trata-se de informação que ele não tem que conhecer. A descrição de um plano de cinco anos a nível executivo não faz parte da realidade perceptiva do operário de montagem. Tem que ser relativizado a seu referencial perceptivo.

Por exemplo, tenho um amigo que foi contratado como principal chefe executivo de uma grande empresa. Ele é realmente um dos poucos comunicadores no ramo dos negócios com alto nível de qualidade que conheço. Tem uma sensibilidade realmente aguçada ao comportamento não-verbal e assim por diante. Uma classe de empregados no escritório central desta empresa estava sendo acionada pelo relógio de ponto. Os funcionários marcavam o ponto toda manhã ao chegarem, quando saíam para o almoço, quando voltavam do almoço e para saírem, ao final do expediente. A filosofia de meu amigo é que as máquinas não devem jamais supervisionar ou dirigir as pessoas. Uma das primeiras modificações que introduziu, após ter gasto mais ou menos um mês tomando as rédeas da situação como principal executivo da corporação, foi a remoção do relógio de ponto. Explicou à sua equipe mais imediata seu princípio de não querer que as máquinas dirijam as pessoas, em sua organização. Apresentou-lhes um referencial que era adequado para sua compreensão e depois ordenou que todos os relógios de ponto fossem removidos numa sexta-feira, final de expediente.

Considerem agora a situação dos empregados na segunda-feira de manhã. Eles tinham marcado seu ponto no relógio por anos. Independente do que tivesse acontecido a caminho do trabalho, ou na noite anterior, marcar o ponto no relógio era o que os hipnotizadores chamam de "sinal de reindução": era uma âncora que acionava a captação de todas as habilidades e estados de consciência apropriados a um desempenho efetivo no trabalho. O relógio de ponto fornecia um sinal a todos os sistemas representacionais. Você vê o relógio, empurra o cartão lá dentro cinestesicamente e ouve aquele barulho esquisito quando ele marca o cartão.

Meu amigo removera, sem percebê-lo, exatamente a âncora de que necessitavam para atuarem com êxito. A eficiência da organização caiu pela metade na primeira semana mais ou menos, após sua atitude. Aconteceu de eu chegar uma semana depois, e todos estavam realmente transtornados. A solução que inventei resolveu as coisas de maneira realmente elegante. Propus que ele editasse uma pequena declaração aos supervisores de primeira linha para que estes as transmitissem aos funcionários, na tarde de sexta-feira. A declaração esclarecia sua crença na inadequação de máquinas dirigindo pessoas. Em sua organização, ele desejava que as pessoas dirigissem as pessoas. Coerente com isto, ele mandara remover todos os relógios de ponto que existiam ali. E quando eles vierem trabalhar na segunda-feira de manhã, ficarão surpresos ao encontrar seus supervisores em pé na posição em que o relógio de ponto costumava estar, e por isso eles poderiam sentir-se bastante bem pelo fato de poderem ver um sorriso no rosto do supervisor — algo que jamais tinham visto no mostrador do relógio. Os supervisores foram instruídos a darem bom-dia e a cumprimentarem com um aperto de mão cada funcionário que entrasse. Isto garantia uma vinculação direta, substituindo o relógio de ponto pelo supervisor em todos os sistemas representacionais. Tenho certeza de que, para a maioria dos empregados, quando viam o rosto do supervisor, realmente enxergavam uma superposição imagética do relógio de ponto! Isto deu-lhes acesso imediato às habilidades e estados de consciência que eram necessários ao desempenho profissional eficiente.

Isso resignificou a mudança, e preservou a função de sinal do relógio de ponto. Na realidade, houve uma súbita acelerada na produtividade. Os empregados, durante a semana seguinte, ultrapassaram de muito os níveis anteriores de eficiência. Depois as coisas se acalmaram um pouco e ficaram em níveis ligeiramente superiores aos anteriores. O pessoal do mundo dos negócios sabe que, se deixarem a rotina desenvolver-se com eficiência, é provável que, então, qualquer mudança a atrapalhe. No entanto, se vincularem de modo muito explícito ou muito claramente espelharem no futuro as mudanças, a fim de especificarem o modo como desejam que funcionem, podem reduzir o risco de desestabilizar a organização, quando introduzirem mudanças.

Homem: Então isto é resignificação ou espelhamento de futuro?

Ambos. Veja. Se você introduz uma mudança sem estabelecer em torno da mesma um enquadre explícito, isso deixa aos empregados a incumbência de criarem seus próprios referenciais. Portanto, alguns deles podem decidir: "Levaram embora meu relógio de ponto e isso é só uma das deles para me atrapalharem no meu serviço; portanto, não trabalho bem, porque estarão tentando se livrar de mim." Não importa a exata maneira como os funcionários irão alucinar. A questão é que os referenciais que eles escolherem podem ser tais que as mudanças sejam consideradas inapropriadas ou desorganizadoras. A manobra que descreve recontextualizou a mudança, de modo que os funcionários conseguiram dar uma resposta positiva no tempo e no lugar adequados.

Homem: Durante muitos anos trabalhei como químico de um laboratório. Tirava meu avental branco na sexta à tarde e tinha uma completa amnésia de tudo que dissesse respeito ao laboratório, até que o vestisse de novo na segunda-feira seguinte, pela manhã. Quando o vestia perguntava a mim mesmo: "Então, o que era mesmo que eu estava fazendo na sexta-feira à tarde?"

Que belo exemplo. Imagine o que teria acontecido se alguém tivesse levado embora todos os aventais do laboratório!

Todos os comportamentos acontecem em determinado contexto e esse contexto é a âncora para um determinado conjunto de respostas. Referenciar é um outro modo de mencionar a contextualização; a resignificação ou a re-referenciação é a recontextualização. Às vezes, isso é feito mudando-se o contexto externo concreto. Mais freqüentemente, muda-se o contexto interno — o modo como a pessoa enquadra internamente os eventos e os entende — a fim de se obter uma resposta diferente. Toda vez que vocês praticarem isso num sistema, terão que levar em conta como é que opera o sistema como um todo, para terem certeza de que as mudanças por vocês introduzidas são ecológicas.

VI

Resignificando Estados Dissociados: Alcoolismo, Abuso de Drogas etc.

Existem determinadas condições que devem existir para que a resignificação em seis passos possa ser efetiva. Se vocês estão com alguém severamente dissociado, não podem esperar que a resignificação funcione. Alcoólatras, viciados em drogas, maníaco-depressivos, personalidades múltiplas são pessoas todas gravemente dissociadas. Em geral, as pessoas que comem em excesso ou fumam também caem na mesma categoria. Irei falar basicamente a respeito dos alcoólatras, a título de exemplo, mas quero que entendam que o que vou dizer também se aplica a todos os outros casos de dissociação extrema.

Se vocês perguntarem a um alcoólatra, quando sóbrio, algo a respeito de suas experiências quando está bêbado, em geral exibirá amnésia total ou parcial. Da mesma forma, se lhe perguntarem, quando estiver embriagado, algo sobre suas experiências quando está sóbrio, é típico que ache difícil oferecer alguma informação. Este é um dos vários trechos que evidenciam a dissociação de alguém: o fato de, quando está operando segundo um modelo de mundo, não ter acesso às experiências e recursos que existem à sua disposição quando opera segundo outro modelo de mundo. Essa pessoa é uma múltipla personalidade no sentido de ter duas maneiras distintas de funcionar no mundo que jamais coexistem em sua experiência. As duas nunca estão em seu corpo ou em seu comportamento ao mesmo tempo.

O que faz a resignificação realmente funcionar é vocês desenvolverem um canal para o inconsciente. Por inconsciente quero dizer aquela parte da pessoa que a força a executar o comportamento que conscientemente ela deseja mudar, ou que a impede de executar o comportamento que conscientemente ela deseja ser capaz de realizar. A resignificação é uma comunicação em dois níveis, por meio da qual conversamos com aquela parte da pessoa que é consciente e em que usamos respostas involuntárias para comunicarmo-nos com aquela parte que é responsável pelo comportamento-foco, em termos de mudança.

O mais comum é que a parte que leva os alcoólatras para nosso consultório seja a parte sóbria. Essa é a que entra no consultório. Contudo, a parte sóbria já está completamente comprometida em ser sóbria; portanto, com essa não há nada a fazer. Essa é a parte que já tem muitos entendimentos apropriados a respeito das desvantagens de beber, mas que não consegue fazer coisa alguma contra. Se vocês trabalharem com ela, obterão possivelmente respostas absolutamente congruentes a respeito de mudanças. Contudo, assim que aquela pessoa entrar num bar, começará a beber de novo. O de que se precisa é de um acesso àquela parte da pessoa que a leva às farras, pois esta é a parte que está comandando o espetáculo quanto ao aspecto bebedeiras. Uma vez que estas duas partes da pessoa estão gravemente dissociadas, enquanto ele está num estado não se consegue a comunicação com o outro. Portanto, quando um alcoólatra entra em seu consultório sóbrio, será extremamente difícil conseguir o acesso à parte que bebe e que justamente é a que precisa ser modificada.

A maioria dos problemas que as pessoas apresentam envolvem incongruências, o que é geralmente chamado "conflito". Existe uma discrepância, uma incongruência, entre aquela parte da pessoa que a leva a executar algo e a outra parte, que a faz querer parar. Em geral, essa incongruência é *simultânea*: a pessoa expressa comportamentalmente as duas partes ao mesmo tempo. Por exemplo, alguém pode dizer: "Quero ser assertivo" com voz muito delicada. As partes estão até certo ponto dissociadas, mas expressam-se simultaneamente.

No alcoolismo ou no abuso de drogas, existe uma espécie diferente de dissociação em que a incongruência se expressa *seqüencialmente* ao longo do tempo. A parte sóbria e a embriagada estão *tão* separadas que não se expressam ao mesmo tempo na experiência da pessoa. Manifestam-se em seqüência; primeiro uma, depois a outra.

O formato da resignificação em seis passos está projetado para lidar com incongruências simultâneas. Ao invés de criar uma abordagem inteiramente diferente para uma incongruência seqüencial, pode-se simplesmente mudar uma incongruência seqüencial tornando-a simultânea, e usando o que vocês já conhecem e sabem como fazer — a resignificação em seis passos.

Este tipo de manobra é comum, em outros campos. Um bom matemático sempre tenta reduzir um problema complexo a outro mais simples que ele já sabe como resolver. Se vocês pegam um problema difícil e o reduzem a um outro mais simples, então podem solucioná-lo mais facilmente.

A maneira mais fácil de tornar simultânea uma incongruência seqüencial é usar a ancoragem. No caso do alcoolismo, primeiro obtenho acesso à parte embriagada e a ancoro. Depois ancoro a sóbria. Por fim, elimino as duas âncoras para forçar ambos os estados a coexistirem.

Quando a pessoa entra em seu consultório, a parte sóbria está bem ali, de modo que essa é fácil de ancorar. Conseguir entrar em contato com a parte alcoólatra requer um pouco mais de habilidade. Uma estratégia nesse sentido é, em essência, realizar uma indução hipnótica, segundo a qual a pessoa regride até a última vez em que esteve embriagada, ou até alguma outra situação que seja um bom exemplo de estado alcoólico. Isto se consegue reunindo-se suficientes informações de natureza sensorial da boca da própria pessoa, relatando sua experiência de estar alcoolizada. "Volte até a última vez. Como é que você se sente imediatamente antes de começar a beber o primeiro gole? Como foi a última bebedeira? Onde você estava sentado? O que você viu? O que você ouviu? O que você disse quando pediu o primeiro drinque? O que era? Qual era a aparência do mesmo? Agora sinta o cheiro dele. Qual era exatamente o sabor dessa bebida? Como é que você sabe quando está realmente bêbado?"

Se vocês fizerem esse tipo de perguntas a seu cliente, presenciarão uma mudança definida em seu comportamento. Assim que ele começar a dar-lhes estas informações, principiará a re-experimentar o estado de embriaguez. Vocês verão que sua respiração e sua postura corporal se modificam, e ouvirão uma mudança no tom de voz do cliente, no ritmo de sua emissão verbal, na qualidade do timbre. Expressões faciais e movimentos corporais estarão diferentes. Se vocês fizerem um *feedback* destes componentes de experiência que alteram seu estado ao máximo, amplificarão a experiência da pessoa de estar alcoolizada. E quando a mudança se manifestar em toda a sua magnitude, então ancorem-na.

Em geral, o mero pensar no odor e no sabor levará a pessoa imediatamente de volta ao estado alcoólico. A captação olfativa é provavelmente o caminho mais rápido para o regresso. Em qualquer momento que queiram que alguém re-experiencie algum estado passado, podem encontrar um odor associado àquele estado, fazendo simplesmente com que a pessoa cheire e esse odor levará a pessoa de volta ao passado em todos os sistemas. Devido ao modo como os odores são processados neurologicamente, eles exercem um impacto muito mais direto sobre o comportamento e as respostas do que o fazem as outras informações sensoriais recebidas de fora.

Homem: Você chamou de indução hipnótica esse método. Você está dizendo que, a qualquer momento em que se pedir a alguém que retorne ao passado, então se induziu um estado hipnótico ou se deu início a uma indução?

Pode ser que haja uma questão de semântica, neste caso; se é caso ou não de chamar-se hipnose. Eu não o faria assim tão abertamente; poderia eliciar alguma resistência no cliente. Mas, segundo minhas percepções, o que acabei de descrever não se distingue de uma indução "oficial" de um transe. A profundidade poderá ser ligeiramente diferente, mas o procedimento em si e as estratégias internas que a pessoa aciona são idênticas. Portanto, uma forma de obter acesso seria com este tipo de indução. Qual seria uma outra forma para captar a parte alcoólica?

Homem: Sobreposição. Faz-se com que a pessoa se veja alcoolizada e depois se faz o encaixe desta imagem com seu corpo.

Certo. Qual é uma outra maneira de se obter acesso à parte alcoólica? Vocês deverão ter pelo menos meia dúzia de opções.

Homem: Dar-lhe uma bebida.

Aí você teria dificuldade em conseguir contato com a parte sóbria.

Homem: Leve-o a um bar.

Sim. Isto é uso de contexto como âncora para eliciar o estado.

Outra forma que se pode usar é espelhar e conduzir o cliente a um estado de embriaguez. Espelhem o cliente e depois comecem a falar, andar e agir como um bêbado.

Uma outra possibilidade é dar-lhe instruções diretas. "Quero que você finja que está bêbado." É provável que ele lhe diga: "Mas é justamente isso que estou tentando evitar!" Então vocês respondem: "Sim, entendo, e a fim de evitá-lo, você primeiro precisa ter a escolha de fingir." A colocação não tem lógica nenhuma, mas parece ter sentido e conseguirá levar o cliente a fazer o que vocês pediram.

Assim que ele começar a fingir, vocês podem intensificar a qualidade da captação com *feedback*. "Ora, vamos. Fale um pouco mais enrolado. Balance um pouco o corpo de um lado para o outro; um tremorzinho aqui vai bem. Seus olhos já estão embaçados de verdade?" Vão dando *feedbacks* comportamentais e verbais para ajustar o comportamento do cliente até conseguirem uma boa captação de sua parte alcoólica.

É importante contar com uma variedade de caminhos para chegar a captar as experiências quando se lida com pessoas que se encontram em estados seqüenciais severamente dissociados. Se vocês não ficarem satisfeitos com uma certa manobra, podem sempre mudar para alguma outra.

Assim que conseguirem acesso, ancorem-no para que possam recuperá-lo depois. Quando tiverem duas boas âncoras para as partes sóbria e alcoólica, então estão prontos para "fundir a cuca" do cliente, falando tecnicamente. Eliminam as âncoras para os dois estados acionando simultaneamente ambas as âncoras, e assim conseguem que os dois estados ocorram ao mesmo tempo. Geralmente uso âncoras cinestésicas para esse objetivo, porque o cliente não pode esquivar-se ao meu toque.

Os resultados visíveis de eliminar as âncoras de dois estados tão diferentes quanto a sobriedade e a embriaguez são notáveis. Sem dúvida induz a um estado alterado. Já vi clientes embarcarem numa viagem por estados de semiconsciência ou inconsciência com duração variável de três minutos a uma hora e meia. Vocês verão aí a expressão da confusão total. O cliente ficará literalmente incapacitado para organizar qualquer resposta coerente. Algumas vezes os movimentos de seu corpo ficam fora de controle e ele tem toda sorte de convulsões generalizadas. Um meu cliente chegou inclusive a ponto de ter um surto psicótico de fato, e tentava de tudo para conseguir tirar minhas mãos de cima dele, porque sabia que aquela experiência estava vinculada ao meu toque.

O que se passa é que estou misturando dois estados fisiológicos que estavam absolutamente dissociados. Nunca o cliente experimentou aquelas sensações simultaneamente em seu corpo. Nunca tentara respirar como se estivesse bêbado e sóbrio, ao mesmo tempo, nem experimentara ter o tônus muscular ou os estados internos de consciência associados àqueles dois estados ao mesmo tempo. Em certo sentido, era uma múltipla personalidade e de repente vocês estão dando um encontrão de uma parte na outra. Este é realmente um tipo de tratamento de choque, e alguns chegaram inclusive a descrevê-lo desse modo. A diferença é que não se trata de algo induzido externamente e, portanto, só atinge a intensidade que a pessoa consegue suportar. Neste sentido, é ecológico.

Quando vocês houverem acabado de eliminar as duas âncoras, a integração não estará ainda de modo algum completa. Simplesmente, isso permitiu-lhes ter uma ponte, de modo que a pessoa alcoolizada e a sóbria coexistam no mesmo corpo, e ao mesmo tempo. As duas partes não são mais mutuamente exclusivas, não estão mais completamente dissociadas. Isso possibilita a realização da resignificação. Esta é a *pré-condição* para o estabelecimento de um canal efetivo de comunicação, através da parte sóbria, com a alcoolizada, que é a

201

que conhece o problema da bebida e que sabe qual a necessidade que beber satisfaz.

Mulher: O que é que você faz enquanto segura as duas âncoras e a pessoa fica confusa por uma hora e meia?

Só preciso segurar nas duas âncoras até a integração estar bem adiantada. Depois, preciso ter certeza de que o cliente esteja num local onde não se machucará. É mais ou menos o que se torna necessário. É útil ainda introduzir muitas sugestões pós-hipnóticas, enquanto ele está no estado confusional. Nesse estado, ele estará absolutamente indefeso. Cetrifiquem-se de que suas sugestões pós-hipnóticas sejam isentas de conteúdo, para não haver imposição. Vocês poderão dizer: "Enquanto você fica aí se batendo de um lado para o outro, observe o relacionamento direto que existe entre a intensidade de suas sensações e sentimentos presentes e a rapidez com que você aumenta o leque de opções comportamentais que quer ter, com relação à bebida."

Já que, nessa altura, ele não consegue defender-se de sugestões, sua responsabilidade é tremenda, quanto ao modo como enquadram as sugestões. "Você não *desejará beber* nunca mais" é a coisa mais desastrosa que se poderia dizer, em termos de abordagem do problema. Será melhor ficar de bico calado se a vontade for de falar desse jeito. É preciso falar em termos positivos a respeito do que *irá* acontecer futuramente, ao invés do que não acontecerá. "Você conseguirá encontrar maneiras alternativas de *satisfazer a si mesmo* do mesmo modo que o álcool *conseguia*" é algo muito melhor. Quando falarem de álcool, precisam falar com os verbos no passado, pressupondo que ele não o usará mais. Todos os padrões lingüísticos hipnóticos descritos em *Patterns I* e *Atravessando* são apropriados aqui.* Se o cliente disser: "Mas não entendo você", pode-se responder: "Claro que você não me entende e quanto menos me entender conscientemente, mais será capaz de reorganizar-se inconscientemente de modo positivo."

Homem: Quando se eliminam as âncoras para estar bêbado e sóbrio, não se corre o risco de tornar a pessoa capaz de agir apenas como bêbada, o tempo todo?

Eis aí uma preocupação razoável. Quando damos instruções para o processo hipnótico do modo como descrevi, estamos agindo de uma das formas para garantir a utilidade da integração que acontece depois da eliminação das âncoras. Dizemos coisas a respeito de como esses dois estados podem começar a mesclar-se, de tal modo

---

* *Patterns I* não está traduzido para o português. *Atravessando* é o título brasileiro da obra *Trance-formations*. (NT)

que a pessoa incorpore tudo o que seja útil e valioso em cada estado, não perdendo coisa alguma, para que a integração possa servir de base para mais escolhas etc.

Recordo-os de que este é apenas o passo preliminar. Estou deliberadamente rompendo barreiras que existem entre dois estados dissociados e induzindo confusão. Estou literalmente violando uma discriminação, um processo de seleção interna, que o alcoólatra usava inconscientemente para tornar-se eficiente em sua vida. Após fazer isto, é preciso que eu organize as coisas através da resignificação. Só o que fiz foi criar a pré-condição para a resignificação. Tenho então acesso à parte embriagada e à parte sóbria, ao mesmo tempo. Reduzi a dificuldade enorme de uma situação de incongruência seqüencial para uma coisa com a qual consigo lidar: a incongruência simultânea.

Após o cliente se recuperar e se encontrar de novo relativamente coerente, é só passar ao uso da resignificação de seis passos, para garantir comportamentos alternativos específicos e espelhar no futuro, adequadamente, os novos comportamentos. Nesse momento, vocês deverão resignificar da mesma maneira que resignificam qualquer outra coisa.

Contudo, existe um detalhe muito importante. Se estiverem trabalhando com algo como a embriaguez, o excesso de alimentação, o tabagismo, precisam certificar-se de que as novas alternativas não só funcionam melhor do que as antigas escolhas, como ainda que as novas alternativas são *mais imediatas*. É preciso que sejam muito sensíveis aos critérios e "o melhor", no caso de vícios, em geral tem tudo a ver com a imediaticidade. Se a sua nova escolha para relaxar for tirar férias, isso não é tão rápido e fácil quanto comer uma fatia de bolo de chocolate que já está na geladeira. É muito *mais fácil* fumar um cigarro do que meditar ou ir correr na praia. Dentro de um elevador vocês não vão poder correr na praia, mas podem acender um cigarro.

Vocês podem construir a imediaticidade especificando-a no passo quatro. "Volte-se para seu interior e encontre três escolhas que sejam mais aceitáveis, mais imediatas, mais disponíveis, mais fáceis e mais rápidas do que aquela que você está usando agora." Em geral, as pessoas não agem assim quando estão fazendo resignificação. Então os clientes acabam criando alternativas de longo prazo que não dão certo, porque o que precisam é algo realmente imediato.

Uma outra coisa que vocês podem fazer com qualquer viciado é transformar sua sensação concreta de desejar a droga em âncora para alguma outra coisa. A pessoa precisará experimentar a sensação mesma, mas com um significado diferente. Num dado momento, a pessoa tem uma determinada sensação que é interpretada como desejo urgente por um gole de álcool, e isso o aciona a beber. Vocês podem colocar o cliente em transe e fazer com que essa sensação *queira dizer uma outra coisa.* A sensação de desejo urgente pode agora provocar uma intensa curiosidade a respeito dos arredores, por exemplo.

Tenho usado esta abordagem de eliminar as âncoras e resignificar com eficiência, em casos de alcoólatras e viciados em heroína, numa só sessão. Tenho um acompanhamento de até dois anos, com êxitos.

Após vocês terem feito a resignificação e terem encontrado novas escolhas para o ganho secundário do álcool ou da droga, precisam testar seu trabalho. Com o alcoólatra, meu teste é dar-lhe um drinque e verificar se ele consegue parar depois do primeiro. Considero este como o único teste válido para verificar se realizei um trecho completo e integrado de trabalho. Em casos de heroína, eu descobria quais as âncoras que costumavam detonar o "pico na veia" e depois enviava o cliente para as mesmas situações para testar suas novas escolhas.

Lou: Isso é mesmo espantoso. Trabalhei com o pessoal do AA e eles acham que "uma vez alcoólatra, sempre alcoólatra". Você está dizendo que é possível curar alcoólatras, de tal modo que eles possam beber mas não ficar bêbados? Poderão entrar num bar e ter um drinque e depois sair de lá, na maior?

Sem a menor sombra de dúvida. Quando trabalho com um alcoólatra, três meses depois vou com ele a algum bar e tomamos um drinque. Observo e ouço muito atentamente para verificar a presença de qualquer mudança comportamental que estava associada pelo hábito ao estado de embriaguez. Isso será o teste de eu ter ou não realizado um trabalho integrado. Quero descobrir se o cliente consegue tomar um drinque e apresentar a mesma resposta a ele que eu, quer dizer, que é só um drinque. Vou descobrir se ele pode apresentar o comportamento que antes era automático e compulsivo, sem ser forçado a ir em frente e beber mais. O álcool é uma âncora e usá-la é um bom teste para o meu trabalho.

Não pretendo criticar o AA, diga-se de passagem. Durante décadas, AA foi a única organização criada por aí que conseguia dar assistência efetiva aos alcoólatras. Historicamente, foi uma coisa maravilhosa e, neste ponto, precisamos partir para uma coisa nova. A abordagem do AA não é integrativa e as pessoas que vão lá são quase sempre farristas. Acreditam que "uma vez alcoólatra, sempre alcoólatra", e para os que freqüentam seu atendimento isso é verdade. Se um deles sentar-se para um drinque, não conseguirá mais parar; continuará até embebedar-se por completo.

As alegações que faço seriam absolutamente extravagantes para qualquer um do AA e também para o sistema de crenças aprendido pela maioria dos terapeutas. Mas essas alegações não são inacreditáveis se vocês as considerarem do ponto de vista da PNL. Dentro dessa perspectiva, só se precisa: 1) eliminar as âncoras da dissociação, 2) conseguir comunicação com a parte que leva a pessoa a beber, 3) descobrir qual é o ganho secundário — camaradagem, relaxamento, ou o que seja —, 4) encontrar comportamentos alternativos que obtenham os resultados secundários do álcool, sem porém produzir os danos provocados pelo álcool. Uma pessoa sempre fará a melhor escolha que lhe estiver disponível. Se vocês oferecem à pessoa escolhas melhores do que beber para a obtenção de todos os ganhos secundários positivos do álcool, ela fará boas escolhas.

Lou: Então, como é que você lidaria com alguém no AA? Parece que eles acreditam que nada funciona exceto AA e não darão ouvidos a mais nada.

Sim. AA é um sistema de "crer na verdade". Se você estiver trabalhando com alguém do AA, terá que aceitar isso. Dirá: "Você tem toda a razão." E depois acrescenta: "Já que você está tão convencido de que 'uma vez alcoólatra, sempre alcoólatra', não será para você ameaça alguma se experimentar alguma coisa diferente, porque não vai dar certo de jeito nenhum." Quando alguém tem um forte sistema de crença, aceito-o e depois encontro meios de trabalhar com ele. Posso a seguir sempre induzir um transe encoberto e então só programar diretamente.

Sua pergunta a respeito de sistema de crenças faz-me lembrar de uma coisa que um médico inglês tentou com viciados em heroína. Tinha uma clínica com um vasto programa à base de metadona para manter os clientes afastados da experiência da síndrome de abstinência. Assim que um novo grupo de viciados chegava, ele então praticava um experimento controlado em que dividia aleatoriamente as pessoas em dois grupos. O grupo controle só ingeria metadona na forma comum. Treinou então todos os sujeitos do grupo experimental para serem realmente bons de transe. Os dois grupos entravam juntos para a dose de metadona mas o grupo experimental ia para o consultório do médico. Aí o médico induzia-os ao transe e fazia com que alucinassem injetando a droga. Após seis semanas, nenhum dos elementos dos dois grupos havia exibido sintoma algum de abstinência. Nesse ponto, ele contava ao grupo experimentalmente o que tinham feito e todos os sujeitos, menos dois, entravam imediatamente em abstinência! Isto para mim indica que o corpo é capaz de lidar com desequilíbrios químicos se o sistema de crenças da pessoa for consistente com a ação em cima disso.

Após o teste ecológico e a certeza de que as novas escolhas funcionam, em geral dou à pessoa alguma coisa que ela possa efetivamente usar como âncora de segurar, para suas novas escolhas. Poderá ser uma moeda, ou uma outra coisa que vai pôr no bolso e carregar consigo sempre. Este pequeno objeto será responsável pelos antigos programas motores, associados com o beber, o fumar, ou qualquer outra coisa. Parte da escolha de beber, por exemplo, está efetivamente sendo praticada nos movimentos de segurar um copo e movê-lo até os lábios. Se a pessoa tiver alguma âncora tangível física, isso lhe dará algo a fazer com as mãos.

Às vezes, as pessoas acham que os membros do AA são muito detestáveis porque não querem que ninguém em torno deles beba. O motivo que apresentam evidentemente é que se virem alguém bebendo serão estimulados à mesma opção pela identificação. Uma vez que os antigos programas motores não foram integrados em novas opções disponíveis, isto elicia neles o antigo comportamento de beber. Quando não se nota mais num ex-bebedor este tipo de sensibilidade, tem-se uma boa indicação de que se conseguiu uma integração completa.

Mulher: Tenho uma pergunta a respeito de ancoragem. Você primeiro ancora o estado sóbrio, quando o cliente entra, e depois capta o estado embriagado?

Existem muitas maneiras de se fazer isso. Não é sequer necessário ancorar o estado sóbrio a fim de obter-se a integração. Após o cliente ter captado o estado embriagado, pode-se dizer: "Ei! Preste atenção aqui. O que é que você pensa que faz agindo como um bêbado em meu consultório?". Aí você consegue que a parte sóbria retorne. O cliente dirá: "Oh, desculpe-me, pensei que era isso que você queria que eu fizesse. Eu só estava tentando obedecer às suas instruções." Você pode prosseguir e dizer: "O quê? Componha-se, enquanto estiver aqui." Depois, você toca a âncora para o estado alcoolizado, no mesmo momento em que diz: "Mantenha-se sóbrio; aqui, preste atenção."

Mulher: O estado sóbrio é uma âncora suficientemente poderosa para ser eliminada junto com o estado de embriaguez?

O estado de sobriedade não tem necessidade de ser tão intenso quanto o alcoolizado. Se você eliminar as âncoras e não conseguir a integração, mas antes, um estado que lembra o embriagado, isto indica que você precisa ancorar mais intensamente o estado sóbrio. Eu interrompo a integração e digo: "Ei! Acorde! Vamos! Ei, acorde!" para trazê-lo inteiramente de volta ao estado sóbrio. Faço-o ficar de pé, faço-o andar um pouco, dou-lhe uma xícara de café etc. Quando está sóbrio de novo, pergunto: "Você sabe onde está? Sabe o que está fazendo aqui? Qual é seu objetivo de vir aqui?". Faço a parte sóbria voltar por completo e depois a ancoro.

Homem: Não poderia ser uma coisa perigosa captar o estado alcoólico, caso o cliente fique violento quando está embriagado?

Se for esse o caso, você precisa tomar precauções extras. Seria o caso de usar âncoras visuais ou auditivas ao invés de âncoras cinestésicas. Você fica a uns seis passos de distância, com uma cadeira entre você e ele, e com a saída por perto. Ou então você será bem treinado em artes marciais, tendo confiança completa em sua habilidade para se proteger, como eu faço. Você merece ter certeza de que sua integridade física e psicológica sejam preservadas. Você é um psicoterapeuta: não está sendo pago para pôr em risco seu corpo ou sua psique.

Mulher: Você seria capaz de interromper um estado assim violento, se ancorasse primeiro o sóbrio? Poderia então usar essa âncora para trazer o cliente de volta ao estado alcoolizado.

Sem dúvida, mas não use uma âncora cinestésica para isso. Se você fica perto de alguém o suficiente para tocá-lo e a pessoa está agindo com violência, então ela também está bastante perto para atacar você. Uma âncora que detenha um estado raivoso pode ser uma boa escolha, desde que você possa acioná-la à distância. Você pode usar âncoras auditivas ou visuais para isso. Um aluno nosso está ensinando pais adotivos, em casas intermediárias no caminho da adoção, como usar âncoras não-táteis para interromper estados de raiva. Dependendo da clientela com a qual vocês lidam, pode ser necessário usá-las. Pode-se ancorar a uma distância segura, batendo palmas ou fazendo algum gesto. Uma outra forma de fazê-lo é começar a falar usando um tom de voz e, à medida que a pessoa entra no estado alcoolizado, vocês vão mudando para outro tom de voz. Seu tom de voz torna-se então uma âncora. Aí, se a pessoa começa a entrar em raiva, vocês podem dizer: "Espere um minuto" no tom de voz que usam para quando ele está em seu estado normal.

Homem: Apreciei seu comentário a respeito de oferecer sugestões pós-hipnóticas isentas de conteúdo para o alcoólatra, depois de eliminar as âncoras. Acho que muitos programas para alcoólatras fracassaram porque o terapeuta ou a instituição tentou criar comportamentos alternativos específicos ao beber. Dizem ao alcoólatra: "Vamos jogar boliche", "Vamos todos fazer trabalhos em couro". Essa abordagem é dolorosamente ineficaz.

Com toda a certeza. Boliche e trabalhos em couro têm *muito* pouca probabilidade de conseguir satisfazer o ganho secundário do beber.

Homem: Parece que seria uma boa idéia ter uma quantidade indefinida de tempo disponível, caso você venha a usar esta abordagem com alcoólatras. Pode ser difícil realizar isso em sessões de uma hora de duração.

Sim, por certo seria o ideal. Porém, vivemos num mundo de horário à base de uma hora. Não sou um modelo bom para praticar psicoterapia, a este respeito. Não sobrevivo mais com a prática da psicoterapia. Nem faço mais nenhum trabalho desse tipo. Durante um certo tempo, o fiz para ter certeza de testar todos os padrões que estou ensinando a vocês, para uma grande diversidade de problemas que aparecem. Portanto, quando lhes ofereço alguma coisa, sei que funciona e posso demonstrar-lhes que dá certo. Contudo, mesmo no período em que eu tinha uma prática particular, eu não atendia mais do que dois ou três clientes por dia e deixava entre eles grandes brechas no horário para que eu pudesse conduzir sessões com duração variável de dez segundos, que foi o tempo mais curto que já gastei na vida trabalhando com um cliente, a seis horas e meia, que foi o tempo mais longo.

Homem: Você tem que nos dizer como foi essa história de cliente de dez segundos!

Pode-se facilmente fazer uma resignificação de conteúdo de dez segundos. Mas eu estava pensando num homem cujo problema era o de ele não conseguir enfrentar pessoas agressivas. Assim que ele me disse isso, joguei-o para fora de meu consultório! Naquele tempo, havia um grupo que tinha feito acordo entre seus membros, e junto com alguns dos vizinhos, um acordo em que eles interagiriam com nossos clientes de determinados modos, quando apresentássemos certos sinais. Assim, logo que joguei o sujeito fora da sala, gritei para minha esposa: "Agarre-o!" Então Judith Ann veio caminhando até o saguão de entrada, no exato momento em que esse homem saía da sala quase chorando: "Ele me jogou para fora." Ela começou a falar com ele: "Oh, não! John fez de novo!... Ele o jogou fora sem nenhuma atenção, sem nenhuma sensibilidade por suas necessidades como ser humano?"

Nesse momento, claro, ela já estava com um contato perfeito. Ele estava dizendo: "Oh, cuide de mim! Ajude-me!" Como uma amiga que estivesse ali por acaso, ela então lhe disse como deveria lidar com a situação. Levou-me dez segundos para captar o estado problemático, e aí ela pegou o cliente e o programou nos próximos minutos.

Se vocês trabalham numa instituição, têm muitas e muitas oportunidades para fazer esse tipo de coisa. Podem ensinar seus clientes muitas coisas com *role-playing*, e a aprendizagem se transferirá se vocês fizerem um bom espelhamento de futuro. Contudo, a coisa será sempre melhor sucedida *se vocês não anunciarem que o formato do trabalho é role-playing;* vocês só *fazem* o trabalho. Podem comportar-se exatamente do modo como eles não conseguem agüentar, captando assim em toda a sua extensão e características o estado em seus limites. O cliente não estará apenas fingindo ou pensando a respeito do problema. Se aí vocês contarem com alguém que os encontre nesse momento de recuo, poderão fazer realmente coisas surpreendentes, num prazo muito breve.

Mulher: Com base no que você disse, podemos assumir que os alcoólatras e os viciados em drogas estão em estados muito dissociados; e que devemos estar alertas para o fato de algumas pessoas que fumam ou comem em excesso apresentarem essas incongruências seqüenciais. Existem outros indicadores de incongruências seqüenciais?

Não conheço nenhum método infalível de detectar incongruências seqüenciais, mas existem algumas coisas que se podem buscar. Algumas vezes fiz o que considerei um trabalho incrível que não funcionou de jeito nenhum porque eu não tinha detectado a incongruência seqüencial. Com estes casos de "quase múltiplas personalidades", às vezes o que vocês fazem parece funcionar realmente bem. Vocês obtêm todas as respostas apropriadas; obtêm novas escolhas para o cliente e testam e espalham no futuro todos os aspectos. Daí ele vai embora e quando volta na semana seguinte mal consegue se lembrar do que vocês fizeram na semana anterior, e portanto não conseguem averiguar se deu certo ou não. No entanto, vocês podem saber se o trabalho foi eficaz ou não. Se o problema for algo como fumar ou estar obeso, a coisa pode ficar realmente óbvia.

Quando isto acontece, suspeitem de alguma incongruência seqüencial. A principal diretriz indicadora que uso para isso é reparar se durante um determinado lapso de tempo se observam mudanças realmente radicais no comportamento do cliente. Quando as pessoas que comem em excesso dizem coisas como: "Vejo-me olhando fixamente para uma pilha de ossos de frango e é como se eu acabasse de acordar", temos aí uma boa indicação de incongruência seqüencial. Pode-se, às vezes, suspeitar quando o comportamento dessas pessoas parecer muito estranho, ou se o trabalho sair fácil demais.

Quando suspeito de incongruência seqüencial, às vezes uso estados alterados de consciência para fazer o teste. Por exemplo, trabalhei com uma senhora que apresentava uma paralisia histérica da perna. Ela apareceu, fizemos a resignificação e zás! a perna perdeu a paralisia. Imediatamente paralisei-a de novo e ela ficou furiosa comigo. "Minha perna ficou boa e agora está ruim de novo. Por que você fez isso comigo?" Eu falei: "Isso foi fácil *demais.* Sei que existe uma parte de você aí dentro que mais tarde vai sabotar esse trabalho."

Sem fazê-la realmente abandonar as coordenadas de tempo e espaço de meu consultório, fiz com que ela experienciasse internamente diversos contextos da vida. Sua existência era bastante limitada. Ela ia ao hospital, ao consultório do médico e passava o resto de seu tempo em casa. A parte que objetava à recuperação da perna emergiu em casa e eu concordei com as motivações por ela apresentadas. Ela queria que o marido fizese algumas tarefas domésticas. Basicamente, seu marido era um daqueles "caretões" que dizem: "São as mulheres que devem fazer todo o trabalho da casa. O papel do homem é sair para trabalhar e ganhar o dinheiro." Era uma situação muito peculiar: ela era rica, portanto ele não tinha que sair para trabalhar, mas ele ainda achava que ela deveria fazer todos os serviços da casa. Quando ela não os fazia, ele a surrava. Claro que quando a perna dela se paralisava, *ele* tinha que fazer as coisas por *ela*. Antes de curarmos a paralisia, tínhamos que fazer alguma coisa a respeito disso. Ou então, quando ela voltasse para casa sem paralisia, ela teria que se desincumbir de todo o trabalho doméstico.

Mary: Então o que foi que você fez?

Modifiquei o marido. Envolvemo-lo num "atendimento ao programa de reabilitação da esposa". Estruturei uma pequena melhora em sua paralisia quando a levei para casa. Dissemos ao marido: "A fim de que o programa de reabilitação dê certo, precisaremos de perseverança de sua parte. Ela agora pode realizar determinadas coisas, mas o senhor não deverá em absoluto permitir-lhe que ela faça outras coisas, porque correríamos o risco de uma recaída. E, evidentemente, esse programa poderá levar *anos*."

Tentar fazer com que essa mulher enfrentasse o marido era um trabalho grande demais para ser feito com facilidade. Quero que vocês pensem em resultados em termos de pedaços. A pergunta que faço é a seguinte: "Qual é o maior pedaço que posso fazer rápida e eficientemente?" Será uma simples re-ancoragem, ou um pedaço mais complexo? Começo com o pedaço que puder fazer facilmente e depois vou construindo a partir disso.

Homem: Portanto, você faz a mudança mínima no sistema, obtém *feedback*, faz uma outra mudança mínima — aumentando a extensão do pedaço a ser trabalhado, se você puder.

Sim. Trabalhei com uma outra mulher parecida com a que tinha sintomas histéricos radicais. Ambas eram feitas do mesmo molde. Uma tinha pés dormentes e a outra, a perna paralisada, e ambas tinham maridos italianos. Certamente nem todos os maridos italianos são assim, mas aqueles dois eram italianos "à antiga" e nenhum dos dois era casado com uma mulher italiana. Aqueles dois homens tinham um sistema de crenças culturais muito forte, não congruente com as crenças das esposas, ou com a cultura americana.

Vou dar-lhes um outro exemplo de incongruência seqüencial com o qual usei uma abordagem diferente. Não é sempre que primeiro elimino as âncoras e depois parto para um resultado completamente integrado. Existem outras maneiras de lidar com a incongruência seqüencial. Um psiquiatra amigo meu tinha uma secretária que era o mais clássico exemplo do maníaco-depressivo que se pode ter. Podia-se até predizer o dia do ano em que ela "pirava". Eram seis meses de "elação" e tudo ia de vento em popa. Perdia peso, ficava realmente atraente e vibrante, e fazia todo o trabalho. Aí, no dia 31 de julho, era de repente que a outra parte vinha à tona. Ela engordava, ficava deprimida, incompetente e assim por diante. Isto já durava há doze anos quando conheci o psiquiatra. Ele estava por demais fascinada para despedi-la, mesmo que durante seis meses do ano ela se mostrasse absolutamente incompetente. Ele sempre sabia que, num determinado momento do ano, a coisa toda mudava de figura e ela iria tomar conta de tudo que não tinha feito nos seis meses anteriores.

A coisa mais fascinante é que, quando trabalhei com ela, independente de qual parte eu estivesse trabalhando, ou fosse o que fosse que eu tivesse modificado, ou que ela houvesse aprendido — até mesmo tarefas como aprender a datilografar numa máquina com os tipos numa configuração diferente — quando as partes "piravam", nenhuma das duas transferia. Ela era praticamente duas pessoas, embora não fosse uma completa múltipla personalidade. Em cada um dos dois estados, ela ainda guardava uma certa lembrança do outro estado; lembrava-se de onde morava, e da maior parte do que acontecera enquanto estava no outro estado. Mas as aprendizagens e as mudanças pessoais nunca se transferiam de uma parte para a outra. Portanto, é claro, a parte "maníaca" saía fazendo as coisas, realizando alterações, e a "depressiva" ficava escondida. Uma delas ia ficando cada vez mais confiante e capaz, enquanto a outra ia se tornando cada vez mais incompetente e deprimida.

Quando a pessoa for assim, uma das coisas que têm de fazer de algum jeito — afora o resto todo que vocês queiram fazer — é integrar essas partes. A fim de integrá-las, porém, vocês têm que colocá-las nas mesmas coordenadas de tempo e espaço. Isso não é muito fácil, porque com aquela que não está em seu consultório pode ser muito difícil de se entrar em contato. Pode-se ancorar uma, esperar seis meses e então ancorar a outra. E se as âncoras forem realmente boas, vocês então poderão pô-las em contato uma com a outra.

Uma abordagem que tem funcionado realmente bem para mim é a "pseudo-orientação no tempo". Este é um fenômeno hipnótico, no qual hipnotizamos o cliente e o projetamos aperfeiçoado no futuro. Em seguida, levamos o cliente a acreditar, por exemplo, que aquela não é sua segunda visita e sim a décima sexta. Ele agora está a três meses daquele instante, no futuro, de modo que podemos perguntar-lhe coisas sobre seu passado. A pseudo-orientação no tempo é uma bela maneira de levar o cliente a ensinar-nos terapia. Vocês hipnotizam a pessoa e dizem-lhe que a curaram; que logo a seguir irão acordá-la. Estão agora em agosto e ela está de volta para a última consulta e que concordou em documentar uma parte de como todas essas mudanças aconteceram.

Aí vocês trazem a pessoa de volta do transe e perguntam: "Olá! Como tem passado?". "Oh, estive muito bem mesmo." Aí vocês dizem: "Tenho uma memória tão horrível. Será que você poderia me refrescar a memória, contando-me qual foi exatamente a coisa que fiz que você considerou a mais essencial em sua mudança?". O cliente irá contar-lhes então coisas realmente fantásticas que vocês farão! Muitas das técnicas que ensinamos às pessoas em *workshops* decorreram da pseudo-orientação no tempo.

É preciso um tema hipnótico muito bom ou então um rigoroso treinamento hipnótico para se ser capaz de fazer isso, por ser um complexo fenômeno de transe. Claro que, assim que vocês se acostumarem a empregá-lo, ele não será mais complicado.

Uma outra coisa que faço é determinar um sinal para os estados diferentes. Tento detectar onde residem as polaridades. Se forem temporais, então determino sinais para as diversas zonas horárias. Algumas delas são contextuais: determinadas pessoas apresentam polaridades seqüenciais, dependendo de se estão no trabalho ou em casa, por exemplo. Algumas pesosas mudam entre as férias e a vida rotineira. Se tem a ver com uma droga, então evidentemente determino uma âncora que induza ao estado da substância.

Quando estou com boas âncoras para as duas partes, posso literalmente manter conversas com cada uma delas seqüencialmente. Com a mulher maníaco-depressiva que acabei de mencionar, usei âncoras para uma visita em julho e para uma visita em dezembro. Determinei âncoras não só encobertas, mas também diretas, hipnoticamente: "Quando eu tocar você no joelho, será julho" e assim eu conseguia literalmente ir e vir entre as duas partes e trabalhar com as duas. Portanto, quando fiz a resignificação, eu induzi um estado e disse: "Agora, volte-se para seu interior e pergunte à parte...''; depois induzia o outro estado e fazia a mesma coisa. Era como fazer resignificação com duas pessoas ao mesmo tempo.

Eu costumava dirigir grupos nos quais apareciam dez a quinze pessoas e só ia passando em torno do grupo, usando o modelo de resignificação de seis passos. Na primeira semana, eu sempre o fazia com conteúdo, e depois, na semana seguinte, quando eles voltavam, eu podia fazê-lo só formalmente. Eu os fazia escolher alguma coisa de que pudessem falar a respeito, nas primeiras vezes, para ter certeza de que conseguiam discernir entre uma intenção e um comportamento e esse tipo de coisa; aí eu andava em torno da sala e apontava soluções para os problemas, enquanto eles iam atravessando ao mesmo tempo os passos do método.

Homem: Mas as duas partes da mulher maníaco-depressiva estão numa mesma pessoa. Como é que você as resignifica de modo que cheguem à mesma conclusão?

Se você está de frente para uma incongruência seqüencial — alguém faz regime feito um doido e depois engorda feito um louco — isto é realmente só uma incongruência a nível de conteúdo. A nível do formato, as duas partes são a mesma coisa. Ambas são obsessões e ambas apresentam perda de controle. Uma está dizendo: "Vou morrer de fome"; a outra está dizendo: "Vou comer tudo que estiver na frente." A nível de conteúdo, são opostas, mas, a nível formal, são exatamente o mesmo. Essas pessoas não emagrecem de modo inteligente. Não elaboram um programa lento de manutenção. São ou dietas drásticas, ou "engorda de porco". Se vocês lhes oferecessem anorexia, aceitariam! A solução tem que pegar a parte que come demais e oferecer-lhe alguma outra maneira de receber o que recebe de tal modo que possa voltar a comer com moderação. E a parte que faz regimes como uma desesperada também tem que ser resignificada, porque de outro modo, quando vocês resignificarem a parte que come, a dietética vai dizer: "Ah, ah, agora é a minha vez!" e ficará louca e aí haverá um ricocheteio, em sentido inverso.

Após eu ter trabalhado com os dois estados da incongruência seqüencial, geralmente construo uma parte cuja tarefa seja integrá-las, unir os dois estados, ou então determino alguma espécie de programa inconsciente para fundir os tempos em que operam. No caso da secretária, os tempos eram de seis meses, por isso não quis fazer desse jeito, porque teria sido preciso um monte de anos para realizar alguma coisa. Decidi fazer uma distorção temporal: voltei ao passado e instalei um programa para integração que começasse cinco anos antes e se concluísse naquela data em que ela estava em meu consultório.

Não me custou muito tempo fazer isso, porque qualquer pessoa que está dissociada a esse ponto é um ótimo sujeito hipnótico. Ela *teria* que sê-lo, ou então, para início de conversa, não poderia estar dissociada. Realizei uma indução hipnótica e cheguei a seu passado como uma outra pessoa, como algum carinha que ela tivesse conhecido cinco anos antes. Como tal, instalei um programa de integração em seu inconsciente e depois fiz com que ela criasse todas as alterações necessárias em sua história, para que pudesse concluir espontaneamente a integração, em meu consultório, cinco anos depois. Às vezes, a fim de conseguir trabalhar com essas coisas de modo satisfatório, preciso criar um monte de histórias pessoais.

Mulher: Tenho um cliente que ficou amnésico em relação a tudo o que precedeu um incidente em que "se viu envolvido" e se descobriu olhando para dentro de um cano de espingarda, com uma vara no gatilho para dispará-la. Agora está completamente amnésico em relação a tudo em sua vida que antecedeu àquele momento. Como seria de se suspeitar, vem de uma situação familiar realmente horrível. Conta também com muitos episódios de dissociação, e foi alcoólatra por muito tempo. Agora é um sóbrio membro do AA.

Acho que você está falando a respeito da mesma situação formal. O que foi que ele pediu da terapia?

Mulher: Bem, seu objetivo declarado é recuperar a memória.

Esse tipo de objetivo faz-me lembrar uma espécie de conto de fadas de minha infância. Quando eu era um menininho, meus pais costumavam ler estórias de fadas, na cama, na hora de dormir. Eu era o mais velho de nove filhos, e costumávamos ter aquelas longas sessões de estória; eram muito interessantes. Era um ritual bonito.

Uma espécie de estórias que meus pais contavam costumava me deixar maluco. Algum personagem andava pela floresta um dia e encontrava de repente uma criatura mágica cuja barba tinha ficado presa num tronco caído. Nunca conseguia entender que espécie de criatura mágica mais estúpida seria essa capaz de ficar com a barba presa num tronco caído! O personagem principal salvava a criatura mágica e esta dizia: "Agora você pode fazer três pedidos." No ato, a pessoa estragava tudo, dizendo: "Quero ficar imensamente rico." Aí toda a região ficava destruída e em ruínas e a família desaparecia em pedaços porque tudo ficava coberto de ouro.

Esse tipo de estória é uma metáfora a respeito da necessidade de proteções ecológicas que construímos na resignificação. O personagem não pensa nos efeitos secundários de seu pedido. Não especifica o contexto nem o procedimento; apenas enuncia um objetivo. Atingir o objetivo é muito mais desastroso do que não tê-lo alcançado de modo algum. Conseqüentemente, o personagem sempre usa o segundo pedido para inverter os maus efeitos do primeiro. Depois diz algo assim como: "Gostaria de nunca ter encontrado esta criatura." E assim termina utilizando o terceiro pedido. De modo que desperdiça os três pedidos e acaba tudo de volta a nada.

É freqüente que as exigências conscientes em terapia sejam bastante parecidas com isso. As pessoas pedem coisas sem qualquer consideração por seu próprio contexto pessoal, ou pelo contexto familiar maior em que estão envolvidas. Portanto, se eu estivesse em sua posição, uma das coisas que eu faria seria agir ingenuamente. Agir como se eu estivesse levando a sério seu pedido, conseguir que ele regredisse e só se lembrasse de umas poucas coisas.

Primeiro, determinaria uma forte âncora para a amnésia. Depois, induziria um transe no qual garantiria que, se eu o desejasse, poderia criar amnésia. A seguir, deixá-lo-ia dissociado para que conseguisse enxergar as coisas de seu passado, de um ponto de vista externo, sem envolver-se cinestesicamente. Depois, pediria a seu inconsciente que escolhesse três incidentes de sua história pessoal; um agradável, um não tão agradável e um desastroso, para dar-lhe uma idéia da gama de experiências que sua história pessoal contém. Após ele ter observado estas situações, eu o acordaria e pediria que me desse uma resposta. Se desejasse continuar, então eu faria isso. Se não o desejasse, eu re-induziria o transe, criaria amnésia para aqueles trechos de informação recuperada e em seguida passaria à estipulação de novos objetivos.

Certa vez, um terapeuta trouxe-me uma aluna em treinamento que desejava que usasse hipnose para descobrir algo a respeito de seu passado. Ela acreditava que seu irmão mais velho e um amigo deste haviam-na estuprado quando ela estava com 11 anos de idade. Ela não tinha certeza de isto ter realmente acontecido e queria saber se isto era verdade. Minha resposta foi: "Que diferença isto faria para você?". Ela não sabia a resposta a esta pergunta, pois jamais lhe ocorrera. Talvez seja o caso de você considerar perguntar isso ao seu cliente.

Janet: Bem, eu lhe perguntei e ele disse que quer se lembrar para não se sentir tão esquisito quando se depara com alguém que era seu conhecido e que ele não lembra de ter sido amigo. Sinto que ele estipulou para si uma tarefa que é impossível de ser realizada porque ele *realmente* não quer saber.

Essa seria a minha primeira sensação também. Ele conscientemente pediu para recuperar uma recordação, então o objetivo é esse, mas ele também tem muito bons motivos para *não* se lembrar.

Janet: Ele também freqüentou um hospital do VA (*Veterans' Administration*). Sente muito orgulho de terem usado sódio pentotal com ele e não terem conseguido nada! Usaram hipnose também e não obtiveram êxito para ajudá-lo a recuperar seu passado. Ele só consegue recordar-se com detalhes muito precisos do dia em que se viu olhando dentro do cano de espingarda.

Eu provavelmente iria pesquisar quais eram então seus meta-objetivos. "Você quer recuperar sua memória. Com que propósito?" "Para que quando eu encontre pessoas de meu passado eu possa saber como lidar com elas." "Oh! O que você quer de fato não é recuperar a memória. Você quer uma forma de lidar elegantemente com a situação de encontrar pessoas que alegam ter pertencido a seu passado." Uma forma de chegar a este resultado para ele seria ensinando-o um pouco de "má representação de papel". "Puxa, há quanto tempo! Onde *foi* mesmo?" É muito fácil ensiná-lo a ter uns "enchimentos" que venham a eliciar com graça toda a informação de que ele necessita para responder apropriadamente.

Toda vez que existir um conflito direto de qualquer nível, vocês simplesmente pulam para o próximo nível. Perguntem qual o meta-objetivo. "O que é que você ganha com isso? Qual o propósito que isso lhe irá atingir?". Assim que souberem disso, podem oferecer alternativas que sejam muito mais elegantes. Em breve, ele desistirá de seu objetivo original, porque recuperar sua história não terá então, para ele, nenhuma outra função.

Janet: Até onde estou informada, sua situação familiar continua a ser horrível. Tentei dizer: "Bem, se você não consegue lembrar-se de coisa alguma, então por que não tentar que sua família conte as boas coisas que aconteceram em sua vida?" A família não conseguiu produzir *nenhuma* informação!

Uma outra alternativa poderia ser torná-lo um bom sujeito hipnótico, com o objetivo de criar uma nova história pessoal para si. Leve-o a concordar com o uso da hipnose, não para a recuperação de lembranças, mas para construir uma nova história pessoal. Se da primeira vez for ruim, volte atrás e crie você mesma uma nova, melhor. Todas as pessoas deveriam de fato ter diversas histórias.

Janet: Como é que você faria isso?

Diretamente. Você pode dizer: "Olhe, você é um cara talentoso, mas não sabe de onde veio. De onde é que você gostaria de ter vindo?"

Janet: Ele é um fazendeiro bronco.

Isso torna a coisa mais fácil. O mais difícil de todos os clientes é o psicoterapeuta sofisticado, porque pensa que conhece todos os passos do que você está fazendo. A mente consciente desse cara é muito entojada.

No livro *Uncommon Therapy*, existe a descrição de um caso em que Milton Erickson construiu um conjunto de experiências passadas para uma mulher. Ele criou uma história para ela em que periodicamente ele aparecia como o "Homem de Fevereiro". Este caso é uma fonte excelente para estudo da estrutura de criação de histórias pessoais alternativas.

Fred: A esquizofrenia seria um outro exemplo de incongruência seqüencial e de dissociação?

As pessoas diagnosticadas como esquizofrênicas têm em geral determinados aspectos de suas pessoas que estão severamente dissociados. Contudo, a dissociação é em geral simultânea. Por exemplo, um esquizofrênico pode ouvir vozes e pensar que elas vêm de fora de sua cabeça. As vezes estão dissociadas, mas ambas as "partes" da pessoa estão presentes ao mesmo tempo.

Fred: Certo. Venho trabalhando há muito tempo com esquizofrênicos. Venho utilizando algumas de suas técnicas, mas não com tanta eficiência ou precisão como eu gostaria. Quais os ajustamentos particulares que você sugeriria para os assim chamados esquizofrênicos?

A partir do modo como você expressou sua frase, assumo que você percebeu que algumas pessoas classificadas como esquizofrênicas não manifestam os sintomas que outras pessoas com esse rótulo apresentam. Existem dois aspectos diferentes no trabalho com esquizofrênicos, em comparação com trabalhar com as pessoas desta sala, por exemplo.

Um é que as pessoas rotuladas como esquizofrênicas vivem numa realidade diferente da que é unânime — para a maioria de nós. A realidade do esquizofrênico é suficientemente diferente para exigir muita flexibilidade por parte do comunicador para que ele consiga entrar nela e espelhá-la. Essa realidade difere bastante radicalmente daquela que os psicoterapeutas usam como base de suas ações terapêuticas. Portanto, a questão da abordagem e do contato (*rapport*) é a primeira diferença entre lidar com os assim chamados esquizofrênicos e com alguém que não tenha o mesmo rótulo. Para atingir o contato com o esquizofrênico, vocês têm que usar todas as técnicas de espelhamento corporal e de espelhamento cruzado, considerando as metáforas que o esquizofrênico oferecer para explicar a situação, prestando muita atenção a seu comportamento não-verbal peculiar. Esta é uma tarefa extremamente exigente para qualquer comunicador profissional.

A segunda tarefa é que os esquizofrênicos — especialmente aqueles que estão institucionalizados — estão em geral sob o efeito de medicamentos. Esta é de fato a mais difícil diferença de ser enfrentada, porque é a mesma situação que tentar trabalhar com um alcoólatra quando ele está embriagado. Existe uma contradição direta entre as necessidades da administração da ala psiquiátrica e as necessidades da psicoterapia. A medicação é geralmente usada como

217

medida para satisfazer as da administração da ala. Como pré-condição de ser eficiente na resignificação, preciso captar precisamente as partes da pessoa responsáveis pelos comportamentos que estou tentando modificar. Enquanto não conseguir abranger a assistência de tais partes para as alterações no comportamento, estarei fora de rumo, falando com a parte errada da pessoa. Os sintomas expressam a parte da pessoa com a qual preciso trabalhar. Os medicamentos, contudo, considerados apropriados para uma situação de internamento hospitalar, são precisamente os medicamentos que removem os sintomas e impedem o acesso à tal parte da pessoa.

É uma tarefa difícil e desafiadora trabalhar eficientemente com pessoas medicadas. Já o fiz uma meia dúzia de vezes, mas não apreciei muito o trabalho. Em si mesma a medicação é uma âncora extremamente poderosa como obstáculo à mudança.

Vou contar-lhes uma breve estória de horror. Um rapaz estava vagueando pelas ruas de uma grande cidade após uma festa. Era formando da universidade local. Tinha fumado um pouco de maconha e bebido uns golinhos a mais. Estava vagueando sem destino, não realmente embriagado, mas certamente não sóbrio. Mais ou menos às três da manhã, foi recolhido pela polícia, aprisionado por estar bêbado em público. Tiraram as impressões digitais dele e levantaram o dossiê do sujeito. Verificou-se que tinha passado vários anos numa instituição mental do local. Quando estava lá dentro, fora rotulado como esquizofrênico e tivera a sorte de encontrar um psiquiatra que era um comunicador realmente bom. Após o psiquiatra ter trabalhado com este rapaz, alterara o comportamento deste, fora indicado para alta, e estava indo muito bem na faculdade. Isto tinha se mantido por anos.

Quando a polícia descobriu esta história de "doença mental", decidiram que seu comportamento não era resultado nem do álcool, nem do fumo, mas sim o resultado de um lapso psicótico. Portanto, enviaram-no para o hospital psiquiátrico estadual. Foi recolocado exatamente na mesma ala que tinha ocupado antes, e recebeu o mesmo medicamento que tinha sido aplicado antes. Advinhem o que aconteceu? Ficou esquizofrênico de novo. Foi direitinho ancorado de novo no comportamento maluco.

Este tipo de perigo é o motivo de eu insistir para que o teste de um trabalho eficaz com um alcoólatra seja expô-lo à ancora química que costumava captar o estado alcoólico dissociado — fazer o cliente tomar um drinque. Então cabe observar se a ingestão daquela bebida provoca uma alteração radical no estado — mudanças radicais de respiração, cor da pele e todos os outros indicadores não-verbais de uma mudança no estado. Se ocorrer uma mudança dessas, então vocês não têm ainda um trabalho integrado; vocês têm ainda pela frente mais integração a fazer.

Se vocês enfrentam o desafio de trabalhar com esquizofrênicos institucionalizados, podem tornar seu trabalho um pouco mais confortável e muito mais eficiente se entrarem em alguma forma de acordo com a pessoa que estiver encarregada das drogas, naquela enfermaria. Ser eficiente num lapso de tempo razoável é algo que irá depender de sua habilidade para trabalhar com pessoas enquanto elas *não* estiverem drogadas, ou de sua habilidade para determinar estados hipnóticos dissociados em que seja possível à pessoa manifestar-se de modo essencialmente independente da química. São tarefas muito difíceis; é um verdadeiro desafio.

Janet: Tenho um cliente que foi diagnosticado como esquizofrênico. É uma mulher que tomou medicamentos mas agora não mais os toma. Porém, está começando a ouvir vozes de novo. Isto a está aterrorizando. Ela está muito assustada.

Bem, antes de mais nada, ela não se assusta com isso. Ela apresenta uma resposta cinestésica ao ouvir vozes. A nível consciente, ela denominou essa resposta de "estar assustada". Pode parecer uma questão de mera semântica, mas não é. Existe uma brutal diferença entre as duas colocações e a resignificação irá demonstrar-lhes a diferença.

Minha primeira resposta a esta mulher seria dizer-lhe: "Graças a Deus que essas vozes estão ainda aí! De outra forma, como é que você saberia o que fazer a seguir? Como é que você planejaria qualquer coisa?" Uma ou duas gerações atrás, uma pessoa que ouvisse vozes era caracterizada como louca. Isto é uma fotografia de quanto éramos toscos, em nossa cultura, a respeito da organização e do processamento da mente humana. As vozes são um dos três modos principais de organização de nossa experiência, para a execução de planejamento e análise. É isto que nos distingue como espécie de todas as outras. Portanto, minha primeira resposta seria: "Graças a Deus! E agora, vamos descobrir o que é que elas estão tentando comunicar a você." Posso dizer também: "Muito bom! Vou falar com elas também, se você deixar. Talvez elas estejam com alguma informação muito boa para nós. Portanto, volte-se para seu interior e pergunte às vozes o que é que elas estão tentando lhe dizer."

Janet: "Como devo matar minha mãe!"

"Ótimo! Agora, pergunte às vozes qual seria a vantagem de matar sua mãe." Você parte para o meta-resultado. Se uma parte-voz interna declara um objetivo que é moral, ético ou culturalmente inaceitável, como "matar a mãe", então imediatamente passa-se a um enquadre em que essa resposta *torna-se* apropriada. Pode parecer

bizarro, a vocês que me ouvem, mas é muito apropriado em determinados contextos. A questão é: você pode descobrir o contexto? "O que é que adiantaria matar sua mãe? Pergunte às vozes o que é que estão tentando fazer por você, levando-a a matar sua mãe."
É provável que a pessoa interrompa para dizer: "Não quero matar minha mãe!" Vocês podem responder: "Eu não disse para matar sua mãe. Eu disse para perguntar às vozes." Vocês precisam efetivamente manter a dissociação, prosseguindo depois com o formato padrão de resignificação em seis passos. "Essas vozes são aliadas. Você ainda não o sabe, mas irei demonstrar que elas são. Agora, pergunte a elas o que estão tentando fazer por você."

Ben: Estou presentemente trabalhando com um paciente que é um esquizofrênico crônico. Descobri que estou desafiando sua carreira de treze anos como esquizofrênico crônico, por trabalhar com ele. Na última sessão, ele disse em última instância que tem investimento na manutenção desta carreira. Portanto, aplaudi seu grande êxito nesse sentido.

O que Ben está dizendo é realmente importante. Ele aplaude a carreira de treze anos de duração de esquizofrênico do seu paciente. "Mas como você se saiu bem como esquizofrênico por treze anos."

Ben: Ele tem o mesmo nome que uma pessoa famosa, e eu disse que ele era tão talentoso em sua carreira de esquizofrênico quanto a tal pessoa em seu campo! Ele tem a seu favor efetivamente trinta e dois anos de tratamento, mas nunca teve antes uma terapia familiar adequada. No contexto da terapia familiar ele me contou que sua mãe poderia morrer se ele resolvesse esse problema e realmente se tornasse ele mesmo.

A mãe dele estava presende quanto ele expressou essa crença?

Ben: Sim. Eu expliquei que ela não deveria morrer se ele melhorasse. De fato, eu disse que ela ficaria muito contente. Na verdade, a mãe é até certo ponto incongruente quanto a desejar que ele se recupere ou não. Mas eu não sei para onde ir daí em diante. Acho que eu começaria trabalhando com a mãe.

Certo. Ben está trabalhando com um esquizofrênico e agora irá trabalhar com a mãe. O passo seguinte será a maneira específica de ele vincular os dois. Em outras palavras, a mãe diz para o esquizofrênico: "Eu não vou morrer se você ficar melhor. Vá em frente e fique bom. No fundo, quero que você fique melhor." (E sacode a cabeça em "não".)

Ben: Não li a incongruência com essa clareza, mas acho que é precisa.

A pergunta é: o esquizofrênico acredita nessa colocação incongruente? Absolutamente não. O esquizo é muito mais sensível do que você e eu a estes sinais não-verbais. Levou só sua vida inteira lendo-os.

Uma coisa que se pode fazer é obter uma resposta congruente da mãe. Você pode começar escolhendo aquelas partes da mãe que querem e não querem que ele melhore. "Certo. Finja que você quer que ele fique doente. Agora diga-lhe os motivos pelos quais é importante que ele continue doente." Ela diz: "Mas eu não..." e você acrescenta: "Bom, isos vai tornar mais fácil para você fingir." Depois você diz: "Agora finja que você quer que ele se recupere." "Bom, eu quero." "Claro, isso tornará mais fácil fingir." A lógica desta medida é furada e irrelevante. A única coisa que importa é que você facilite a resposta dela. Se você quer ver alguma coisa substantiva em termos de âncoras não cinestésicas, faça a mãe alternar os comportamentos de um e outro de seus lados, enquanto você observa o esquizofrênico. Vai sair fumaça da cabeça dele!

Seu objetivo final, evidentemente, é tornar o esquizofrênico independente de a mãe ser ou não congruente com ele. Em determinado sentido, maturidade é alcançar uma relação simétrica que permita ao pai ou à mãe ser tão incongruente quanto ele(a) o desejar, e ao filho poder manter ainda seu próprio contexto e ímpeto, na vida.

Independente de o esquizofrênico acreditar que sua mãe o quer recuperado ou doente, se você for fazer resignificação pode dizer que o propósito do esquizofrênico em se manter assim é honrar a mãe. Seu propósito é o de demonstrar o quanto se interessa e se preocupa pelo bem-estar da mãe.

Isto é só a resignificação padrão. Passei de um trecho de comportamento, ser esquizofrênico, para a intenção ou propósito do comportamento. Estabeleço uma separação entre o comportamento "esquizofrênico" e a intenção ou propósito do comportamento, e valido o resultado. "Você está *certo*! Não fique aprontando encrencas por aí, porque você se importa com o bem-estar de sua mãe e precisa demonstrá-lo para ela, no que me diz respeito. Eu também me importo com minha mãe." Use qualquer análogo que seja apropriado para este sujeito em particular.

Depois você *insiste* que ele fique esquizofrênico até ter testado outras maneiras de mostrar a ela o respeito e o carinho que ela merece e que ele deseja dar-lhe. Insista para que ele continue esquizofrênico até descobrir padrões alternativos de comportamento que conduzam ao resultado: mostrar respeito e carinho pela mãe. "Ela merece o melhor. Se esquizofrenia é o melhor, então você precisa ficar assim. Se pudermos encontrar algo melhor como meio de demonstrar-lhe seu

221

carinho e respeito, você o fará desse novo jeito, porque ela merece o melhor." Agindo assim, você opera inteiramente dentro do modelo de mundo do sujeito. Ao mesmo tempo, eu também trabalharia com a mãe para fazer uma seleção em seus comportamentos.

Às vezes, quando alguém aparece com aspectos dissociados de sua experiência, temos escolhido *não* ir em busca de um objetivo de integração completa. Uma enorme holandesa que estava neste país há vinte anos foi trazida pelo marido. Estava exibindo sintomas agudos de esquizofrenia. Ela ouvia vozes que estavam constantemente instigando-a sexualmente e fazendo comentários de baixo calão, incompreensíveis. Ela não entendia sequer o significado dessas colocações, porque era uma "mulher limpa".

Um número razoável de bem-intencionados psiquiatras tinha tentado lidar com esta mulher. Explicaram-lhe que as vozes eram realmente vozes *dela* e eram resultantes do fato de ela estar muito zangada com seu marido pelo fato de ele ter sido envolvido num caso amoroso com uma mulher, dez anos antes. Era uma mulher extremamente religiosa e não havia meios de ela aceitar a explicação dada, dentro de seu modelo de mundo. Sua raiva era para ela inaceitável, portanto, ela a projetava em alucinações auditivas. Se ela acreditasse que aquelas vozes eram suas próprias, isso teria esmigalhado sua imagem de auto-apreço. As vozes estavam lhe dizendo coisas e atividades que lhe eram ignóbeis, pois era uma mulher boa, limpa, religiosa. Tentando levá-la a aceitar isso, os bem-intencionados psiquiatras estavam dando cabeçadas num muro de pedra.

Esta mulher recusava-se a ir a psiquiatras porque estes a insultavam. Portanto, seu marido e sua filha trouxeram-na até mim. O problema estava ficando sério, porque ela estava atacando com violência física as pessoas que a seu ver estivessem lhe fazendo propostas indecentes. Batia e espancava garçons em restaurantes, pessoas na rua e era uma mulher formidavelmente forte. Conseqüentemente, estava a ponto de ser trancafiada. Decidimos atingir um objetivo terapêutico limitado. A família era pobre e não tinha interesse algum em mudanças generativas. Mama só queria ficar confortável e o resto da família queria apenas que Mama ficasse "numa boa".

Estava ela, de maneira evidente, muito dissociada. Neste caso, tratava-se de uma dissociação de seu sistema representacional. Ela dissociara tanto a parte cinestésica quanto a parte auditiva da raiva. Fizemos uso da dissociação e simplesmente a ampliamos para captar um estado alterado. Aí apelamos diretamente à parte dentro dela que sabia o que estava se passando. Na primeira sessão, ficamos contentes de convencer seu inconsciente de um trecho espúrio de lógica. Dissemos a seu inconsciente que, uma vez que ele tinha coisas importantes para dizer a ela, que lhe dissesse em sua língua de origem, para que ela pudesse entendê-lo *completamente*. Fazendo isso, transformamos todas as vozes alucinadas em holandês. A conseqüência disso foi que ela não conseguia esmurrar ninguém nos Estados Unidos, porque estava ouvindo vozes em *holandês* e sabia que as pessoas em torno de si só falavam inglês. Isto foi para ela muito confuso, mas foi uma maneira efetiva de impedi-la de meter-se em situações nas quais seria realmente presa ou condenada.

Quando ela voltou, induzimos um estado alterado de novo e tive no momento uma "revelação". Deus me falou ao ouvido e eu lhe contei o que Deus me dissera. "Deus disse: está mais do que certo, justo e correto que blá, blá, blá." Esta revelação deu-lhe instruções para transformar todas as suas vozes em sonhos. Portanto, todas as noites, a mulher adormecia e tinha sonhos violentos de vingança do marido que a ludibriara. Durante o dia estava perfeitamente confortável. Construímos algumas precauções, de tal sorte que os sonhos violentos não atingissem também seu comportamento durante o dia, ou então ela poderia chegar a realmente surrar o marido.

Este é um exemplo de um objetivo terapêutico extremamente limitado. Já faz cinco anos e meio desde que trabalhamos com ela. Está feliz e todos na família também estão; esta abordagem, porém, não é integrada. Ela ainda está com as duas partes em si dissociadas. Usando a metáfora do alcoólatra, ela ainda está propensa a "farras".

Homem: Nos sonhos, você quer dizer?

Sim, e existe uma possibilidade de isto poder escorregar até seus comportamentos na vigília, também. Acho que se seu marido tornar a envolver-se com uma outra mulher, isso iria romper todas as barreiras que construímos para escandir aquele comportamento. Vocês sempre podem usar esse tipo de dissociação para excluir o comportamento de alguém, mas deverão perceber as limitações de não se atingir uma completa integração.

Vocês precisam ser capazes de escolher e contextualizar o comportamento, de modo que possam responder diferentemente em situações diferentes. A contextualização exagerada resulta numa dissociação extrema e em comportamento severamente limitado e inflexível. A dissociação extrema pode funcionar adequadamente em meios ambientes limitados e relativamente estáveis, mas torna-se rapidamente desadaptada e ineficaz face a condições em mudança.

A situação ideal é ter uma integração completa, de modo que qualquer comportamento possa estar disponível em qualquer contexto. Nosso objetivo para vocês e seus clientes é que sejam capazes de responder a condições em mudança de modo generativo e evolutivo. A fim de que isto seja realizado, é útil integrar completamente as dissociações, para que vocês tenham todos os recursos disponíveis a qualquer momento e em qualquer lugar.

Índice Analítico

Agenda oculta, 178
Alcoólatras Anônimos, 204-206
Ancoragem, 64, 123, 126-127, 168, 194-195, 198-204, 206-207, 212, 215
Anorexia, 35
Apresentação (*delivery*), 21, 37
Câncer, 145-147
Casos (em ordem de aparecimento)
   mãe fanática por limpeza, 13-15
   filha teimosa, 16-17
   mulher "frígida", 38-39
   homem com "interações", 40-41
   fobia de auto-estrada, 70-71
   mulher sem inconsciente, 125
   parte sem resultado útil, 152-153
   mulher com tabus sexuais, 158
   mãe que esteve num campo de concentração, 164
   mãe profissional em ajudar os outros, 170-171
   mãe matriarcal, 184, 189
   eliminar os relógios de ponto, 194-195
   experimento com viciados em heroína, 205
   cliente de dez segundos, 208
   paralisia histérica, 209-210
   maníaco-depressiva, 211-213
   homem com amnésia, 214-216
   esquizofrênico "re-ancorado", 218
   holandesa violenta, 222-223
Criar uma história alternativa, 216-217
Desafio da relevância, 180-181
Dores de cabeça enxaquecosas, 155
Ecologia, 61-63, 129, 137, 144-145, 160
Enquadre (referencial) para acordo, 177-178, 179, 180-181

Equivalência complexa, 20, 23-24
Erickson, Milton, 30, 158
Espelhando o futuro, 39, 115, 145, 195
Esquizofrenia, 217-223
Estados dissociados, 208-213, 217, 222-223
Exemplos de resignificação de casais
   Beth-Tom, 162-163
   Joe-Rita, a mensagem recebida é a pretendida (raiva), 165-166
   Sam-Martha, pai-filha, 175
   Jean-George, monogamia?, 177-180
Exercícios
   significado e resignificação de contexto, 23-25
   resignificação avançada em seis passos, 129-139
   resignificação de casal, 165
   enquadre (referencial) de acordo, 180
Exorcizar partes, 74

Farreley, Frank, 40-41
Festa de partes, 20, 43
Fluxo de informações, 191-194
Fobia, 71, 156-157, 169
Forma identificatória, 25-26
Função positiva/intenção, 57-58, 97-112, 174-175
"Importante o bastante", 85, 168, 170
Incongruência, 145, 198, 209-213, 217, 220-221, 222-223

Manipulação/controle, 43-44, 45-46
Medicação, 215
Meta-modelo, 25, 43, 56, 95, 161
Meta-objetivos/meta-resultados, 172, 177-178, 216, 219
Meta-parte, 83-84, 148

225

Pseudo-orientação no tempo, 173, 211-212

Recuperar a memória, 214-215
Resignificação, indicações sensoriais de êxito, 31-32
Resignificação de si mesmo, 142-143
Resignificação "negativa", 40-42
Resistência, 154, 172
Resposta de polaridade, 74, 176
Ritual suicida, 31

Satir, Virginia, 16, 20, 36-37, 43

Sinais inconscientes, 125-127, 133-139, 140-141, 149-152
Sintoma como mensagem, 155-156
Skinner, B. F., 75
Sobreposição, 146, 200
Substituição de sintomas, 76-77
Sugestão-pós-hipnótica, 202
Suicídio, 26-31

Terapia de resultados, 162-165

Vendas, 47-52

Whitaker, Carl, 33

Bibliografia

Bandler, Richard e Grinder, John. *Frogs into Princes*. Real People Press, 1979. (Edição brasileira: *Sapos em Príncipes*. Summus Editorial, 1982).

Bandler, Richard e Grinder, John. *The Structure of Magic I*. Science and Behavior Books, 1975.

Bandler, Richard e Grinder, John. *Patterns of Hypnotic Techniques of Milton H. Erickson, M. D. I*. Meta Publications, 1975.

Bandler, Richard, Grinder, John e Satir, Virginia. *Changing with Families*. Science and Behavior Books, 1976.

Cameron-Bandler, Leslie. *They Lived Happily Ever After: A Book About Achieving Happy Endings in Coupling*. Meta Publications, 1978.

Dilts, Robert B., Grinder, John, Bandler, Richard, DeLozier, Judith e Cameron-Bandler, Leslie. *Neuro-Linguistic Programming I*. Meta Publications, 1979.

Farrelly, Frank e Brandsma, Jeff. *Provocative Therapy*. Meta Publications, 1978.

Gordon, David. *Therapeutic Metaphors: Helping Others Through the Looking Glass*. Meta Publications, 1978.

Grinder, John e Bandler, Richard. *Trance-formations: Neuro-Linguistic Programming and the Structure of Hypnosis*. 1981. (Edição brasileira: *Atravessando — Passagens em Psicoterapia*. Summus Editorial, 1984.)

Grinder, John e Bandler, Richard. *The Structure of Magic II*. Science and Behavior Books, 1976.

Grinder, John, DeLozier, Judith e Bandler, Richard. *Patterns of the Hypnotic Techniques of Milton H. Erickson, M. D. II*. Meta Publications, 1977.

Lankton, Stephen R. *Pratical Magic: The Clinical Applications of Neuro-Linguistic Programming*. Meta Publications, 1979.

A Sociedade Brasileira de Programação Neurolingüística foi a pioneira da Programação Neurolingüística no Brasil, tendo trazido a técnica para o país em 1981. Os treinamentos obedecem e ultrapassam os padrões estabelecidos pela "Americam Society of Neuro Linguistic Programing", entidade que congrega profissionais da PNL em todo o mundo.

A Sociedade Brasileira de Programação Neurolingüística, fundada por Gilberto Craidy Cury e Rebeca L. Frenk (Biby), formados diretamente pelos criadores da PNL Richard Bandler e John Grinder, é o centro formador dos melhores profissionais da PNL no Brasil, pela ética, profissionalismo, seriedade e visão de futuro.

Dentro de cada um dos diversos cursos da Sociedade Brasileira de Programação Neurolingüística você terá a possibilidade de desenvolver habilidades, posturas e competências capazes de gerar transformações que permitam uma evolução real na qualidade de vida pessoal e profissional.

Ao longo dos anos nesta busca de qualidade a Sociedade Brasileira de Programação Neurolingüística ampliou horizontes de indivíduos, famílias, escolas, instituições e empresas, criando um espaço de maior realização e integração do ser humano e da sociedade.

Ligue para a Sociedade Brasileira de Programação Neurolingüística para receber mais informações.

Sociedade Brasileira de Programação Neurolingüística
Rua Fernandes Borges, 120 - Vila Nova Conceição
04504-030 - São Paulo - SP
Tel.: (11) 3887-4000
http://www.pnl.com.br

Livros de Programação Neurolingüística publicados pela Summus

A ESSÊNCIA DA MENTE
Usando o seu poder interior para mudar
Steve e Connirae Andreas

ATRAVESSANDO
Passagens em psicoterapia
Richard Bandler e John Grinder

CRENÇAS
Caminhos para a saúde e o bem-estar
Robert Dilts, Tim Hallborn, Suzi Smith

ENFRENTANDO A AUDIÊNCIA
Recursos efetivos de apresentação
Robert Dilts

INTRODUÇÃO À PROGRAMAÇÃO NEUROLINGÜÍSTICA
Como entender e influenciar as pessoas
Joseph O'Connor e John Seymour

KNOW-HOW
Como programar melhor o seu futuro
Leslie Cameron-Bandler, David Gordon e Michael Lebeau

MODERNAS TÉCNICAS DE PERSUASÃO
A vantagem oculta em vendas
Donald J. Moine e John H. Herd

O MÉTODO EMPRINT
Um guia para reproduzir a competência
Leslie Cameron-Bandler, David Gordon e Michael Lebeau

O REFÉM EMOCIONAL
Resgate sua vida afetiva
Leslie Cameron-Bandler e Michael Lebeau

PNL E SAÚDE
Recursos de programação neurolingüística para uma vida saudável
Ian McDermott e Joseph O'Connor

SAPOS EM PRÍNCIPES
Programação neurolingüística
Richard Bandler e John Grinder

SOLUÇÕES
Antídotos práticos para problemas sexuais e de relacionamento
Leslie Cameron-Bandler

SUCESSO EM VENDAS COM PNL
Recursos de programação neurolingüística para profissionais de vendas
Joseph O'Connor e Robin Prior

TERAPIA NÃO CONVENCIONAL
As técnicas psiquiátricas de Milton H. Erickson
Jay Haley

TRANSFORMANDO-SE
Mais coisas que você não sabe que não sabe
Steve Andreas e Connirae Andreas

TREINANDO COM A PNL
Recursos de programação neurolingüística
para administradores, instrutores e comunicadores
Joseph O'Connor e John Seymour

USANDO SUA MENTE
As coisas que você não sabe que não sabe
Richard Bandler

NOVAS BUSCAS EM PSICOTERAPIA
VOLUMES PUBLICADOS

1. *Tornar-se presente — Experimentos de crescimento em Gestalt-terapia* — John O. Stevens.
2. *Gestalt-terapia explicada* — Frederick S. Perls.
3. *Isto é Gestalt* — John O. Stevens (org.).
4. *O corpo em terapia — a abordagem bioenergética* — Alexander Lowen.
5. *Consciência pelo movimento* — Moshe Feldenkrais.
6. *Não apresse o rio (Ele corre sozinho)* — Barry Stevens.
7. *Escarafunchando Fritz — dentro e fora da lata de lixo* — Frederick S. Perls.
8. *Caso Nora — consciência corporal como fator terapêutico* — Moshe Feldenkrais.
9. *Na noite passada eu sonhei...* — Medard Boss.
10. *Expansão e recolhimento — a essência do t'ai chi* — Al Chung-liang Huang.
11. *O corpo traído* — Alexander Lowen.
12. *Descobrindo crianças — a abordagem gestáltica com crianças e adolescentes* — Violet Oaklander.
13. *O labirinto humano — causas do bloqueio da energia sexual* — Elsworth F. Baker.
14. *O psicodrama — aplicações da técnica psicodramática* — Dalmiro M. Bustos e colaboradores.
15. *Bioenergética* — Alexander Lowen.
16. *Os sonhos e o desenvolvimento da personalidade* — Ernest Lawrence Rossi.
17. *Sapos em príncipes — programação neurolingüística* — Richard Bandler e John Grinder.
18. *As psicoterapias hoje — algumas abordagens* — Ieda Porchat (org.)
19. *O corpo em depressão — as bases biológicas da fé e da realidade* — Alexander Lowen.
20. *Fundamentos do psicodrama* — J. L. Moreno.
21. *Atravessando — passagens em psicoterapia* — Richard Bandler e John Grinder.
22. *Gestalt e grupos — uma perspectiva sistêmica* — Therese A. Tellegen.
23. *A formação profissional do psicoterapeuta* — Elenir Rosa Golin Cardoso.
24. *Gestalt-terapia: refazendo um caminho* — Jorge Ponciano Ribeiro.
25. *Jung* — Elie J. Humbert.
26. *Ser terapeuta — depoimentos* — Ieda Porchat e Paulo Barros (orgs.)
27. *Resignificando — programação neurolingüística e a transformação do significado* — Richard Bandler e John Grinder.

28. *Ida Rolf fala sobre Rolfing e a realidade física* — Rosemary Feitis (org.)
29. *Terapia familiar breve* — Steve de Shazer.
30. *Corpo virtual — reflexões sobre a clínica psicoterápica* — Carlos R. Briganti.
31. *Terapia familiar e de casal* — Vera L. Lamanno Calil.
32. *Usando sua mente — as coisas que você não sabe que não sabe* — Richard Bandler.
33. *Wilhelm Reich e a orgonomia* — Ola Raknes.
34. *Tocar — o significado humano da pele* — Ashley Montagu.
35. *Vida e movimento* — Moshe Feldenkrais.
36. *O corpo revela — um guia para a leitura corporal* — Ron Kurtz e Hector Prestera.
37. *Corpo sofrido e mal-amado — as experiências da mulher com o próprio corpo* — Lucy Penna.
38. *Sol da Terra — o uso do barro em psicoterapia* — Álvaro de Pinheiro Gouvêa.
39. *O corpo onírico — o papel do corpo no revelar do si-mesmo* — Arnold Mindell.
40. *A terapia mais breve possível — avanços em práticas psicanalíticas* — Sophia Rozzanna Caracushansky.
41. *Trabalhando com o corpo onírico* — Arnold Mindell.
42. *Terapia de vida passada* — Livio Tulio Pincherle (org.).
43. *O caminho do rio — a ciência do processo do corpo onírico* — Arnold Mindell.
44. *Terapia não-convencional — as técnicas psiquiátricas de Milton H. Erickson* — Jay Haley.
45. *O fio das palavras — um estudo de psicoterapia existencial* — Luiz A.G. Cancello.
46. *O corpo onírico nos relacionamentos* — Arnold Mindell.
47. *Padrões de distresse — agressões emocionais e forma humana* — Stanley Keleman.
48. *Imagens do self — o processo terapêutico na caixa-de-areia* — Estelle L. Weinrib.
49. *Um e um são três — o casal se auto-revela* — Philippe Caillé
50. *Narciso, a bruxa, o terapeuta elefante e outras histórias psi* — Paulo Barros
51. *O dilema da psicologia — o olhar de um psicólogo sobre sua complicada profissão* — Lawrence LeShan
52. *Trabalho corporal intuitivo — uma abordagem Reichiana* — Loil Neidhoefer
53. *Cem anos de psicoterapia... — e o mundo está cada vez pior* — James Hillman e Michael Ventura.
54. *Saúde e plenitude: um caminho para o ser* — Roberto Crema.
55. *Arteterapia para famílias — abordagens integrativas* — Shirley Riley e Cathy A. Malchiodi.
56. *Luto — estudos sobre a perda na vida adulta* — Colin Murray Parkes.
57. *O despertar do tigre — curando o trauma* — Peter A. Levine com Ann Frederick.
58. *Dor — um estudo multidisciplinar* — Maria Margarida M. J. de Carvalho (org.).
59. *Terapia familiar em transformação* — Mony Elkaïm (org.).
60. *Luto materno e psicoterapia breve* — Neli Klix Freitas.
61. *A busca da elegância em psicoterapia — uma abordagem gestáltica com casais, famílias e sistemas íntimos* — Joseph C. Zinker.
62. *Percursos em arteterapia — arteterapia gestáltica, arte em psicoterapia, supervisão em arteterapia* — Selma Ciornai (org.)
63. *Percursos em arteterapia — ateliê terapêutico, arteterapia no trabalho comunitário, trabalho plástico e linguagem expressiva, arteterapia e história da arte* — Selma Ciornai (org.)
64. *Percursos em arteterapia — arteterapia e educação, arteterapia e saúde* — Selma Ciornai (org.)